Pat de Silver Bush

Lucy Maud Montgomery

Pat de Silver Bush

FRANCE LOISIRS
123, boulevard de Grenelle, Paris

Titre original : *Pat of Silver Bush*
Traduit de l'anglais par Hélène Le Beau

Édition du Club France Loisirs, Paris,
réalisée avec l'autorisation des Éditions Flammarion Ltée

ISBN 2-7242-7394-X

1

Pat

— OH, OH ! J'pense bien qu'y va falloir que je fouille dans les plants de persil, dit Judy Plum, en commençant à découper la robe de crêpe rouge de Winnie pour s'en faire des bandes qu'elle pourrait éventuellement « crocheter ». Elle était très fière de son coup parce que, à force de harceler Mme Gardiner, elle avait réussi à obtenir cette robe. Mme Gardiner aurait souhaité que Winnie la porte encore une fois cet été. Les robes de crêpe rouge ne poussent pas dans les lits de persil, bien qu'on y trouve des tas d'autres choses.

Mais Judy avait un œil sur cette robe. Elle avait exactement la teinte qu'elle recherchait pour les pétales du cœur des énormes roses « en relief » du très beau tapis qu'elle crochetait en ce moment pour tante Hazel... un tapis aux bords faits de « volutes » mordorées et au centre rempli de bouquets de roses rouges et mauves telles qu'il n'en avait jamais poussé sur aucun rosier du monde.

Judy Plum avait une « sacrée réputation », comme elle le disait elle-même, pour les tapis crochetés, et elle voulait que celui-ci soit un chef-d'œuvre. Ce serait son cadeau de mariage à tante Hazel, si la jeune femme se mariait vraiment cet été, ce qu'il était vraiment grand temps qu'elle fasse, de l'avis de Judy, après toutes ses hésitations.

Pat, qui suivait avec grand intérêt la progression du tapis, ne savait rien, sinon qu'il était destiné à tante Hazel. Il y avait aussi un autre événement imminent à Silver Bush dont on l'avait tenue à l'écart et Judy croyait qu'il était grand temps qu'elle soit prévenue. Après tout, quand on a été le « bébé » de la famille pendant près de sept ans, comment accepter d'être supplantée par quelqu'un d'autre ? Judy, qui aimait tout le monde raisonnablement à Silver Bush, aimait Pat au-delà de la raison et s'inquiétait démesurément de la manière dont elle prendrait la chose. Pat prenait tout un peu trop au sérieux. Comme le disait Judy, « elle aimait trop fort ». Elle avait fait toute une scène ce matin-là parce que Judy voulait son vieux chandail mauve pour les roses de son tapis. Il était beaucoup trop petit pour Pat et plus sacré que vertueux, si vous voyez c'que j'veux dire, mais Pat ne voulait rien entendre et refusait de s'en défaire. Elle adorait ce vieux chandail et entendait le porter encore une autre année. Elle lutta avec tant d'acharnement que Judy, bien entendu, rendit les armes. Pat était toujours comme ça quand il s'agissait de ses vêtements. Elle y était tellement attachée qu'elle ne supportait pas l'idée de s'en défaire et les portait jusqu'à ce qu'elle ne soit plus regardable. Elle détestait ses nouvelles nippes tant qu'elle ne les avait pas portées pendant quelques semaines. Puis elle changeait radicalement d'avis et se mettait à les adorer.

— C't'une enfant étrange, si vous voulez bien m'croire, avait l'habitude de dire Judy en secouant sa tête grisonnante. Mais elle aurait fustigé quiconque aurait osé dire que Pat était une enfant étrange.

— Qu'est-ce qui fait qu'elle est si étrange ? avait un jour demandé Sidney, sur un ton un peu belliqueux. Sidney aimait Pat et n'acceptait pas qu'on dise d'elle qu'elle était étrange.

— Sûr qu'un farfadet l'a touchée le jour de sa naissance

avec une jeune épine de rose, lui avait mystérieusement répondu Judy.

Judy savait tout sur les farfadets, les fées, les lutins, les gnomes et toutes les créatures fascinantes du genre.

— Alors 'a s'ra jamais vraiment comme les autres personnes. Mais, c'est pas si pire. Elle aura les choses que les autres personnes peuvent pas avoir.

— Quelles choses ? Sidney était curieux.

— Elle aimera des gens... et des choses... mieux que la plupart de nous autres... et ça lui donnera de grands bonheurs. Mais ça lui fera plus mal aussi. C'est comme ça qu'ils viennent, les cadeaux des fées, et il faut prendre le bon avec le mauvais.

— Si c'est tout ce que le farfadet lui a donné, je pense qu'il ne vaut pas grand-chose, répondit le jeune Sidney avec mépris.

— Ch...chtt ! Judy était scandalisée. On sait jamais qui c'est qui nous écoute en ce moment. Et je t'ai pas dit que c'était tout. Elle verra des choses. Des centaines de sorcières qui volent la nuit au-dessus des forêts pis des prairies, sur des balais, avec des chats noirs perchés sur le manche. Ça te plairait pas, toi ?

— Tante Hazel dit que ça n'existe pas les sorcières, surtout sur l'Île-du-Prince-Édouard, dit Sidney.

— Si on croyait à rien du tout, on aurait quel plaisir à vivre, tu veux bien me dire ? demanda Judy sans attendre la réponse. Y'aura p't'ête jamais de sorcière sur l'Île-du-Prince-Édouard, mais y'en avait au moins une dans mon Irlande à l'époque. Ma propre grand-mère en était une vraie.

— Et toi, es-tu une sorcière ? demanda Sidney avec audace. Il avait toujours voulu poser cette question à Judy.

— P't'ête ben que j'ai un peu de ça, bien que je sois loin d'être une vraie sorcière, répondit Judy d'une façon significative.

— Et tu es certaine qu'un farfadet est venu piquer Pat ?

— Certaine ? Qui c'est qui peut être certain de ce qu'une

fée va faire ? C'est p't'ête seulement son sang mélangé qui fait qu'elle est étrange. Français, Anglais, Irlandais et Quaker... c'est un mélange terrible, c'est moi qui te l'dis.

— Mais ça fait longtemps, tout ça, souligna Sidney. Oncle Tom dit qu'on est canadiens seulement, maintenant.

— Oh, oh, rétorqua Judy, très offensée, si ton oncle Tom en sait plus que moi sur c't'affaire, qu'est-ce que tu viens m'arracher les oreilles avec tes questions ? Fiche le camp d'ici ! Allez ouste, déguerpis, ou j'vais t'réchauffer ton petit derrière !

— Je ne crois pas qu'il y ait ni sorcières ni fées, cria Sidney pour attiser sa fureur.

C'était toujours très drôle de voir Judy Plum se mettre en colère.

— Oh, oh, certainement ! Eh bien, j'ai connu un homme de la vieille Irlande qui disait la même chose. Il l'affirmait dur comme fer. Et un soir, en rentrant chez lui par un chemin détourné, il a rencontré ces charmantes créatures. Oh, oh, qu'est-ce qu'elles lui ont fait !

— Quoi... Quoi... implora Sid.

— Vaut mieux que tu l'saches jamais, n'y pense pas. Il a plus jamais été le même après ça et il a plus parlé des sorcières, crois-moi. Seulement j't'avertis qu'il vaut mieux surveiller c'qu'on dit à haute voix quand on pense qu'on est seul, mon jeune ami.

Judy crochetait son tapis dans sa propre chambre, juste au-dessus de la cuisine... une pièce fascinante, d'après les enfants de Silver Bush. On n'y avait pas fait les plâtres. Les murs et les plafonds étaient couverts de planches de bois dénudées bien lisses que Judy conservait magnifiquement chaulées. Le lit, énorme, était constitué d'une imposante couche de paille. Judy méprisait plumes et matelas, lesquels, croyait-elle, étaient une invention moderne du Méchant Homme d'en-Bas. Les taies d'oreillers étaient ornées d'une délicate dentelle, et une immense courtepointe sur laquelle on pouvait lire le nom de plusieurs personnes, recouvrait son lit. Judy l'avait achetée de quelque organisme local, il y avait des années de cela.

— Sûr que j'aime ça rester allongée ici quand c'est que j'me réveille et que je vois les noms de tout ce beau monde qu'est enterré en dessous alors que moi-même j'suis encore là bien vivante et en santé, avait-elle l'habitude de dire.

Les enfants de Silver Bush, jusqu'à ce qu'ils soient trop grands pour le faire, aimaient tous venir passer une nuit avec Judy, à l'écouter raconter les histoires de ces personnes dont les noms étaient écrits sur la courtepointe. Des aventures oubliées... des vieilles histoires d'amour... Judy les connaissait toutes, ou, à défaut de les connaître, elle les inventait. Elle était dotée d'une mémoire phénoménale et d'un don pour les descriptions dramatiques. Les histoires de Judy n'étaient pas toujours si innocentes. Elle connaissait quantités de contes étranges avec des fantômes et de « beaux meurtres mystérieux », et on s'étonnait qu'elle n'effraie pas davantage les enfants. Ces derniers, au contraire, raffolaient des histoires qui leur donnaient la chair de poule. Ils savaient bien que les histoires de Judy n'étaient qu'un tissu de « mensonges », mais cela ne les dérangeait pas. C'étaient des mensonges passionnants et captivants. Judy avait la merveilleuse habitude de raconter ses histoires, nuit après nuit, avec une capacité de s'arrêter juste au moment crucial que n'importe quel écrivain de feuilleton lui aurait enviée. Celle que Pat préférait racontait l'aventure d'un homme assassiné qu'on avait trouvé en morceaux dans sa maison... un bras dans le grenier... la tête dans la cave... une cuisse dans une marmite dans le garde-manger. « Ça me donne des frissons si agréables, Judy. »

Il y avait à côté du lit, sur une petite table couverte d'un ouvrage crocheté, une pelote à épingles perlée en forme de cœur et une boîte en coquillages, à l'intérieur de laquelle Judy conservait la première dent et une boucle de cheveux de tous les enfants. Il y avait aussi la carapace d'un poisson-scie d'Australie et un peu de cire d'abeille dont elle se servait pour assouplir des fils et qui était sillonnée d'innombrables rides très fines comme celles qui marquaient le visage de la vieille arrière-arrière-grand-tante Hanna de Bay Shore. C'est sur cette table de chevet que Judy laissait sa Bible ainsi qu'un petit livre grassouillet intitulé *Conseils pratiques* duquel Judy tirait constamment d'étonnantes informations. C'était le seul livre que Judy avait jamais lu. Les gens, disait-elle, étaient drôlement plus intéressants que les livres.

Des bouquets de tanaisies, d'achillées et d'aromates séchés pendaient au plafond, dans toute la pièce, et avaient une allure glorieusement lugubre la nuit, au clair de lune. L'énorme caisse bleue que Judy avait apportée avec elle du Vieux Pays trente ans plus tôt, était appuyée au mur et, lorsque Judy se sentait particulièrement de bonne humeur, elle en dévoilait aux enfants le contenu... un curieux et intéressant mélange, fruit de ses pérégrinations autour du monde, à une autre époque. Née en Irlande, elle s'était « débrouillée » durant son adolescence... dans un « château », rien de moins, comme les enfants de Silver Bush se le firent raconter, les yeux grands ouverts de stupéfaction. Puis elle était partie en Angleterre, y travaillant jusqu'à ce qu'elle suive un cousin aventurier qui avait décidé de s'établir en Australie. L'Australie ne correspondant pas à ses attentes, il fit route pour le Canada et s'installa dans une ferme pendant quelques années, sur l'Île-du-Prince-Édouard. Judy vint travailler à Silver Bush, à l'époque des grands-parents de Pat. Et lorsque son frère lui annonça sa décision de partir et de tenter l'aventure du Klondike, Judy déclara froidement qu'il irait seul. Elle aimait « l'Île ». Cela ressemblait davantage au Vieux Pays que tous les autres endroits qu'elle avait connus. Elle aimait Silver Bush et elle adorait les Gardiner.

Et depuis ce temps, Judy habitait à Silver Bush. Elle était là quand « Long Alec » Gardiner avait ramené sa jeune épouse à la maison. Elle était là à la naissance de chacun des enfants. Elle appartenait à cet endroit. Nul ne pouvait imaginer Silver Bush sans elle. Avec son talent pour dénicher des contes et des légendes, elle en savait plus sur l'histoire de la famille qu'aucun des Gardiner n'en savait lui-même.

Elle n'avait jamais eu l'intention de se marier.

— J'n'ai jamais eu qu'un prétendant, confia-t-elle un jour à Pat. Il a chanté la sérénade sous ma fenêtre un soir et je lui ai versé un seau d'eau savonneuse sur la tête. P't'ête bien que ça l'a découragé. De toute façon, ça n'est jamais allé plus loin que ça.

— Est-ce que tu as eu de la peine ? demanda Pat.

— Pas le moins du monde, mon bijou. De toute façon, il n'avait pas plus de tête que celle que Dieu a donné au dindon.

— Penses-tu que tu vas te marier un jour, Judy ? demanda Pat avec anxiété.

Elle serait terriblement malheureuse si Judy se mariait et qu'elle la quittait.

— Oh, oh, à mon âge ! Moi, aussi grise qu'un vieux chat !

— Quel âge as-tu, Judy Plum ?

— C'est pas bien bien poli de poser la question, mais tu es trop jeune pour le savoir. J'dois bien être aussi vieille que ma langue et un p'tit peu plus vieille que mes dents. Ne fais pas aller ton petit gésier à redire que je pourrais m'marier. S'marier, c'est des problèmes, et pas s'marier, c'est des problèmes aussi, alors j'préfère encore les problèmes que j'connais.

— Moi non plus, je ne vais jamais me marier, Judy, dit Pat. Parce que si je me mariais, il faudrait que je quitte Silver Bush et ça, je ne pourrais pas le supporter. On va rester ici toute notre vie... Sid et moi... et tu vas rester avec nous, hein Judy ? Et tu m'apprendras à faire des fromages.

— Oh, oh, des fromages, si c'est bien c'que j'entends ? Les usines à fromages font toutes du fromage maintenant. Il n'y a pas une ferme sur l'Île à part Silver Bush qui fait du fromage. Et je pense bien que c'est le dernier été que j'en fais, moi.

– Oh, Judy Plum, tu ne peux pas arrêter de faire du fromage. Tu dois continuer à en faire toute ta vie. S'il te plaît, Judy Plum ?

– Eh bien, j'en ferai peut-être deux ou trois pour la famille, concéda Judy. Ton père dit tout le temps que les fromages des grandes usines goûtent pas le fromage fait à la maison. Comment veux-tu que ce soit possible, j'te le demande ? C'est des hommes qui dirigent ça ! Qu'est-ce que les hommes connaissent à la fabrication du fromage ? Oh, oh, tous ces changements depuis que je suis arrivée sur cette Île !

– Je déteste les changements, s'écria Pat, presque en larmes.

Cela avait été si affreux de penser que Judy ne ferait plus jamais de fromages. Cette étrange mixture à laquelle elle ajoutait quelque chose qu'elle appelait de la « présure »... ces magnifiques îlots de lait caillé blanc, le lendemain matin... le tassement dans les moules... le rangement sous la vieille « presse », tout près de la grange de l'église, avec la pierre grise et ronde qui servait de poids. Puis la longue période de séchage et d'affinage des grosses lunes dorées dans le grenier... elles étaient toutes grosses à l'exception d'une, minuscule, fabriquée dans un moule spécial, pour Pat. Pat savait pertinemment que tout le monde à North Glen trouvait les Gardiner très démodés parce qu'ils continuaient à fabriquer leur propre fromage. Mais pourquoi s'en soucier ? Les tapis crochetés étaient démodés aussi, mais ils faisaient un malheur chez les touristes et les visiteurs, pendant l'été, qui auraient acheté tous ceux fabriqués par Judy Plum. Mais les tapis de Judy n'étaient pas à vendre. Elle les crochetait pour la maison de Silver Bush et pour aucune autre maison de l'Île.

Judy crochetait avec acharnement. Elle voulait finir sa rose avant l'heure du loup, comme elle avait l'habitude d'appeler ce moment de la journée où il ne fait pas encore tout à fait nuit et plus tout à fait jour. Pat aimait bien cette expression. C'était si charmant et si étrange. Elle restait assise sur un petit tabouret sur le palier de l'escalier de la cuisine, juste de l'autre côté de la porte ouverte de la chambre de Judy, ses coudes sur ses fins genoux, son menton carré calé dans ses mains. Son petit visage rieur, qui semblait toujours rire même quand elle se sentait triste, fâchée ou encore de mauvaise humeur, était blanc ivoire durant l'hiver mais commençait déjà à prendre une couleur d'été. Elle avait des cheveux brun-roux, droits... et longs. Personne à Silver Bush, à l'exception de tante Hazel, n'avait encore osé porter les cheveux courts. Judy avait fait tant d'histoires à ce sujet que sa mère ne s'était pas aventurée à couper ceux de Winnie ou de Pat. Le plus drôle, c'est que Judy elle-même avait les cheveux courts et donc tout à fait à la mode qu'elle méprisait. Judy avait toujours porté ses cheveux grisonnants courts. Elle n'avait pas de temps à perdre avec des épingles à cheveux, disait-elle.

Gentleman Tom s'assit à côté de Pat, sur la dernière marche de l'escalier qui conduisait à la chambre de Judy, clignant de ses yeux verts insolents dans sa direction avec un regard qui aurait envoyé Judy au bûcher il y a quelques siècles. C'était un grand chat maigre qui avait toujours l'air d'être embêté par un problème inavouable ; il était désespérément maigre en dépit du traitement de choix que lui réservait Judy ; un chat noir... « le chat le plus noir que j'ai vu dans toute ma vie ». Il avait été sans nom pendant un certain temps. Judy disait que ça portait malheur de baptiser une bête qui venait « d'arriver ». Qui sait si on n'offensait pas quelqu'un ? Alors on appela tout simplement cette bête malingre et noire le Chat de Judy, avec une majuscule, jusqu'au jour où Sid le désigna sous le nom de « Gentleman Tom », et Gentleman Tom on l'appela à compter de ce jour, et même Judy fut forcée de s'avouer vaincue. Pat aimait tous les chats, mais son amour pour

Gentleman Tom était mêlé d'admiration. Apparemment, il était venu de nulle part, il n'était même pas né avec d'autres petits chatons, et il s'était attaché à Judy. Il dormait au pied de son lit, marchait à côté d'elle, avec la queue dressée comme une baguette, la suivant où qu'elle aille. Personne ne l'avait jamais entendu ronronner. On ne pouvait pas dire que c'était un chat sociable. Même Judy, qui ne lui reconnaissait aucun défaut, admettait qu'il était « un peu regardant quant au choix des gens à qui il voulait bien parler ».

— Sûr qu'y'est pas c'qu'on appelle un chat très causant, mais c'est un sacré compagnon, à sa manière.

2

Silver Bush

PAT REGARDAIT fixement de ses yeux noisette et brillants à travers la petite fenêtre ronde dans le mur au-dessus du palier au moment où Judy fit sa remarque sur le désherbage du persil. C'était sa fenêtre favorite ; elle s'ouvrait vers l'extérieur comme un hublot de bateau. Elle ne montait jamais dans la chambre de Judy sans s'y arrêter pour regarder à l'extérieur. Des brises douces et irrégulières comme elle les adorait pénétraient par cette fenêtre et ignoraient les autres. Et puis, on pouvait y voir de si jolies choses. Le bosquet de bouleaux blancs sur la colline qui donnait son nom à Silver Bush[1], était rempli de charmantes petites chouettes hululantes qui ne hululaient presque jamais, choisissant plutôt de rire et de ronronner. Derrière, on pouvait voir la colline, les vallons et les côteaux ainsi que les prairies entourant la vieille ferme, dont certaines étaient protégées par des fils de fer barbelés que Pat n'aimait pas et d'autres par des clôtures de « dormants » gris argent le long desquelles poussaient en abondance des gerbes d'or et des asters.

1. Littéralement : Bosquet argenté, en référence aux bouleaux argentés. (*N.D.T.*)

17

Pat aimait chaque pré des environs. Avec Sidney, elle les avait tous explorés. Pour Pat, un pré n'était pas seulement un pré... mais une personne. Il y avait le champ sur la grosse colline où l'on avait planté du blé au printemps et qui ressemblait aujourd'hui à un immense tapis vert ; le Champ de l'Étang avec, juste au centre, une dénivellation qui s'était remplie d'eau, comme si une fée géante avait appuyé son doigt dans la terre meuble. Durant l'été, le petit étang était bordé de marguerites et de campanules, et Sid et Pat y trempaient leurs pieds brûlants et fatigués, les jours de grande chaleur humide. Il y avait aussi le Champ de la Tarte anglaise qui formait un triangle de terre jusqu'au massif d'épinettes ; il y avait aussi le Champ marécageux des Boutons d'or où fleurissaient tous les boutons d'or de la terre ; le Champ de l'Adieu à l'Été qui, en septembre, serait envahi d'asters pourpres ; le Champ secret tout au fond, dont il était impossible de soupçonner l'existence avant d'avoir traversé le bois, comme elle l'avait fait, un jour, audacieusement avec Sid, découvrant soudain, derrière un rideau d'érables et de sapins, un lieu baigné de soleil et sentant bon la fougère épicée qui poussait tout autour en gros bouquets dorés. Les feuilles rouges des framboisiers sauvages faisaient comme des étoiles sur l'herbe couchée et duveteuse ; çà et là, des tas de grosses pierres aux pieds desquelles se déployait un enchevêtrement de framboisiers à longues tiges, laissaient pousser la fougère entre les interstices. Pour la première fois, Pat s'était fait un « bouquet » avec des fraisiers.

Il y avait, près de l'endroit par où ils avaient pénétré dans le champ, deux adorables épinettes, dont l'une était à peine plus grande que l'autre... on aurait dit un frère et sa sœur, exactement comme Sidney et Pat. Ils les baptisèrent en les voyant, Reine des Bois et Princesse des Fougères. C'est Pat en fait qui avait trouvé leur nom. Elle adorait donner des noms aux choses. Cela en faisait des personnes... et les personnes, on les aime.

C'est le Champ secret qu'ils aimaient le plus. D'une

certaine façon, il semblait leur appartenir, comme s'ils avaient été les premiers à le découvrir ; il était tellement différent du petit pré derrière la grange, si misérable, si triste et rocailleux que personne ne l'aimait... sauf Pat. Elle l'aimait parce que c'était un des champs de Silver Bush et cela lui suffisait.

Mais par cette délicieuse soirée de printemps, alors que le ciel à l'ouest brillait d'or et de rose tendre et qu'approchait doucement la fameuse heure du loup de Judy, Pat, de sa charmante fenêtre, pouvait voir bien d'autres merveilles que ces champs. Il y avait à l'est, par-delà la Colline des Bois argentés, la Colline de la Brume avec les trois peupliers de Lombardie campés au sommet tels trois gardiens ténébreux, fidèles et sévères. Pat aimait profondément cette colline, bien qu'elle fût éloignée de Silver Bush d'un bon kilomètre et qu'elle ne fît pas partie de son territoire. Elle n'en connaissait pas le propriétaire, ce qui, dans un sens, n'était qu'une façon de parler, puisque cette colline lui appartenait, tant son amour pour elle était grand. Chaque matin, de sa fenêtre, elle la saluait de la main. Elle se rappelait qu'une fois, elle ne devait pas avoir cinq ans, elle était allée passer la journée chez ses tantes à la ferme Bay Shore et elle avait eu très peur qu'on lui enlève sa Colline de la Brume pendant son absence. Quelle joie éprouva-t-elle à son retour en trouvant la colline à sa place, avec les trois peupliers intacts s'élançant dans la nuit sous le clair de lune. Elle avait presque sept ans maintenant, et avec toute la sagesse que confère ce grand âge, elle savait bien qu'on ne déplacerait jamais la Colline de la Brume et qu'elle serait toujours là, ceci l'autorisant à partir et à revenir selon son bon vouloir. Cette certitude était réconfortante dans un monde que Pat soupçonnait déjà d'être rempli de cette chose terrifiante qu'on appelle le changement. Il y avait aussi une autre chose terrible, mais elle était encore trop jeune pour la connaître, c'était la perte des illusions. Alors qu'il y a un an, elle croyait que si elle parvenait à escalader la Colline de la Brume elle pourrait toucher la voûte de ce ciel magnifique et brillant et peut-être, oh ! quelle extase ! s'emparer d'une étoile tremblante, elle savait aujourd'hui que cela était impossible. Sidney le lui avait dit et elle devait croire Sid parce qu'il avait un an de plus qu'elle et qu'il connaissait beaucoup de choses. Pat croyait que personne ne savait autant de choses que Sidney, à l'exception, évidemment, de Judy Plum qui connaissait tout. C'est Judy qui savait que les esprits du vent vivaient sur la Colline de la Brume. À des kilomètres à la ronde, c'était la plus haute colline et les esprits du vent avaient toujours favorisé les endroits élevés. Pat savait à quoi ils ressemblaient, même si personne ne le lui avait jamais dit, même pas Judy qui croyait plus prudent de ne pas décrire ces créatures. Pat savait que le Vent du Nord était un esprit froid et brillant et que celui du Vent d'Est était gris et ombrageux ; par contre, l'esprit du Vent d'Ouest riait et celui du Sud, chantait.

Le jardin était situé sous la fenêtre de la cuisine, avec le mystérieux lit de persil de Judy dans un coin et de beaux rangs d'oignons, de fèves et de pois, bien alignés. À côté de la barrière, il y avait le puits... un puits ancien, avec une manivelle pour faire tourner la poulie à laquelle était accroché un long filin où pendait un seau. Les Gardiner le conservaient pour faire plaisir à Judy qui ne voulait tout simplement pas entendre parler de ces nouvelles pompes modernes qu'on fabriquait de nos jours. Et puis l'eau ne serait plus jamais la même. Pat était heureuse que Judy n'ait pas voulu qu'on change le vieux puits. Il était magnifique. Des fougères poussaient entre les pierres, sous la margelle, et cachaient presque à la vue l'eau claire et profonde qui reposait vingt mètres plus bas et qui réfléchissait toujours un coin de ciel bleu et le reflet de son petit visage fasciné par ces profondeurs éternellement calmes. Même en hiver, les fougères ne disparaissaient pas avec leurs longues tiges vertes et le reflet miroitant de Patricia continuait à l'observer d'un monde où ne soufflaient jamais de tempêtes. Un grand érable poussait au-dessus du puits, un érable qui tendait ses bras verts en direction de la maison et qui s'en rapprochait un peu plus à chaque année.

Pat pouvait aussi voir le verger de sa fenêtre, un verger particulièrement magnifique où se mêlaient merveilleusement, du moins dans la vieille partie, pommiers et épinettes. La nouvelle partie était cultivée et, avec ses arbres taillés, elle offrait beaucoup moins d'intérêt. Dans la vieille partie poussaient des arbres plantés par l'arrière-grand-père Gardiner. D'autres arbres qui n'avaient jamais été plantés poussaient sans histoire, le long de merveilleux petits sentiers qui parcouraient tout le verger. Au fond, il y avait un coin rempli de jeunes épinettes faisant un cercle autour d'une toute petite clairière ensoleillée où trouvaient refuge tous les chats que Pat adorait et où elle se rendait souvent quand elle désirait « mettre de l'ordre dans sa tête ». Même quand on a presque sept ans, il y a parfois des choses auxquelles il faut réfléchir.

Sur un côté du verger, il y avait le cimetière. Oui, un véritable cimetière avec des tombes. C'est là où étaient enterrés l'arrière-arrière-grand-père Nehemiah Gardiner, débarqué sur l'Île-du-Prince-Édouard en 1780, ainsi que sa femme, Marie Bonnet, une huguenote née en France. L'arrière-grand-père, Thomas Gardiner, y repose également, en compagnie de sa femme, Jane Wilson qui était quaker. On les avait enterrés là, à l'époque où le cimetière le plus proche était à Charlottetown, qu'on gagnait par un sentier qui traversait la forêt. Jane Wilson avait été une petite dame réservée, toujours vêtue du gris des quakers et d'un chapeau simple et correct. Il y avait encore un de ses chapeaux dans un coffre remisé au grenier de Silver Bush. C'est cette même Jane Wilson qui avait repoussé le gros ours noir qui essayait d'entrer par une fenêtre de leur maison de bois rond en lui versant sur la tête de la purée bouillante. Pat aimait beaucoup cette histoire que lui racontait Judy, et surtout la description de l'ours fuyant à toute allure à travers les bois derrière la maison, s'arrêtant parfois pour tenter frénétiquement d'enlever cette bouillie de son visage. Ce devait être passionnant de vivre sur l'Île-du-Prince-Édouard à cette époque, quand les forêts abritaient des quantités d'ours qui venaient regarder par la fenêtre en s'appuyant sur leurs grosses pattes. Quel dommage ! Cela n'était pas près de se reproduire car tous les ours avaient disparu. Pat était toujours triste lorsqu'elle pensait au dernier des grands ours. Comme il avait dû se sentir seul !

Le grand-oncle Richard reposait aussi dans le cimetière... « Dick Gardiner le Sauvage » avait été marin et s'était battu contre des requins. On disait qu'il avait une fois mangé de la chair humaine. Il avait juré qu'il ne serait jamais enterré sur terre. Au moment de mourir de la rougeole... quelle mort curieuse pour ce marin intrépide... il avait demandé à son frère Thomas de lui promettre de mettre son cadavre sur un bateau et qu'il irait le jeter dans les eaux du golfe. Thomas, scandalisé, avait catégoriquement refusé et on avait enterré Dick dans le cimetière familial. Ainsi, chaque fois qu'un malheur quelconque menaçait les Gardiner, Dick le Sauvage sortait de sa tombe, s'installait sur la clôture et entonnait des chansons grivoises jusqu'à ce que les très pieux membres de la famille sortent aussi de leur tombe et se joignent à lui pour chanter en refrain. C'est du moins ce que raconte Judy Plum dans une de ses plus captivantes histoires. Pat ne l'avait jamais crue, bien qu'elle aurait souhaité pouvoir y croire. Il y avait aussi la tombe de Willy le Pleureur qui, en débarquant sur l'Île la première fois, avait regardé tous ces grands arbres qu'il fallait couper et s'était assis pour pleurer. On ne l'avait jamais oublié. De ce jour et jusqu'à sa mort et même après, on l'avait baptisé Willy le Pleureur. Aucune femme ne voulut jamais devenir Mme Willy le Pleureur et il traversa les quatre-vingts années de sa vie en vieux célibataire rempli d'amertume... d'après Judy. Elle raconte aussi que, lorsqu'un bonheur est sur le point de combler les Gardiner, Willy le Pleureur s'asseoit sur la pierre plate de sa tombe et se met à pleurer. Ça non plus, Pat n'y croit pas, mais elle aimerait bien que Willy le Pleureur revienne pour voir ce qui a remplacé la triste forêt qui lui avait fait si peur. Si seulement il pouvait voir Silver Bush aujourd'hui.

Finalement, il y avait la « tombe mystérieuse ». Sur la pierre tombale on pouvait lire : *À ma chère Emily et à notre petite Lilian.* Pas un mot de plus, pas même une date. Qui était Emily ? Ce n'était pas une Gardiner, croyait-on. Un voisin avait peut-être réclamé le privilège d'enterrer celle qu'il aimait près de lui dans le lot des Gardiner pour qu'elle ait de la compagnie en ce nouveau pays solitaire. Et quel âge avait la petite Lilian ? Si jamais un des fantômes de Silver Bush « marchait », pensait Pat, elle souhaitait que ce puisse être Lilian. Elle n'aurait pas peur d'elle, c'était sûr.

Beaucoup d'enfants avaient été enterrés là. Personne ne savait combien, car ils n'avaient pas de pierre tombale. Les aïeux reposaient sous des dalles horizontales de grès rouge qui provenaient du rivage ; elles étaient soutenues par quatre pieds et on pouvait y lire, gravés, leurs noms ainsi que toutes leurs qualités. L'herbe poussait tout autour, épaisse, longue et intacte. Les après-midi d'été, les dalles étaient chaudes et Gentleman Tom aimait aller s'y allonger, magnifiquement lové dans son sommeil. Le terrain des Gardiner était entouré d'une palissade que Judy Plum blanchissait soigneusement à la chaux à chaque printemps. Quant aux pommes qui tombaient des branches qui surplombaient le cimetière, on ne les mangeait jamais. « Ça s'rait pas respictueux », expliquait Judy Plum. On les ramassait et on les donnait aux cochons. Pat n'était jamais parvenue à comprendre qu'il ne soit pas « respictueux » de manger ces pommes et qu'il était beaucoup plus « respictueux » d'en nourrir les cochons.

Elle était très fière du cimetière et regrettait que les Gardiner ne l'utilisent plus. Ce serait tellement bien, pensait Pat, d'être enterrée juste là, tout près de la maison, et de pouvoir entendre chaque jour des voix connues et des bruits familiers de la maison... des sons agréables comme ceux que pouvait entendre Pat en ce moment par sa petite fenêtre ronde. Le ronron de la meule avec laquelle son père aiguisait sa hache, sous le pommier... un chien qui jappait à en perdre le souffle près de chez l'oncle Tom... le vent d'ouest qui bruissait dans les feuilles tremblantes des peupliers... les grillons qui chantaient du bosquet argenté – Judy disait qu'ils annonçaient la pluie... le dindon de Judy qui se pavanait dans la cour... les oies de l'oncle Tom qui conversaient avec les oies de Silver Bush... les cochons qui grognaient dans leur soue : même cela, elle le trouvait agréable parce que c'était un bruit familier de Silver Bush ; il y avait aussi Jeudi, le petit chaton qui miaulait pour qu'on le laisse entrer dans le grenier... et quelqu'un qui riait, Winnie, naturellement. Quel rire extraordinaire ! Et Joe qui sifflait près de la grange. Joe sifflait magnifiquement, même si la plupart du temps, il ne s'en rendait pas compte. N'avait-il pas un jour commencé à siffler à l'église ? Mais c'était à Judy Plum de raconter cette histoire. À l'en croire, Judy n'avait jamais plus été la même depuis cet incident.

Les granges d'où venait le sifflement de Joe se situaient près du verger, séparées seulement par le Sentier qui Murmure qui mène chez oncle Tom. La petite grange se tenait juste à côté de la grande, tout comme un enfant. Quelle étrange petite grange avec ses pignons, sa tourelle et ses fenêtres à encorbellement, comme celles d'une église, ce qu'elle était en réalité à l'origine. Quand la nouvelle église presbytérienne avait été construite à South Glen, grand-père Gardiner avait acheté la vieille église et l'avait transportée jusqu'à Silver Bush pour en faire une grange. De tout ce qu'il avait entrepris, c'est la seule chose que Judy eut désapprouvé. Elle ne fut donc pas surprise qu'il soit terrassé par une crise cardiaque, cinq ans plus tard, à l'âge de soixante-quinze ans. À la suite de cela, il ne fut plus jamais le même, bien qu'il vécût encore cinq ans. Et, qu'on en pense ce qu'on voudra, mais un sort non moins enviable s'abattit sur les cochons de Silver Bush après qu'on eut déménagé la soue dans l'ancienne église. Ils furent sujets à des rhumatismes.

Le soleil s'était couché. Pat adorait contempler cette image glorieuse qui venait de l'ouest dans les fenêtres de la maison de l'oncle Tom, derrière le Sentier qui Murmure. De toutes les heures passées à la ferme, c'était celle qu'elle préférait. Dans la lumière du couchant, les feuilles des peupliers bruissaient comme de la soie ; en bas, la cour se remplissait de gros chats ronds et gras sous leur fourrure qui se préparaient à mille aventures dans la nuit. Silver Bush avait toujours été un paradis pour les chats. Personne n'avait jamais eu le courage de les noyer pour s'en débarrasser. Pat, en particulier, les adorait et, à ce propos, Judy aimait bien raconter une anecdote... à savoir que le ministre avait dit à Pat qu'elle pouvait lui poser n'importe quelle question. Pat lui avait alors demandé d'un air triste : « Pourquoi Gentleman Tom ne peut-il pas avoir de petits chats ? » Le pauvre homme s'était retiré dans un autre presbytère. Il avait tendance à rire pour un rien et il raconta qu'il n'arrivait pas à prêcher avec, en face de lui sur son banc, la petite Pat Gardiner, si solennelle, le regard plein de reproches.

Il y avait dans la cour Dimanche le chat noir, Lundi le tacheté, Mardi le Maltais, Mercredi le jaune, Vendredi le calicot et Samedi qui était couleur de la brunante. Seul Jeudi le rayé continuait à miauler à vous fendre le cœur à la porte du grenier. Jeudi n'avait jamais été un chat très sociable et il se promenait toujours seul comme le chat de Kipling dans le livre de contes de Joe. Le vieux dindon aux caroncules rouge corail était allé se jucher sur la clôture du verger. Des chauves-souris plongeaient dans le ciel tout autour... fées et farfadets voyageaient sur des chauves-souris, d'après Judy. Des lumières se mettaient soudain à scintiller à l'est et à l'ouest... chez Ned Baker et Kenneth Robinson, chez Duncan Gardiner et James Adams. Pat avait grand plaisir à les observer et se demandait ce qui pouvait bien se passer dans les pièces où elles venaient de s'allumer. Mais il y avait une maison où les lumières ne s'allumaient jamais... une vieille maison blanche derrière un épais rideau de sapins au sommet d'une colline au sud-ouest, à deux fermes de Silver Bush. C'était une longue maison assez basse... Pat l'appelait la Longue Maison solitaire. Elle était inhabitée depuis des années. Pat en était très peinée, surtout à l'heure du loup quand les lumières s'allumaient dans toutes les autres maisons des environs. Elle devait se sentir seule et négligée. D'une certaine manière, Pat était contrariée qu'elle ne puisse pas avoir tout ce que les autres maisons avaient.

– Elle a envie qu'on l'habite, Judy, disait-elle avec mélancolie.

Elle pouvait voir l'étoile de la nuit dans l'étendue pâle et argentée du ciel, juste au-dessus du grand sapin qui se dressait en plein centre du bosquet argenté. La première étoile lui donnait toujours des frissons. N'est-ce pas que ce serait merveilleux de pouvoir s'envoler jusqu'au sommet du sapin qui se balançait doucement, et de se trouver entre l'étoile de la nuit et la nouvelle noirceur ?

3

À propos des plants de persil

*L*A ROSE ROUGE était presque terminée lorsque Pat se rappela que Judy avait dit quelque chose à propos de fouiller dans les plants de persil.

— Judy Plum, dit-elle, que penses-tu trouver dans les plants de persil ?

— Qu'est-ce que tu dirais si j't'annonçais que j'vais trouver un p'tit bébé, là-dedans ? répondit Judy en la regardant droit dans les yeux.

Pendant un instant, Pat eut l'air de quelqu'un qui aurait préféré que la foudre lui tombe sur la tête. Puis...

— Penses-tu Judy, que nous avons vraiment besoin d'un nouveau bébé ici ?

— Oh, oh, là-dessus ma fille, tout l'monde peut avoir son opinion. J'ai pour mon dire que ça serait gentil, et puis qu'une maison sans bébé, c'est une maison bien triste.

— Est-ce que... est-ce que tu préférerais ce bébé-là à moi, Judy Plum ?

Il y avait un tremblement dans la voix de Pat.

— Pour ça, jamais, mon trésor. T'es la p'tite fille de Judy et tu resteras toujours la p'tite fille de Judy, même si je trouvais douze bébés dans les plants de persil. Pis c'est bien à ta mère que j'pense aussi. En fait, elle est en train de

27

nous préparer un autre bébé, Patsy, et j'penserais bien qu'y faudrait l'aider un peu, à cause qu'elle est pas forte forte. Alors c'est ça qui est ça, mon bijou.

— Naturellement, si maman veut un autre enfant, ça ne me dérange pas, admit Pat. Mais, ajouta-t-elle, songeuse, on a une si belle petite famille en ce moment, Judy... maman et papa, tante Hazel, toi, Winnie, Joe, Sid et moi. J'aimerais que nous restions comme ça toute notre vie.

— J'te dis pas que ça serait pas préférable. C'est un peu dérangeant de penser à ça quand on est certain que la famille est complète. Mais c'est ça qui est ça... y'a rien qui pourrait faire plus de bien à ta mère qu'un bébé. Y'reste plus qu'à la pauvre Judy Plum de se mettre à genoux par terre sur ses pauvres vieux os pour voir si 'a trouverait pas que'q'chose dedans les plants de persil.

— Judy, est-ce qu'on trouve vraiment les bébés dans des plants de persil ? Jen Foster dit que le docteur les apporte dans un sac noir. Et Ellen Price raconte que ce sont les cigognes qui les amènent. Et Polly Gardiner dit que c'est la vieille mémé Garland qui vit l'autre côté du pont qui les apporte dans son panier.

— Quelles sornettes qu'y peuvent raconter les jeunes de par nos jours ! s'exclama Judy Plum. T'as déjà vu le docteur Bentley quand y vient par ici... ben dis-moi si tu l'as jamais vu avec un sac noir ?

— Euh... non.

— Et p't'être bien que c'est plein de cigognes sur notre Île-du-Prince-Édouard ?

Pat n'avait jamais entendu parler de cigognes sur l'Île-du-Prince-Édouard.

— Pour c'qui est de mémé Garland, j'te dis pas qu'elle a pas un ou deux bébés cachés dans son panier, une fois de temps en temps. Mais si c'est vrai, demande-toi donc si elle les a pas trouvés dans son propre plant de persil. Qu'est-ce que tu dis de ça ? Pis c'est certainement pas pour leurs qualités qu'elle les ramasse les bébés. Tu voudrais pas d'un p'tit bébé choisi par mémé Garland, hein ?

28

– Oh non ! Oh non ! Mais est-ce que je ne pourrais pas t'aider à chercher, Judy ?

– Entendez-vous ça ! C'est tout p'tit et ça sait pas trop de quoi ça parle, c'te p'tite chérie. C'est juste quelqu'un comme Judy avec un peu de sang de sorcière dans les veines qui peut réussir à voir les p'tites créatures. Pis c'est toute seule que j'dois y aller avec mon chat, quand la lune se lève. J'te dis, c'est pas que du travail ordinaire, c'te trouvaille de bébé, faut s'y mettre très sérieusement.

Pat abandonna et poussa un soupir de désappointement.

– Tu vas me trouver un joli bébé, n'est-ce pas Judy ? Un bébé de Silver Bush doit être joli.

– Oh, oh ! Je vas faire mon possible. Mais tu dois te rappeler qu'au début, y sont pas toujours beaux à regarder. Tout plissés et ratatinés, comme les feuilles de persil. Pis j'm'en vas te dire aut'chose... les jolis bébés, y deviennent presque toujours laids en grandissant. Moi-même quand j'étais toute petite...

– Tu as déjà été un bébé, Judy ? Pour Pat, c'était difficile à croire. Il était absurde d'imaginer que Judy Plum ait pu être un bébé. Et encore plus absurde de penser qu'il y avait eu un temps où Judy Plum n'existait même pas.

– Mais oui, j'ai déjà été un bébé. J'étais si belle que tous les gens du voisinage, y venaient me chercher pour que je passe pour leur fille quand c'est qu'y avait d'la visite. Et regarde-moi ça maintenant. Mets ça dans ta caboche si jamais tu trouves qu'il est pas assez beau pour toi le bébé que j'te rapporte. Évidemment, j'ai eu la jaunisse quand j'étais rien qu'un p'tit bout de fille. Ça m'a rendue jaune comme une cenne de cuivre. Depuis c'temps là, ma peau a jamais plus été pareille qu'avant.

– Mais, Judy, tu n'es pas laide.

– Peut-être que c'est pas si pire que ça, dit Judy prudemment, mais j'aurais pas choisi c'te face, si j'avais pu. Bon, la rose est finie, pis c't'une belle rose à part ça ; j'm'en vas aller traire les vaches. Tu ferais mieux d'aller ouvrir la porte du grenier avant que c'te créature de Jeudi fasse une

29

crise d'apoplexie. Pis, pas un mot à personne sur cette histoire de plants de persil.

— Je n'en parlerai pas. Mais, Judy, j'ai une espèce de sensation bizarre dans le ventre...

Judy éclata de rire.

— Ah ma p'tite v'nimeuse d'intelligente ! J'sais très bien ce que tu essaies de me dire. Très bien, quand j'en aurai fini avec mes vaches, tu pourras passer par la cuisine, j'te ferai frire des œufs.

— Dans le beurre, Judy ?

— Mais oui, dans le beurre. Des tonnes de beurre, bien assez pour que tu puisses tremper tout ton pain, comme ça te plaît. J'le jurerais pas, mais y aurait p't'être aussi une brioche à la cannelle qui reste du souper.

Judy qui ne portait jamais de tablier, retourna sa jupe autour de la taille, découvrant son jupon rayé et descendit les marches tout en se parlant, comme elle en avait l'habitude. Gentleman Tom la suivit comme une ombre familière. Pat s'étira et s'en alla ouvrir la porte du grenier à Jeudi. Elle éprouvait encore un étrange malaise sans vraiment savoir si cela venait de son estomac ou pas. Soudain, le monde lui semblait un peu trop grand. Cette possibilité d'un nouveau bébé dans la famille lui faisait un effet désagréable. Les plants de persil s'étaient tout à coup transformés en lieu sinistre. Pour un moment, elle fut tentée de s'y rendre et de déraciner tous les plants. Si elle le faisait, Judy ne pourrait pas trouver un bébé. Mais maman... maman désirait ce bébé. Elle ne voudrait pas que sa mère soit déçue.

— Mais je vais détester ce bébé, songea-t-elle avec passion. Un étranger dans la maison !

Si seulement elle pouvait en discuter avec Sid, il pourrait la réconforter. Mais elle avait promis à Judy de ne rien dire. C'était la première fois qu'elle cachait quelque chose à Sid et elle se sentait mal à l'aise. Tout semblait avoir légèrement changé d'une étrange manière. Et Pat détestait le changement.

Une demi-heure plus tard, elle avait tout oublié et disait bonsoir aux fleurs dans le jardin. Pat ne manquait jamais cette cérémonie. Elle était convaincue que les fleurs lui en voudraient si elle ne le faisait pas. Le jardin était si magnifique à la tombée du jour, avec juste un soupçon de reflet argenté provenant de la lune qui se levait au-dessus de la Colline de la Brume. Les arbres qui l'entouraient – de vieux érables que grand-mère Gardiner avait plantés lorsque, jeune mariée, elle s'était installée à Silver Bush – bavardaient entre eux comme ils faisaient chaque soir. Trois petits bouleaux qui vivaient ensemble dans un coin se chuchotaient des secrets. Les grosses pivoines cramoisies faisaient des taches foncées dans l'ombre. Les jacinthes le long du sentier tremblotaient en riant comme des fées. Quelques muguets attardés en cette fin de juin étoilaient l'herbe à la lisière du jardin. Les colombines dansaient ; des bouffées de parfum venant du lilas blanc près de la barrière, s'envolaient dans l'air humide ; le myosotis que Judy appelait de « l'herbe d'amour »... que l'arrière-grand-mère quaker avait emporté avec elle du Vieux Pays cent ans plus tôt, dégageait encore un arôme sournois.

Pat parcourut rapidement tous les coins du jardin en embrassant tout ce qui y poussait. Mardi courait devant elle en faisant mille cabrioles de plaisir dans les allées, que Judy avait décorées de grosses pierres trouvées sur la plage et qu'elle avait magnifiquement blanchies à la chaux.

Quand Pat eut dit bonsoir à toutes ses fleurs en les embrassant, elle resta encore un peu à contempler la maison. Comme elle était belle, nichée au flanc de la colline boisée, comme si elle y avait poussé. Une maison toute blanche et verte, tout comme ses bouleaux argentés, sur laquelle se découpait de manière charmante l'ombre des arbres sous la lune qui flottait au-dessus de la Colline de la Brume. Elle avait toujours aimé rester à l'extérieur, le soir venu, et regarder ses fenêtres illuminées. Il y avait de la lumière dans la cuisine, là où Sid finissait ses devoirs... de la lumière aussi dans le salon où Winnie faisait de la musique ainsi que dans la chambre de maman. Une lumière s'alluma dans le corridor au moment où quelqu'un montait les escaliers, qui vint éclairer la fenêtre en éventail de la porte d'entrée.

— Oh, j'ai une maison si belle, s'exclama Pat en se serrant les mains. C'est une maison si gentille aussi. Personne, personne ne peut avoir une si jolie maison. Je voudrais pouvoir la serrer dans mes bras.

Pat mangea ses œufs à la cuisine, avec beaucoup de beurre fondu, puis il y eut le dernier cérémonial quotidien auquel Judy ne manquait jamais : elle déposa sur la margelle du puits une soucoupe remplie de lait pour les fées.

— On peut pas s'imaginer quel malheur pourrait nous tomber sur la tête si on oubliait la soucoupe de lait. Sûr et on sait comment les accommoder nous, les fées, à Silver Bush.

Les fées venaient faire un tour pendant la nuit et buvaient le lait. C'était là une chose que Pat était fortement encline à croire. Judy elle-même n'avait-elle pas vu un groupe de fées danser en cercle, une nuit, alors qu'elle était toute petite, dans sa vieille Irlande ?

— Mais Joe dit qu'il n'y a pas de fées sur l'Île-du-Prince-Édouard, dit Pat d'un air mélancolique.

— Ce que Joe raconte me fait penser parfois qu'il n'a pas toute sa tête à lui, répondit Judy indignée. C'est-y pas vrai, mon bijou, qu'y a du monde qu'est venu de la vieille Irlande sans arrêt depuis cent ans ? Et tu penses pas qu'une ou deux fées qui avaient un p'tit goût pour l'aventure se sont cachées dans leurs bagages pour aboutir ici, pas plus folles que les autres ? Et puis le lait, j'te l'demande, y m'semble bien qu'y en reste plus rendu au p'tit matin.

Effectivement, il n'en restait jamais le matin. Impossible de contester cela.

— Tu es certaine que ce ne sont pas les chats qui boivent le lait, Judy ?

— Oh, oh, les chats maintenant ? Y'a pas grand-chose qui peut arrêter un chat quand c'est qu'il a une idée en tête, mais le chat qui va lécher dedans la soucoupe de la fée, il est pas né encore. C'est une chose que pas un chat ferait jamais, manquer de respect à une fée, et ce serait mieux pour les créatures mortelles de suivre son exemple.

— Est-ce qu'on pourrait rester debout toute une nuit pour surveiller, Judy ? J'aimerais tellement voir une fée.

— Oh, oh, voir que tu dis ? Mon bijou, on peut pas voir les fées sans avoir le don de vision. Tu ne verrais absolument rien, rien que le lait qui disparaît lentement. Allez, va vite au lit, et puis n'oublie pas tes prières sinon tu vas p't'ête te réveiller au beau milieu de la nuit avec quelque chose de spécial assis dans ton lit.

— Je n'oublie jamais mes prières, rétorqua Pat dignement.

— Tant mieux pour toi, parce que j'ai connu une petite fille qu'a oublié ses prières un soir et un gnome est venu lui faire son affaire. Oh, oh, elle n'a jamais plus été la même après ça.

— Qu'est-ce que le gnome lui a fait, Judy ?

— Qu'est-ce qu'il lui a fait ? Il lui a jeté un sort, c'est ça qu'il lui a fait. Chaque fois qu'elle voulait rire, elle pleurait, et chaque fois qu'elle voulait pleurer, la pauvre, elle se mettait à rire. Oh, oh, une terrible punition. Bon, qu'est-ce qui te chicote comme ça ? Rien qu'à regarder ton visage, on voit bien que t'es pas à l'aise.

— Judy, je continue à penser au bébé dans les plants de persil. Tu ne penses pas... ils n'ont pas d'enfant chez oncle Tom. Tu ne pourrais pas le leur donner ? Maman le verrait aussi souvent qu'elle en aurait envie. Nous sommes déjà quatre dans la famille.

— Oh, oh, et puis tu penses que quatre c'est une famille du genre qu'on pourrait s'en vanter, hein ? Ton arrière-arrière grand-mère, la vieille Mme Nehemiah, a eu dix-sept enfants avant de s'arrêter. Et quatre sont morts en une seule nuit pendant l'épidémie de choléra.

— Oh, Judy, comment a-t-elle pu supporter tout cela ?

— Elle l'a fait ; il lui en restait quand même treize, mon

bijou. Mais on dit qu'elle n'a jamais plus été la même après ça. Et maintenant, ouste, parce que j'vais pas seulement te dire d'aller au lit... oh, non, pas seulement te le dire.

Pat monta sur la pointe des pieds. Elle passa devant la vieille horloge grand-père sur le palier, l'horloge qui refusait de fonctionner et qui n'avait pas indiqué l'heure depuis quarante ans. Avec Sid, elle l'avait baptisée « l'horloge morte ». Mais Judy insistait toujours pour dire qu'elle indiquait la bonne heure deux fois par jour. Puis elle se dirigea vers sa chambre au bout du corridor, au-delà de la chambre d'amis dont la porte était fermée... on l'appelait la Chambre du Poète, parce qu'un poète invité à Silver Bush y avait dormi une nuit. Pat était persuadée que si l'on arrivait à ouvrir assez rapidement la porte d'une chambre, on surprendrait les meubles dans des situations étranges. Les chaises en train de parler, les unes près des autres, la table soulevant sa jupe de mousseline blanche pour montrer son jupon de satin rose, la pelle et les pinces du foyer dansant un fandango dans leur coin. Mais on ne réussissait jamais à les surprendre. Chaque fois, un bruit quelconque les prévenait et ils se précipitaient à leur place, aussi silencieux et immobiles qu'il le fallait.

Pat fit ses prières... *Notre Père qui êtes aux cieux*, puis la prière du Seigneur et enfin, sa propre prière. C'était la partie la plus intéressante, surtout parce que c'est elle qui l'avait inventée. Elle n'arrivait pas à comprendre que l'on puisse ne pas aimer prier. May Binnie, par exemple. Dimanche dernier, pendant une leçon à l'école du dimanche, May lui avait avoué qu'elle ne priait jamais à moins d'être effrayée par quelque chose. Voyez-vous ça !

Pat pria pour toute la famille, et aussi pour Judy Plum et oncle Tom, et tante Edith et tante Barbara... et pour l'oncle Horace, le marin qui était en mer... et pour tous les oncles marins du monde qui naviguaient ce soir-là... et aussi pour tous les chats et pour Gentleman Tom et pour le chien de Joe. « Snickelfritz, le petit noiraud à la queue frisée », précisait-elle pour que Dieu ne le confonde pas avec le chien de l'oncle Tom qui lui aussi était noir, mais plus gros, avec une queue très droite. Elle priait pour toutes les fées du voisinage et pour tous les pauvres fantômes qui pourraient être assis sur les pierres tombales... et enfin pour Silver Bush... pour son cher Silver Bush.

— Mon Dieu, disait-elle, j'espère que rien ne changera jamais ici et que plus jamais le vent ne déracinera un arbre.

Pat se releva et resta debout avec un petit air de défi. Elle avait certainement prié pour toutes les personnes et pour toutes les choses qui méritaient une prière. Naturellement, les nuits d'orage, elle priait pour tous ceux qui étaient à l'extérieur, pris dans la tempête. Mais c'était une belle nuit de printemps.

Finalement, elle s'agenouilla de nouveau.

— S'il vous plaît, mon Dieu, s'il y a vraiment un bébé dans les plants de persil, faites qu'il ait chaud cette nuit ; papa dit qu'il va peut-être y avoir un peu de gel.

4

L'enfant du dimanche

*E*T PUIS, il y eut cette soirée, quelques jours plus tard, qui provoqua un véritable émoi à Silver Bush... des visages pâles... des allées et venues mystérieuses. Tante Barbara arriva avec un tablier blanc tout neuf, comme si elle se préparait à travailler plutôt qu'à bavarder. Judy faisait les cent pas en marmonnant tout bas. Père, qui avait traîné autour de la maison ayant l'air complètement désœuvré, sortit de la chambre de maman pour téléphoner dans la salle à manger, après avoir pris soin de fermer la porte. Une demi-heure plus tard, tante Frances arrivait de Bay Shore et s'en retournait avec Winnie et Joe pour un week-end improvisé.

Pat était assise sur la tombe de Willy le Pleureur. Elle se sentait un peu humiliée car elle avait l'impression qu'on la tenait à l'écart, d'une certaine manière, et elle détestait cela. Inutile d'en référer à sa mère qui était restée enfermée dans sa chambre tout l'après-midi. Pat se trouvait dans le cimetière, entourée de sa famille de fantômes, quand Judy Plum vint la retrouver... une Judy Plum particulièrement solennelle, affichant un air de très grande sagesse comme peu d'êtres humains en affichent.

— Pat, mon cher petit bijou, tu voudrais pas aller dormir

36

chez oncle Tom pour faire changement ? Siddy va y aller avec toi.

— Pourquoi ? demanda Pat, l'air distant.

— Ta mère est prise d'un affreux mal de tête et il faut que la maison soit tranquille. Le médecin s'en vient.

— Maman est si malade qu'elle a besoin d'un médecin ? cria Pat, soudain inquiète. La mère de Mary May avait eu la visite du médecin la semaine précédente... et elle était morte.

— Oh, oh, du calme mon p'tit moineau. C'est très commode un docteur quand c'est qu'on a comme un marteau qui cogne dans la tête. J'croirais que ta maman retrouvera sa forme et son sourire demain matin si la maison est calme et silencieuse cette nuit. Sois raisonnable, allez vite à Swallowfield avec Siddy, comme des enfants obéissants que vous êtes. Et comme c'te lune va enfin être toute ronde, ce sera le temps parfait pour aller aux plants de persil. J'te dis pas c'que tu vas trouver ici demain.

— Le bébé, je suppose, dit Pat sur un ton un peu méprisant. Permets-moi de te dire, Judy Plum, que si maman a un gros mal de tête, le moment est mal choisi pour lui amener un bébé.

— Elle l'attend depuis si longtemps que ça devrait avoir un effet de guérison miraculeuse, dit Judy. De toute manière, pour ce qui est de la lune, c'est ce soir ou jamais. Par la même occasion, j'te dirais que c'est par un soir pareil que j't'ai trouvé, toi, dans les plants de persil.

Pat lança un regard lourd de reproches en direction de la lune. Ça ne pouvait pas être une bonne lune. Elle était si bizarre, si proche, si rouge, comme une lanterne chinoise. Mais elle convenait parfaitement à cette étrange soirée.

— Allez, fais vite. J'ai mis ta p'tite robe de nuit dans la sacoche noire.

— Je veux attendre Sid.

— Siddy court après mes dindes. Il te rejoindra après les avoir trouvées. Sûr que t'as pas peur d'y aller toute seule.

37

C't'une p'tite promenade de rien du tout et la lune est bien brillante.

– Tu sais parfaitement bien Judy Plum que je n'ai pas peur. Mais tout est si... étrange... ce soir.

Judy eut un petit rire.

– Ça prend des sortilèges pour les rendre étranges comme ça. J'le nierai pas, bien au contraire. J'ai pour mon dire que les bois sont remplis de sorcières ce soir, mais elles te laisseront tranquille si tu te mêles de tes affaires. Tiens, prends des raisins, les mêmes que j'te donne le dimanche et t'occupe pas la tête avec des choses que tu peux pas comprendre.

C'est sans enthousiasme que Pat se rendit à Swallow-field – même si elle s'y sentait comme chez elle –, cette ferme voisine où vivaient oncle Tom et tante Edith ainsi que tante Barbara. D'après tante Barbara, Judy Plum entretenait une vieille querelle avec tante Edith et n'avait aucune considération pour les vieux célibataires. Un homme devait être marié. S'il ne l'était pas, c'est qu'il avait privé une pauvre femme d'un mari. Mais Pat aimait beaucoup le gros et jovial oncle Tom avec son étrange façon de parler tout en grommelant. C'était le seul homme de North Glen à porter encore une barbe, une magnifique barbe noire, longue et frisée. Elle aimait aussi tante Barbara qui était potelée, rose et enjouée, mais elle craignait un peu tante Edith qui était maigre, jaunâtre et qui ne riait jamais et était toujours en guerre contre Judy Plum.

– Née célibataire, celle-là, avait-on déjà entendu murmurer Judy avec mépris.

Pat se rendit à Swallowfield en passant par le Sentier qui Murmure bordé de bouleaux, plantés eux-aussi par une jeune mariée depuis longtemps décédée. Les nouvelles mariées de Silver Bush semblaient avoir fait de la plantation d'arbres un passe-temps. Le chemin était marqué par deux rangées de grosses pierres que Judy avait blanchies à la chaux jusqu'à la barrière. Au-delà de cette barrière, c'est tante Edith qui avait poursuivi le travail, parce que oncle

Tom et tante Barbara ne l'auraient pas fait et qu'elle n'aurait jamais accepté que Judy Plum envahisse son territoire. La barrière fermait le sentier à mi-chemin ; plus loin, il n'y avait plus de bouleaux, mais des clôtures envahies par la fougère, des violettes sauvages et du cumin. Pat adorait le Sentier qui Murmure. À l'âge de quatre ans, elle avait demandé à Judy si ce n'était pas « le chemin de la vie » dont le pasteur avait parlé à l'église, et depuis ce temps, d'une certaine façon, elle avait l'impression qu'un secret magnifique se cachait dans les bouleaux et qu'il murmurait sous la dentelle ondulante des fleurs de cumin.

Elle gambada dans le sentier, le cœur à nouveau léger, et mangea ses raisins. Elle était entourée d'ombres dansantes et invitantes... des ombres amicales à la recherche d'une compagne de jeux. Un lapin gris et timide bondissait d'un massif de fougères à l'autre. Derrière le sentier, il y avait des prés balayés par le vent qui baignaient dans la lueur faible du crépuscule. L'air ambiant était délicatement parfumé. Les arbres voulaient devenir ses amis. Tous les petits brins d'herbe s'inclinaient vers elle sous la brise légère. Le champ adjacent à la grange de l'oncle Tom était peuplé de petits agneaux au visage laineux qui s'amusaient, et trois charmants veaux Jersey la regardèrent d'un air doux et aimable par-dessus la clôture. Pat aimait les veaux Jersey et oncle Tom était le seul fermier de North Glen à en élever.

Plus loin, dans la cour, les bâtiments de ferme de l'oncle Tom faisaient comme une petite ville à eux seuls. Il y en avait tellement... des maisons pour les porcs, des maisons pour les poules, des maisons pour les moutons, des maisons pour la chaufferie, des maisons pour les oies et des maisons pour les navets. Il y avait même une maison pomme et Pat trouvait que c'était là un nom tout à fait charmant. Les gens de North Glen disaient que Tom Gardiner construisait une nouvelle bâtisse chaque année. Pour Pat, toutes ces maisons groupées autour de la grange principale ressemblaient à des poussins autour de leur mère.

Oncle Tom habitait une vieille maison, avec deux larges fenêtres basses qui faisaient comme deux yeux de chaque côté du balcon qui lui, ressemblait à un nez. C'était une maison sévère et digne, mais toute cette sévérité ne pouvait résister à l'allure de sa porte d'entrée, aussi rouge qu'une langue espiègle qui sortait de son visage. Pat avait toujours eu l'impression que cette maison riait en silence d'une blague qu'elle seule connaissait et elle aimait ce mystère. Elle n'aurait pas aimé que Silver Bush lui ressemble : Silver Bush ne pouvait pas avoir de secrets pour elle, mais c'était très bien pour Swallowfield.

N'eût été le mal de tête de sa mère, la venue du docteur et les histoires de Judy Plum avec ses plants de persil, Pat aurait trouvé délicieuse et romantique cette idée de passer la nuit à Swallowfield. Elle n'y avait jamais passé la nuit auparavant, c'était bien trop près de la maison. Mais cela faisait partie du charme : être si près de la maison tout en n'y étant pas vraiment, pouvoir regarder par la fenêtre de la chambre aux pignons et voir la maison, voir son toit surplombant les arbres et toutes les fenêtres illuminées. Pat se sentait un peu seule. Sid était très loin, à l'autre bout de la maison. Oncle Tom s'était lancé dans de grands discours sur les médecins et leurs sacoches noires jusqu'à ce que tante Edith lui demande de se taire... à moins que ce ne fût Pat. Peut-être était-ce Pat.

– Si tu veux dire, oncle Tom, que le docteur Bentley nous apporte un bébé dans sa sacoche noire, tu te trompes complètement, avait dit Pat fièrement. *Nous faisons pousser nos propres bébés.* Judy Plum cherche le nôtre dans les plants de persil au moment même où nous nous parlons.

– Eh bien... je... je suis renversé, avait répondu oncle Tom. Et il avait vraiment l'air de quelqu'un qu'on aurait renversé. Tante Edith avait donné un biscuit en forme de roue à Pat et l'envoya ensuite prestement au lit, dans une fort jolie chambre où les rideaux et le tissu des chaises étaient de coton glacé couleur crème, piqué de violettes pourpres, et le couvre-lit, rose. Tout cela était splendide, mais grand et solitaire.

Tante Edith retourna les couvertures et attendit que Pat se soit blottie dans le lit avant de quitter la pièce. Elle ne l'embrassa pas comme tante Barbara l'aurait fait. Et il n'y aurait pas non plus Judy Plum qui viendrait sur la pointe des pieds, pensant qu'elle était endormie, lui chuchoter : « Que Dieu te bénisse et te garde toute la nuit, mon bijou. » Judy n'oubliait jamais de le faire. Mais ce soir elle fouillerait les plants de persil, probablement sans une pensée pour son « bijou ». Ses petites lèvres tremblèrent. Elle était sur le point de pleurer... puis elle pensa à Willy le Pleureur. Une seule disgrâce comme la sienne dans une famille suffisait. Elle ne serait jamais Pat la Pleureuse.

Mais elle n'arrivait pas à dormir. Elle restait allongée, contemplant à travers la fenêtre les cheminées de Silver Bush et regrettant que la chambre de Sid ne soit pas à côté de la sienne. Soudain, la fenêtre du grenier de Silver Bush s'éclaira... une seconde seulement et la lumière disparut. On aurait dit que la maison lui avait fait un clin d'œil, qu'elle l'avait appelée. Pat sauta du lit et se précipita à la fenêtre. Elle se cala dans le gros fauteuil à oreillettes et à volants. Comme il était inutile d'essayer de dormir, elle se blottirait dans le fauteuil et regarderait son cher Silver Bush. C'était une belle image... la maison blanche comme du lait qui se découpait sur la sombre colline boisée, au milieu d'une ouverture ronde presque parfaite que faisaient des branches des arbres. D'ailleurs, ne sait-on jamais ? Ellen Price avait peut-être raison après tout quand elle disait que les cigognes apportaient les bébés. Cette idée était plus intéressante que les autres. Peut-être, en surveillant bien, verrait-elle un oiseau argenté dans le ciel, venant d'un pays lointain au-delà du cercle bleu du golfe et qui trouverait par hasard le toit de Silver Bush.

Dehors, les branches du vieux sapin cognaient sur le mur de la maison. On aurait dit que des chiens aboyaient dans tous les coins de North Glen. De temps en temps, un gros papillon de nuit faisait un bruit sourd en se frappant contre la fenêtre. L'eau dans le Champ de l'Étang brillait mystérieusement. Plus loin, en haut sur la colline, le reflet de la lune dans une fenêtre de la Longue Maison solitaire lui donnait une apparence étrange, comme si elle était momentanément éclairée de l'intérieur. Pat tressaillit. Le faîte d'un arbre derrière la maison ressemblait à une sorcière accroupie sur son toit et qui viendrait tout juste de quitter son balai. Pat se sentit délicieusement envahie de frissons. Peut-être y avait-il vraiment des sorcières. Peut-être volaient-elles sur leurs balais au-dessus du port durant la nuit. Quelle façon merveilleuse de se déplacer ! C'étaient peut-être les sorcières qui apportaient les bébés. Non, non, surtout pas. Personne à Silver Bush ne voudrait d'une chose offerte par une sorcière. Les plants de persil étaient de loin préférables. C'était une nuit parfaite pour l'arrivée d'un bébé. Était-ce un grand oiseau blanc qui survolait les arbres ? Non, seulement un nuage argenté. Un autre papillon de nuit... houuu-houuu faisait le vent autour de la maison pomme d'oncle Tom. Tap-tap faisaient les branches du sapin. Pat dormait profondément dans le gros fauteuil et c'est là que Sidney la trouva à l'aube quand il entra dans sa chambre sur la pointe des pieds, avant que personne ne se soit levé à Swallowfield.

— Oh, Sidney. Pat le prit dans ses bras et le garda contre elle dans le fauteuil. Comme c'est étrange... j'ai dormi ici toute la nuit. Le lit était tellement grand et je me sentais tellement seule. Dis, Sid, crois-tu que Judy l'a déjà trouvé ?

— Trouvé quoi ?

— Voyons ! Le bébé ! Maintenant, elle pouvait certainement tout raconter à Sid. C'était merveilleux de pouvoir se libérer d'un secret. Judy est partie à sa recherche, hier soir, dans les plants de persil. Tu sais bien, pour maman.

Sid fit celui qui savait... dans la mesure où il est possible de paraître au courant de tout pour un petit garçon qui a deux grands yeux ronds, bruns et rieurs cachés sous une tignasse frisée brun doré. Il avait un an de plus que Pat, il allait à l'école, il savait fort bien ce que cachait cette histoire de plants de persil. Mais c'était normal pour une fille comme Pat de croire en ces balivernes.

— Allons vérifier à la maison.

Pat s'habilla prestement et ils descendirent une à une et sans bruit les marches de l'escalier et franchirent la porte, découvrant un paysage pâle dans la lumière de l'aube. La terre couverte de rosée dégageait une douce senteur. Pat ne se souvenait pas de s'être levée une seule fois dans sa vie avant le soleil. Comme il était agréable de marcher main dans la main avec Sid sur le Sentier qui Murmure, avant même que le jour ne soit levé !

— J'espère que ce sera une fille, ce nouveau bébé, dit Sid. Deux garçons, c'est bien assez dans une famille, mais pour les filles, ça n'a pas d'importance. Et puis j'espère qu'elle sera jolie.

Pour la première fois de sa vie, Pat ressentit la morsure de la jalousie. Mais elle était loyale, aussi.

— Évidemment que ce sera une fille. Mais tu ne l'aimeras pas plus que moi, n'est-ce pas... oh, s'il te plaît Sidney ?

— Idiote ! Évidemment que je ne l'aimerai pas plus que toi. Je ne m'attends pas du tout à l'aimer, répondit Sid avec dédain.

— Oh, mais tu dois l'aimer un petit peu, à cause de maman. Et Sid, s'il te plaît, promets-moi que tu n'aimeras jamais aucune autre fille plus que moi.

— Je te le promets. Sid aimait beaucoup Pat et ça ne le dérangeait pas qu'on le sache. Arrivé à la barrière, il mit son bras potelé autour de son cou et l'embrassa.

— Tu ne te marieras jamais avec une autre fille, n'est-ce-pas ?

— Pas question. Je serai célibataire comme oncle Tom. Il dit qu'il aime bien une vie tranquille et moi aussi.

— Et on habitera toujours à Silver Bush et je m'occuperai de la maison pour toi, ajouta Pat avec passion.

— D'accord. Sauf si je vais dans l'Ouest ; il y a beaucoup de garçons qui le font.

– Oh ! Un vent glacial souffla sur son bonheur. Tu ne dois jamais partir pour l'Ouest, Sid. Tu ne pourrais pas quitter Silver Bush. Tu ne pourrais jamais trouver un endroit plus beau.

– Écoute, on ne pourra pas tous rester ici, tu sais, quand on sera plus grand, dit Sid raisonnablement.

– Oh, pourquoi pas ? demanda Pat au bord des larmes. Cette magnifique matinée était gâchée désormais pour elle.

– De toute façon, on va rester ici encore bien des années, dit Sid pour la rassurer. Allez, viens. Voilà Judy qui donne du lait à Vendredi et à Lundi.

– Oh, Judy, dit Pat émue, l'as-tu trouvé ?

– Sûr et n'est-ce pas que je l'ai trouvé. Le plus joli bébé que la terre a jamais vu et plus gentil que tout ce que j'ai connu. J'ai pour mon dire que je vais aller mettre ma robe des grands jours pour célébrer après que j'aurai fini mon travail.

– Oh, je suis si heureuse que ce soit un joli bébé parce qu'il appartient à notre famille, dit Pat. Est-ce qu'on peut le voir maintenant ?

– Vrai, mais impossible d'y aller maintenant, mon bijou. Il est là-haut avec ta maman qui dort profondément et qu'on ne doit pas déranger. C'est toute la nuit qu'elle est restée éveillée, tu comprends. Ça m'a pris du temps en diable pour le trouver c'te bébé. J'dois dire que j'ai plus la vue que j'avais. J'crois bien que c'est le dernier bébé que j'vais être capable de trouver dans des plants de persil.

Judy servit le petit déjeuner aux enfants dans la cuisine. Personne n'était debout encore. C'était si amusant de prendre le petit déjeuner avec Judy et de verser le lait sur le porridge de la « vache à crème »… cette petite cruche brune en forme de vache, avec sa queue tournée d'une façon si curieuse pour une vache et qui formait l'anse, et sa bouche comme bec versoir. Judy avait apporté la vache à crème d'Irlande et elle lui attribuait une valeur inestimable. Elle avait promis de la laisser à Pat à sa mort. Pat n'aimait pas entendre Judy parler de la mort, mais, comme elle avait aussi promis de vivre jusqu'à cent ans… D. V… il n'y avait aucune raison de s'inquiéter pour le moment.

La cuisine était un endroit joyeux, si propre et rangé qu'on n'aurait jamais dit que Silver Bush venait de traverser une nuit de suspense à attendre la naissance d'un bébé. Les murs étaient blancs comme de la neige, la cuisinière reluisait, les jarres bleues et blanches de Judy sur l'étagère bien frottée brillaient dans les rayons du soleil du matin. Les géraniums de Judy étaient en fleur dans les fenêtres. Entre la cuisinière et la table on avait jeté un grand tapis rouge foncé avec trois chats noirs crochetés. Les chats avaient des yeux de laine jaune et leur regard brillait encore de malice, même si on marchait dessus depuis plusieurs années. Le vrai chat noir de Judy était assis sur un banc et réfléchissait intensément. Deux gros chats dormaient sur une tache que faisait le soleil sur le plancher. Et comme si ce n'était pas suffisant en ce qui concerne les chats, trois merveilleux chatons étaient encadrés au mur… une image, elle aussi amenée d'Irlande par Judy. Trois chatons blancs aux yeux bleus, jouant avec une pelote de fil de soie joyeusement emmêlée. Chats et chatons apparaissaient puis disparaissaient à Silver Bush, mais ceux de Judy étaient jeunes et fringants pour l'éternité. Cela réconfortait Pat qui, lorsqu'elle était très jeune, craignait qu'ils ne grandissent et ne changent, eux aussi. Cela l'attristait toujours quand, du jour au lendemain, un chaton se transformait en chat dégingandé et déjà presque adulte.

Il y avait d'autres images aussi… celle de la reine Victoria lors de son couronnement et du roi Charles traversant le Boyne sur un cheval blanc ; une croix de marbre sur une pierre foncée au milieu d'un océan déchaîné luxueusement décorée de fleurs, avec une grande Bible sur un coussin pourpre à ses pieds ; l'Enterrement de l'Oiseau Favori ; des devises brodées avec de la laine… *On n'est vraiment bien que chez soi… Toujours plus haut, toujours plus loin.* Tous ces objets, lors de nombreux nettoyages de printemps précédents, avaient été jugés indignes de trôner ailleurs dans la maison, mais Judy ne voulait rien entendre et refusait de les brûler. Pat ne les aurait pas aimés dans d'autres pièces, mais dans la cuisine de Judy, elles étaient parfaites. Sans elles, cette pièce ne serait pas exactement la même.

C'était merveilleux, pensait-elle en mangeant son pain, que tout soit resté inchangé. Elle avait craint secrètement que tout soit différent à son retour. Elle en aurait eu le cœur brisé.

Son père arriva au moment où ils terminaient et Pat se jeta dans ses bras. Il semblait fatigué, mais il la souleva en souriant.

— Est-ce que Judy t'as dit que tu as une nouvelle sœur.

— Oui. Je suis contente. Je crois que ce sera pour le mieux, dit-elle gravement.

Son père se mit à rire.

— C'est vrai. Certains croyaient que tu ne t'en réjouirais pas, que tu te serais sentie un peu de trop, comme si ton nez avait été déplacé.

— Mon nez va très bien, dit Pat. Touche.

— Pour sûr qu'il va bien son nez. Que j'te voie pas lui mettre des idées pareilles dans la tête, Long Alec Gardiner, lança Judy qui avait fait marcher à la baguette le petit Long Alec dans son enfance et qui continuait maintenant que le grand Long Alec avait sa propre famille. Et que j'te voie pas penser que cette petite est jalouse. Elle n'a pas un seul os de jalousie dedans son corps, c'te chérie. Quand j'y pense, Pat, jalouse !

Les yeux de Judy brillaient de défi. Et que personne ne vienne dire que le nouveau bébé est plus important que Pat ou qu'on s'en occupera davantage.

Ce n'est que plus tard dans l'après-midi qu'ils eurent la permission de monter. Judy les conduisit dans la chambre, très imposante dans sa robe de soie bleue, une robe qui datait d'une époque où il était de bon ton de porter de la soie. Elle avait cette robe depuis quinze ans, l'ayant porté

46

la première fois pour honorer la mariée que le grand Alec, encore jeune, ramenait à Silver Bush, et elle ne la sortait que pour des occasions très spéciales. Elle s'en était revêtue pour chaque nouvelle naissance ; la dernière fois, ce fut pour les funérailles de grand-mère Gardiner, il y a six ans. La mode avait beaucoup changé, mais cela ne dérangeait pas Judy. Une robe de soie était une robe de soie. Elle était si resplendissante dans cette robe que les enfants la reconnaissaient à peine. Ils la préféraient dans sa vieille robe de gros coton, ce qui n'empêchait pas Judy de goûter la solennité du moment.

Une infirmière avec une coiffe et un tablier blancs se donnait des airs importants dans la chambre. La mère de Pat était allongée sur les oreillers, pâle et épuisée par le terrible mal de tête de la veille, ses longues mèches de cheveux foncés encadrant son doux visage, et ses yeux ambres et rêveurs brillant de bonheur. Tante Barbara balançait un de ces anciens berceaux qu'on avait descendu du grenier – un berceau qui avait plus de cent ans et que l'arrière-arrière-grand-père Nehemiah avait fabriqué lui-même. On avait bercé tous les enfants de Silver Bush dans ce berceau. L'infirmière désapprouvait le berceau et cette manière de faire, mais elle n'avait aucune influence devant tante Barbara et Judy réunies.

– Pas de berceau pour c'te p'tite, que vous dites, lança une Judy scandalisée. Auriez-vous l'intention de mettre c'te p'tite créature d'amour dans un panier ? Oh, oh, est-ce qu'on a jamais entendu des sornettes pareilles. Un enfant de Silver Bush ne grandira jamais dans un de vos espèces de panier, comme s'ils ne valaient pas plus qu'un chat, ça j'vous l'jure. C'te berceau, je l'ai verni de mes mains et le bébé va rester dedans, c'est moi qui vous l'dit.

Après avoir affectueusement embrassé sa mère, Pat se dirigea vers le berceau sur la pointe des pieds, tremblante d'émotion. Judy prit le bébé dans ses bras de telle sorte que les enfants puissent le voir.

— Oh, Judy, elle est tellement adorable, souffla Pat émerveillée. Est-ce que je peux la prendre, rien qu'une seconde ?

— Ça tu peux, ma chérie,... et Judy mit le nourrisson dans les bras de Pat avant que tante Barbara et l'infirmière n'aient le temps de protester. Que l'infirmière se le tienne pour dit !

Pat tint la petite chose qui sentait bon avec habileté, comme si elle avait fait cela toute sa vie. Ses jambes étaient si petites, si mignonnes ! Et ces petites cuisses toutes fripées ! Et ces petits ongles, comme des coquillages parfaits !

— Quelle est la couleur de ses yeux, Judy ?

— Bleu, répondit Judy. De grands yeux bleus pleins de rosée, exactement comme ceux de Winnie. Et j'ai pour mon dire qu'elle aura des fossettes sur ses joues. Sûr qu'une maman avec un bébé comme celui-là n'a pas besoin de faire semblant que la reine est sa cousine.

> *Car l'enfant qui le jour du sabbat est né*
> *Sera beau et heureux et bon et gai,*

dit tante Barbara.

— Certainement, qu'elle sera la plus belle, dit Pat. Elle le serait de toute manière peu importe le jour de sa naissance. N'est-elle pas notre bébé ?

— Oh, oh, et l'entendez-vous parler juste, cette enfant, dit Judy.

— Le bébé doit retourner dans son berceau maintenant, dit l'infirmière en réaffirmant son autorité.

Pat remit l'enfant à contrecœur. Il y a quelques minutes à peine, elle considérait le bébé comme un intrus, ne le tolérant que pour faire plaisir à sa mère. Mais maintenant, il faisait partie de la famille comme s'il avait toujours vécu à Silver Bush. Peu importe d'où il était venu, emmené par la cigogne ou dans une sacoche noire, ou trouvé dans des plants de persil, il était là et c'était leur bébé.

5

L'importance d'un nom

ON NE DONNA de nom au nouveau bébé de Silver Bush que trois semaines plus tard, lorsque sa mère put descendre l'escalier et que l'infirmière fut partie, à la grande satisfaction de Judy. Elle avait autant d'estime pour Mlle Martin que celle-ci en avait pour elle.

— Oh, oh, des jambes et du rouge à lèvres ! disait-elle avec mépris, quand Mlle Martin enlevait son uniforme et sortait prendre l'air. C'était injuste pour Mlle Martin qui n'avait pas plus de jambes que les autres femmes de sa génération et qui n'abusait pas du rouge à lèvres. Mais Judy, l'œil mauvais, la surveillait dans l'allée.

— Oh, oh, j'voudrais bien lui accrocher une oreille d'étain, à celle-là. Vouloir appeler notre p'tit trésor, Greta ! Quand j'y pense, Greta ! Elle avec son grand-père qui est mort et qui est ressuscité.

— Vraiment, Judy Plum ?

— Vrai comme j'suis là. Le vieux Jimmy Martin était aussi mort qu'un clou depuis deux jours. Les docteurs l'avaient dit. Et il est revenu à la vie, rien que pour faire des histoires à sa famille, j'te jure. Mais comme de raison, il était tout changé. Ses parents avaient très honte de lui.

Mademoiselle Martin ne devrait pas porter sa tête rouge aussi haute.

— Mais pourquoi, Judy ? demanda Sid. Pourquoi ses parents avaient-ils honte de lui ?

— Mon petit, quand t'es mort, tu restes mort. C'est ça la décence, répliqua Judy. Elle aurait dû s'en rappeler quand elle a essayé de régimenter tout l'monde qui s'est occupé d'enfants bien avant qu'elle soit au monde ou que ses parents aient pensé à la faire, c'te face de prune ! Partie qu'elle est maintenant, bon débarras et on ne la verra plus hanter la maison avec ses minauderies. Trop de boisseaux pour un p'tit canot ; j'ai comme l'impression que c'est le problème avec elle.

— Elle n'y est pour rien dans l'histoire de son grand-père, Judy, dit Pat.

— Oh, oh, j'dis pas qu'elle y est pour quelque chose, mon bijou. Personne de parmi nous peut aider ses ancêtres. J'avais-t'y pas moi-même une grand-mère sorcière. Mais sûr qu'on en a tous des grands-pères ou des grands-mères bizarres et que ça devrait nous garder humble.

Le départ de Mlle Martin avait réjoui Pat, non qu'elle ne l'aimait pas, mais elle pourrait désormais prendre plus souvent le bébé dans ses bras. Pat adorait ce bébé. Comment Silver Bush avait bien pu vivre sans lui ? Pat ne pouvait plus imaginer Silver Bush sans le bébé maintenant. Quand oncle Tom lui demanda gravement s'ils avaient décidé de garder l'enfant ou de le noyer, elle fut horrifiée et inquiète.

— Voyons, mon bijou, c'tait juste pour te taquiner qu'il disait ça, dit Judy pour la calmer avec son grand rire joyeux et bruyant. C'est le genre de blague que peut faire un vieux fou de célibataire.

Ils avaient attendu le départ de Mlle Martin pour choisir le nom du bébé. Personne ne voulait l'appeler Greta mais personne non plus ne voulait froisser Mlle Martin. L'après-midi même de son départ, ils s'attelèrent à la tâche... ou plutôt, ils essayèrent.

Mais ce n'était pas facile de choisir un nom. Maman voulait l'appeler Doris comme sa mère et papa préférait Rachel, du nom de sa mère à lui. Winnie, qui était romantique, préférait Elaine et Joe trouvait que Dulcie ferait un joli nom. Depuis une semaine, Pat l'appelait en secret Miranda et Sid croyait qu'un bébé avec des yeux si bleus devait s'appeler Violette. Tante Hazel préférait Kathleen et Judy, qui avait aussi son mot à dire, soutenait que Emerillus avait beaucoup de classe. Les gens de Silver Bush croyaient que Judy voulait dire Amaryllis, mais ils n'en furent jamais certains.

Finalement, père suggéra que chacun sème une graine portant son nom préféré dans le jardin et que le propriétaire de la première graine qui germerait aurait le privilège de choisir le nom du bébé.

– S'il y en a plus d'une qui germe en même temps, les gagnants devront planter de nouveau, prévint-il.

C'était une solution équitable et les enfants en furent tout excités. Ils semèrent les graines qu'ils avaient identifiées et surveillaient chaque jour les progrès. Ce fut Pat cependant qui eut l'idée de se lever très tôt le matin pour aller constater les résultats. Judy disait que les plantes poussaient la nuit. Il n'y avait rien à la tombée du jour... et au matin, surprise, c'était fait. Au bout du huitième matin, Pat arriva au moment où le soleil se levait, alors que tout le monde dormait encore à l'exception de Judy. Il aurait fallu qu'elle se lève avant de se coucher, si elle avait voulu être debout avant Judy.

Il y avait une petite pousse et c'était celle de Pat. Pendant un instant, elle exulta. Puis, elle se calma et ses yeux ambres aux grands cils se voilèrent, troublés par l'incertitude. Bien sûr, Miranda était un joli nom pour un bébé. Mais papa voulait l'appeler Rachel. Maman avait choisi son nom et celui de Sidney ; oncle Tom avait choisi celui de Joe et tante Hazel celui de Winnie. Normalement, il revenait à son père de trouver un nom pour ce bébé. Papa n'avait pas parlé beaucoup – papa ne parlait jamais beaucoup – mais quelque chose disait à Pat qu'il tenait vraiment au prénom de Rachel. Dans le secret de son cœur, Pat avait espéré que la graine de papa soit la première à pousser.

Elle regarda autour d'elle. Pas un être vivant à la ronde, sinon Gentleman Tom, assis, songeur sur la pierre à fromage. Cela prit une seconde : elle déracina la petite pousse et l'envoya au loin, dans le massif de bardanes derrière le poulailler. Papa avait encore une chance.

Mais la chance semblait ne pas sourire à son père. Le lendemain matin ce furent les pousses de maman et de Winnie qui apparurent. Impitoyablement, Pat les déracina elles aussi. Win ne comptait pas et maman avait déjà choisi les prénoms de deux enfants. C'était bien suffisant. Ce fut au tour de la pousse de Joe de subir le même sort le lendemain. Puis, apparurent celles de Sid et de Judy. Pat qui s'était endurcie dans sa friponnerie leur fit subir le même sort. De toute façon, jamais un enfant ne devrait porter le nom de Emmerillus.

Le jour suivant, il n'y avait toujours rien et Pat commença à s'inquiéter. Tous maintenant se demandaient pourquoi aucune des graines plantées n'avait poussé. Judy laissa entendre d'un air sombre qu'on avait semé au mauvais quart de lune. Et peut-être que la graine de papa ne pousserait jamais. Ce soir-là, Pat pria désespérément pour que la graine de son père germe d'ici au lendemain matin.

Le lendemain, la petite pousse était là.

Pat la contempla triomphalement, nullement troublée par sa duplicité. Elle avait remporté la victoire pour son papa. Oh, comme tout était plaisant. De légers nuages d'or pâle flottaient au-dessus de la Colline de la Brume. Le vent s'était assoupi au milieu des bouleaux argentés. Au milieu d'eux, les grands sapins frissonnaient comme s'ils étaient pris d'un fou rire mystérieux. Elle était entourée de prairies comme autant d'immenses bras gracieux. Les « peupliers », comme Judy les appelait, murmuraient autour de la remise à grains. Le monde n'était qu'un immense champ de vert souriant au bout duquel s'étendait au large un vaste et séduisant horizon bleu. Le ciel était clair et tendrement argenté au-dessus de sa tête et toutes les plantes du jardin semblaient avoir fleuri durant la nuit. Des centaines de petites fleurs couleur rubis étaient suspendues aux cœurs-saignants de Judy, à côté de la porte. Les maisons dans la campagne avoisinante faisaient comme des taches brillantes dans le lever du soleil. Un chaton rampait de manière furtive dans le verger. Jeudi léchait ses petites côtes, allongé sur le rebord de la fenêtre de la grange qu'il aimait tant. Installé sur une branche de l'érable qui surplombait le puits, un écureuil rouge lui parlait. Judy sortit pour venir remplir un seau d'eau au puits.

— Oh, Judy, la graine de papa est sortie, cria Pat. Elle ne précisa pas la première parce que cela était faux.

— Oh, oh ! Judy accepta le « signe » de bonne grâce. J'ai pour mon dire que c'était bien le tour de ton papa et Rachel, en ce qui me concerne, ce sera toujours plus beau que Greta. Greta ! Quelle insulte d'appeler un enfant comme ça !

Ce fut donc Rachel et ce prénom fut officiellement donné un dimanche, six semaines plus tard, quand le bébé fut baptisé à l'église. On l'avait revêtue d'une magnifique robe brodée d'œillets, héritée de grand-mère Gardiner qui l'avait confectionnée pour son premier enfant. Tous les enfants de Silver Bush avaient porté cette robe pour leur baptême. Il était passé de mode de vêtir les bébés de robes longues, mais Judy Plum n'aurait jamais trouvé légal ce baptême si l'enfant n'avait pas porté une robe longue d'au moins deux mètres. Ils ajoutèrent Doris au prénom, pour faire plaisir à maman, mais c'était jour de gloire pour son père.

Pat ne regrettait pas d'avoir eu recours à son stratagème, mais elle n'avait pas la conscience tout à fait tranquille et, ce soir-là, quand Judy Plum vint dans sa chambre lui donner sa bénédiction, Pat qui était encore tout éveillée, s'assit dans son lit et se jeta à son cou.

— Oh, Judy ! J'ai fait quelque chose, j'ai l'impression que ce n'était pas bien. Je... je voulais que papa choisisse le prénom du bébé... et j'ai arraché toutes les pousses dès qu'elles apparaissaient le matin. Est-ce que c'est très mal, Judy ?

— Absolument terrible ! répondit Judy avec un pétillement dans les yeux qui disait le contraire. Si Joe l'apprenait, il te mettrait une oreille d'étain. Mais je ne dirai rien. À vrai dire, moi aussi je voulais que ce soit ton père qui ait le dernier mot. Les femmes ne lui font pas la vie facile dans c'te maison, ça j't'le jure.

— C'est sa graine qui a germé la dernière, expliqua Pat, et celle de tante Hazel n'est jamais sortie.

— Oh, oh, ne me dis pas, fit Judy en gloussant. C'est moi qui l'ai arrachée l'autre matin, le jour avant celle de ton père.

6

Pourquoi se marie-t-on ?

A LA FIN du mois d'août, cet été-là, Pat commença à fréquenter l'école. La première journée fut affreuse, presque aussi affreuse que le jour où elle avait regardé Sidney partir pour l'école sans elle, l'année précédente. Ils n'avaient jamais été séparés. Désespérée, elle était restée à la porte du jardin, le regardant s'éloigner sur le sentier jusqu'à ce que les larmes qui coulaient de ses yeux l'empêchent de le voir.

— Il sera là ce soir, mon bijou. Pense au plaisir que t'auras en surveillant son retour à la maison, lui dit Judy pour la réconforter.

— Ce soir c'est tellement loin, répondit Pat en sanglotant.

La journée lui avait semblée interminable mais il fut enfin quatre heures et demie et Pat dévala le sentier pour aller accueillir Sid. C'était tellement extraordinaire de le revoir que cela valait presque la tristesse de l'avoir vu partir.

Pat ne voulait pas aller à l'école. Être loin de Silver Bush pendant huit heures, cinq jours par semaine, constituait une tragédie. Judy lui prépara un délicieux goûter, remplit son cartable avec ses petites pommes rouges préférées et l'embrassa avant son départ pour lui donner du courage.

– Faut pas oublier, ma chérie, que c'est une éducation que tu t'en vas recevoir. Oh, oh, être éduquée c'est important et je suis bien placée pour te le dire parce que moi j'ai pas eu ta chance.

– Je ne comprends pas, Judy, tu connais plus de choses que n'importe qui sur cette terre, dit Pat interloquée.

– Oh, oh, pour sûr que je sais plein de choses, mais être éduquée, c'est pas seulement apprendre des choses, expliqua Judy avec sagesse. T'as pas raison de te faire du tourment. Tout ira pour le mieux. Tu connais déjà ton alphabet, c'est un bon début. Allez, ouste fillette, et montre tes meilleures manières au professeur. C'est la réputation de Silver Bush que t'as entre les mains, ne l'oublie pas.

C'est cette pensée qui permit à Pat de trouver assez de force pour traverser la première journée. Cette pensée l'aida à quitter la maison en serrant fort la main de Sid et aussi à retenir ses larmes quand elle se retourna, au bout du chemin, pour envoyer la main à Judy qui, de la porte du jardin, lui lançait des signes d'encouragement. Grâce à cette pensée, elle put aussi supporter le regard inquisiteur de douzaines d'yeux étrangers ainsi que la première rencontre avec l'institutrice. Cela lui donna l'énergie nécessaire, pendant toute cette longue journée, alors qu'elle était assise seule à son petit pupitre et traçait des ronds... ou regardait par la fenêtre le bosquet de l'école, ce qu'elle préférait de loin. L'idée d'être la représentante de tout Silver Bush fut constamment présente, durant les récréations et à l'heure du déjeuner, alors que Winnie était partie avec les grandes filles et Sid et Joe avec les garçons et qu'elle restait seule avec les élèves des petites classes.

Quand cette première journée d'école fut terminée, Pat la repassa dans sa tête et conclut qu'elle avait fait honneur à Silver Bush.

Et ce fut le retour glorieux à la maison ! Judy et maman l'accueillirent comme si elle était partie depuis un an, le bébé lui sourit en gazouillant, Jeudi vint vers elle en courant et toutes les fleurs lui souhaitèrent la bienvenue en inclinant la tête.

— Je sais que tout le monde et toutes les choses ici se réjouissent de mon retour, s'exclama-t-elle.

En vérité, cet accueil suffisait à lui donner envie de repartir, rien que pour le plaisir de revenir. Et aussi pour le plaisir de raconter à Judy tout ce qui lui était arrivé à l'école !

— J'aime toutes les filles, sauf May Binnie. Elle a dit qu'il n'y avait pas de mousse du tout entre les pierres de son allée de jardin. Je lui ai répondu que moi, j'aimais la mousse qui pousse entre les pierres des allées de jardin. Et puis elle a dit que notre maison était vieillotte et qu'il fallait refaire la peinture. Et aussi que le papier peint de la chambre d'amis était taché.

— Oh, oh, et tu sais bien que c'est vrai, dit Judy. C'est comme la fissure près de la cheminée que Long Alec n'a jamais pu réparer, même s'il arrête pas d'essayer. Mais si tu commences à écouter ses sornettes, t'en auras pour la vie. Et qu'est-ce que tu lui as répondu, ma chouette, à c'te mademoiselle May Binnie ?

— Je lui ai répondu que Silver Bush n'avait pas besoin d'être repeint aussi souvent que les autres maisons parce que notre maison n'était pas laide.

Judy eut un petit rire.

— Oh, oh, tu ne l'as pas manquée la bonne petite May. Avec toute c'te peinture jaunâtre, la maison des Binnie est l'une des plus laides que j'ai jamais vues. Et qu'est-ce qu'elle a trouvé à répondre à ça ?

— Oh, Judy, elle a dit que les rideaux roses du grand salon étaient décolorés et élimés. Cela m'a tuée, parce que c'est vrai... et puis tout le monde à part nous à North Glen possède de magnifiques rideaux en dentelle dans leur salon.

Mais c'était il y a trois semaines, le départ pour l'école faisait désormais partie des habitudes et Pat avait même commencé à aimer cela. Puis, un après-midi, sans aucun avertissement et l'air tout à fait normal, Judy dit :

– J'imagine que t'es au courant que tante Hazel va se marier dans la dernière semaine de septembre ?

Au début, elle ne le crut pas... elle ne pouvait tout simplement pas le croire. Tante Hazel *ne pouvait pas* se marier et quitter Silver Bush. Quand elle se fut rendue à l'évidence, elle pleura tous les soirs pendant une semaine. Même Judy n'arrivait pas à la consoler... et même la mémoire de Willy le Pleureur ne suffisait pas à lui faire entendre raison.

– Sûr et il est plus que temps pour ta tante Hazel de s'marier si elle veut pas finir vieille fille.

– Tante Barbara et tante Edith sont vieilles filles et elles ne sont pas malheureuses, sanglota Pat.

– Oh, oh, deux vieilles filles dans une famille, c'est bien assez. Et tante Hazel a raison de se marier. Sûr, parce que c'est pas un monde facile pour les femmes. J'te dis pas qu'elle ne nous manquera pas. Elle a toujours eu le tour de rendre les gens heureux. Mais il est plus que temps qu'elle choisisse. Ça n'a jamais été une coureuse... même son pire ennemi ne pourrait pas dire ça. Mais, dans sa jeunesse, elle ne donnait pas sa place et par deux ou trois fois, j'ai bien eu l'impression qu'elle s'envolerait avec le mauvais moineau. « Judy, qu'elle me disait à sa façon, je vais encore essayer deux ou trois beaux avant de me décider. » Elle a été chanceuse de se décider pour Robert Madison. C'est un homme très bien, celui-là. Tu vas l'aimer, ton nouvel oncle, ma chérie.

– Je ne l'aimerai pas, dit Pat obstinée, déjà décidée à le haïr jusqu'à la fin des temps. Tu l'aimes, toi, Judy ?

– Pour sûr que je l'aime. Il en a plus dans la tête qu'un peigne ne pourra jamais enlever, je te le garantis. Et commerçant qu'il est, ce qui est un peu plus facile pour une épouse.

– Crois-tu qu'il est assez beau pour tante Hazel, Judy ?

– Oh, oh, j'ai vu pire. P'tête bien qu'y compte trop sur

58

sa chance et y'a pas à dire qu'il a l'oreille bien à l'écoute comme tout le reste de sa famille. Ils tiennent ça des Callender. Jamais vu des oreilles aussi grandes que celles de Henry Callender. Si on avait regardé sa tête seulement, on aurait jamais pu savoir si c'était un homme ou une chauve-souris. Oh, oh, mais heureusement qu'elles ont rapetissé avec le mélange avec les Madison. Robert a un vrai beau visage et c'que j'suis en train de dire c'est que tout le monde est heureux du choix de tante Hazel. On a eu nos inquiétudes, ça j'peux t'le dire. Il y a eu ce Gordon Rhodes, il y a pas mal de temps... mais j'ai jamais cru qu'elle choisirait un numéro du genre. Trop tordu pour pouvoir se coucher droit dans un lit, comme tous les Rhodes. Et Will Owen... Long Alec l'aimait bien, j'te l'dis, mais cet homme avait pas plus à dire sur lui qu'une bosse sur un billot. Si le Bon Homme d'en Haut l'avait rendu muet, personne ne s'en serait rendu compte. Pour mon goût, en tout cas, je les préfère un peu plus vaillants. À un moment donné, on a bien pensé que ce serait Siddy Taylor. Mais quand un soir elle lui a dit, comme ça, qu'il avait des drôles de goûts pour ses cravates, il a piqué une énorme colère et il a disparu. J'la blâme un peu pour ça. Si jamais tu désires un homme, Pat, ne te mets pas à critiquer ses cravates avant d'être passée devant l'autel. Ta mère a beaucoup aimé Carl Gibson. Elle avait raison, c'était un homme parfait pour une femme. Mais c'était un Gibson de Summerside et j'ai toujours craint qu'il regarde la famille de tante Hazel un peu de haut. Sans oublier qu'il avait un air tellement bizarre qu'on aurait dit un chat qui louchait. Mais ce Robert Madison, il n'arrêtait pas de venir et de revenir chaque fois qu'un autre mettait sa mitaine dans la mauvaise main. Ces Madison, quand ils veulent vraiment une chose, ils prennent leur temps, mais ils l'obtiennent C'est leur habitude. Prends Jim, l'oncle de Rob,... je t'ai déjà raconté comment il a fait mariner son frère dans le rhum avant de le ramener à la maison pour l'enterrer ?

— Il l'a fait mariner, Judy ?

59

– C'est moi qui te l'dis. Ned Madison a rendu l'âme sur le bateau de Jim en 1850 quand ils étaient au beau milieu de l'océan Indien. Tout le monde disait qu'il fallait le jeter à la mer. Mais Jim jura sur son âme que Ned serait enterré dans le lot familial sur l'Île. Il demanda au menuisier du bateau de lui fabriquer un cercueil en plomb, il mit le jeune Ned dedans et le remplit avec du rhum. Et Ned est revenu à la maison frais comme une marguerite. J'te dis pas que ça n'a pas changé Jim pour toujours, bien sûr. Mais ils sont comme ça les Madison. Oh, oh, tout ça c'est pour le mieux, pour sûr et on va faire un beau mariage en l'honneur de toute la famille.

Pat eut énormément de mal à se faire à cette éventualité. Elle avait toujours eu beaucoup d'affection pour tante Hazel, beaucoup plus que pour tante Edith ou même tante Barbara. Tante Hazel était si enjouée et si jolie. Son visage était aussi brun qu'une noisette, comme ses cheveux et ses yeux, et ses lèvres et ses joues étaient d'un rouge écarlate. Tante Hazel ressemblait à son nom[1]. Ce qui n'est pas le cas pour tous. Lily Wheatley[2] était aussi noire qu'un corbeau et Ruby[3] Rhodes était toute pâle et délavée.

Les autres enfants de Silver Bush accueillirent la nouvelle avec plus de stoïcisme. Sidney pensait que ce serait plutôt excitant d'avoir un mariage dans la famille. Winnie pensait que ça devait être plutôt amusant de se marier.

– Je ne vois pas ce qu'il y a d'amusant là-dedans, lança Pat avec amertume.

– Mais tout le monde doit se marier un jour, répondit Winnie. Toi aussi tu te marieras un jour.

Pat angoissée, courut voir sa mère.

– Maman, dis-moi, je ne suis pas obligée de me marier n'est-ce-pas ?

1. « Hazel » en anglais veut dire « noisette ». (N.D.T.)
2. « Lily » en anglais veut dire « muguet » et « Wheatley » fait référence au blé. (N.D.T.)
3. « Ruby » en anglais veut dire « rubis ». (N.D.T.)

— Pas si tu n'en as pas envie, lui dit sa mère pour la rassurer.

— Oh, tant mieux, dit Pat, soulagée. Parce que je n'en aurai jamais envie.

— Les petites filles disent toutes la même chose, dit Judy en clignant de l'œil à madame Gardiner, au-dessus de la tête de Pat. J'vois pas le moment où j'en aurai envie moi-même. J'vous l'jure et que j'en ai eu une belle de proposition l'autre soir. Le vieux Tom Drinkwine est monté par ici et m'a demandé de devenir sa quatrième madame Drinkwine. Sûr et j'ai bien failli laisser tomber la nouvelle théière quand c'est qu'il m'a sorti sa proposition. Ça fait tout un temps que j'attends qu'on me demande et ma chance est venue enfin.

— Oh, Judy, tu ne voudrais pas te marier avec lui ?

— Et pourquoi que j'pourrais pas ?

— Et nous quitter ?

— Oh, oh, c'est ça le problème, répondit Judy qui avait renvoyé le vieux Tom à ce qu'elle appelait « la chanson de la vieille vache qui va mourir ».

— Ça prendrait plus que le quart de tout un homme pour me tenter de faire une chose pareille.

Mais un homme entier pourrait tenter Judy un jour et Pat n'aimait pas cette idée. Oh, comme le changement était terrifiant ! Quel dommage que les gens soient obligés de se marier !

— Le mariage, c'est pour la dernière semaine de septembre, D.V., lui dit un jour Judy.

Pat se crispa. Elle savait que cela devait arriver, mais l'entendre annoncé sur un ton aussi indifférent la dérangeait.

— Qu'est-ce que ça veut dire, D.V., Judy ?

— Oh, oh, ça veut dire « si Dieu le Veut ».

— Et s'Il ne veut pas, Judy ?

— Ben alors, ça n'arrivera pas, mon trésor.

61

Pat se demanda si le fait de prier Dieu pourrait être d'un certain secours.

— Qu'est-ce qui arrive, Judy, quand on prie pour obtenir... quelque chose de vilain ?

— Oh, oh, ta prière pourrait se réaliser, répondit Judy de façon si sinistre que Pat fut terrifiée et décida qu'il serait plus sage de ne prendre aucun risque.

Elle se résigna éventuellement au mariage. Elle se découvrit une popularité nouvelle à l'école parce que sa tante allait se marier. Et puis un climat d'excitation gagnait Silver Bush et grandissait de jour en jour. Les préparatifs du mariage constituaient le seul sujet de conversation. Le chat de la vieille grange avait mis bas ce que Judy appela une « couvée » de chatons, ce qui ne souleva l'enthousiasme de personne, à l'exception de Pat. Mais c'était plaisant d'avoir son petit secret. Seule la chatte et Pat savaient où étaient cachés les chatons. Et elle ne révélerait pas leur secret avant qu'ils ne soient trop grands pour être noyés. La plupart des chats nés au printemps avaient mystérieusement disparu et Pat n'avait jamais réussi à comprendre comment. Il ne restait que Mardi et Jeudi, et on avait réservé Mardi pour tante Hazel. Les nouveaux chatons furent donc accueillis avec joie, mais Pat décida d'attendre après le mariage pour leur trouver des noms, parce qu'en ce moment, cela n'intéressait personne.

On changea le papier peint de la Chambre du Poète, pour sa plus grande joie, bien qu'elle fût un peu triste lorsqu'on arracha l'ancien. Et quand maman revint à la maison avec de nouveaux rideaux de dentelle ajourée pour le grand salon, elle commença à penser que le mariage avait ses bons côtés. Elle se rebella cependant quand on mit du nouveau papier peint sur les murs de sa chambre. Elle aimait l'ancien, avec ses perroquets verts et rouges, qui avait, semble-t-il, toujours été là. Elle n'avait jamais cessé d'espérer secrètement que les perroquets prennent vie.

— Je ne vois pas pourquoi il faut mettre du nouveau

papier dans ma chambre, même si tante Hazel se marie, dit-elle en sanglotant.

— Sois raisonnable, ma chérie, dit Judy. Faut le faire pour que, le jour du mariage, la maison entière soit resplendissante. Tous les parents et les amis importants de la ville et de Nouvelle-Écosse seront ici et les Madison, aussi, du Nouveau-Brunswick... des millionnaires à ce qu'on raconte. Y'en a qui vont mettre leurs vêtements dans ta chambre. Tu voudrais pas qu'ils voient c'te vieux papier tout délavé, n'est-ce-pas ?

— No... o... on, Pat ne le voulait pas.

— Et j'ai dit à ta mère qu'elle devait te permettre de choisir toi-même le nouveau papier... ça c'est certain et il y a au magasin un beau motif de campanules que tu aimerais bien. Alors change d'air et viens m'aider à frotter l'argenterie. Il faut frotter chaque meuble dans la maison pour le grand jour. C'est certain ; oublie pas qu'il n'y a pas eu de mariage à Silver Bush depuis vingt ans. Ça ressemble trop au paradis une maison où c'est qu'on donne plus de mariages. La dernière fois, c'est quand ta tante Christine a trouvé son homme. Sûr et j'espère que le voile de tante Hazel subira pas le même sort que celui de cette pauvre petite Chrissy.

— Pourquoi ? Que s'est-il passé, Judy ?

— Oh, oh, ce qu'il lui est arrivé ? Le voile avait un de ces petits chapeaux roses ouvragés que ton arrière-arrière-grand-mère avait rapporté du Vieux Pays. Oh, oh, l'élégance même ! Et ils l'avaient mis bien à plat sur le lit de la Chambre du Poète. Alors, quand ils sont venus le chercher, mon bijou... eh bien, il y avait un p'tit chien dans ce temps-là à Silver Bush, et le p'tit rusé s'était faufilé dans la chambre sans que personne le sache et il avait mâchouillé et déchiré le voile et le chapeau de dentelle au point qu'on pouvait pas dire ce qui était l'un et ce qui était l'autre. Pauvre p'tite Chrissy, elle a pleuré toutes les larmes de son corps... et je ne la blâme pas.

— Oh, Judy, qu'est-ce qu'ils ont fait ?

— Fait, que tu dis ? Pouvaient rien faire et ils n'ont rien fait. C'te pauvre Chrissy a dû se marier sans voile et elle a sangloté pendant toute la cérémonie. Ça a fait un bien gros scandale, c'est moi qui te l'dis. À c't'heure, je vas la garder par devers moi la clé de la Chambre du Poète et si je vois ce Snicklefritz rôder autour de la maison, c'est moi-même qui va lui accrocher une oreille d'étain, quand bien même Joe en ferait une crise d'apoplexie. Quand on aura terminé de ce lot d'argenterie, on ira dans le vieux verger et tu m'aideras à ramasser des prunes de Damas. J'vais faire un gros plat de prunes au four pour tante Hazel. Elle a toujours dit qu'y avait personne qui faisait des prunes mieux que cette vieille Judy Plum... peut-être que mon nom y est pour quelque chose[1].

— Oh, dépêchons-nous avec l'argenterie, Judy.

Pat adorait ramasser des prunes de Damas avec Judy, mais aussi les mirabelles vertes et les mirabelles dorées et les grosses quetsches violacées.

— J'me presse jamais, mon bijou. On a tout le temps du monde et après ça, il y a encore l'éternité. Y'a des tonnes de travail pour que tante Hazel ait un mariage de qualité, et ça sera fait calmement et dans l'ordre.

Pat ne put pas faire autrement que de se sentir agréablement excitée lorsqu'elle apprit qu'elle serait la bouquetière de tante Hazel. Mais elle était triste pour Winnie qui était trop âgée pour être bouquetière et trop jeune pour être demoiselle d'honneur et son plaisir en fut presque gâché. Tante Hazel aurait deux demoiselles d'honneur qui devaient être habillées en vert, ce qui horrifiait Judy qui déclara que le vert était une couleur malchanceuse pour un mariage.

— Oh, oh, j'me souviens d'un mariage dans le Vieux Pays où les demoiselles d'honneur étaient en vert. Les fées

---

1. « Plum » en anglais veut dire « prune ».

étaient tellement fâchées qu'elles ont jeté un sort sur la maison. Vrai comme j'te parle.

– Quel genre de mauvais sort, Judy ?

– C'est moi qui te l'dis, qu'il n'y aurait plus jamais de rires dans cette maison... plus jamais. Oh, oh, c'est un sort terrible ! Essaie d'imaginer une maison où on ne rit jamais.

– Et personne n'a plus jamais ri dans cette maison, Judy ?

– Plus personne. Y'a eu plein de larmes, mais jamais un seul rire. Oh, oh, c'était une maison si triste !

Pat se sentait mal à l'aise. Que se passerait-il si plus personne ne riait à Silver Bush ? Les petits rires gentils de papa et les éclats de rire chaleureux de l'oncle Tom... les trilles argentées de Winnie... et la gaieté communicative de Judy... Mais sa robe était tellement jolie... une robe de crêpe verte et fraîche comme un printemps, une blouse à empiècement avec un petit bouquet de boutons de roses roses aux épaules. Et un chapeau vert foncé dont le bord était décoré de roses. Pat devait s'en réjouir, que cela porte ou non malchance. Elle ne savait pas, contrairement à Judy, que le vert accentuait la pâleur de son petit visage en dépit de son hâle. Pat n'avait pas une seule parcelle de vanité. Seule la robe l'intéressait.

Le mariage devait avoir lieu dans l'après-midi et la « cimetiérie nuptiale », comme disait Winnie, qui, à dix ans, était une véritable langue de vipère, devait se dérouler dans la vieille église grise de South Glen que tous les Gardiner fréquentaient depuis des temps immémoriaux. Judy trouvait que c'était là une autre de ces initiatives modernes.

– Sûr, et à mon époque, on se mariait le soir à Silver Bush et on passait la nuit à danser. Puis dans ce temps-là, on partait pas s'épivarder en lune de miel. Oh, oh, on s'en allait à la maison et on faisait ce qu'on avait à faire. Les temps changent et pas pour le mieux si vous voulez savoir ce que j'en pense. Dans l'temps, y'avait que les épiscopaliens qui se mariaient à l'église. J'te l'jure. Ça n'a jamais été une coutume pour les presbytériens, jamais d'la vie.

– Es-tu presbytérienne, Judy ?

Pat était soudain curieuse. Elle n'avait jamais pensé à la religion de Judy. Judy accompagnait les Gardiner à l'église de South Glen le dimanche, mais elle ne s'asseyait jamais sur leur banc : toujours en haut, dans le jubé, d'où elle pouvait tout observer comme disait oncle Tom.

– Oh, oh, aussi presbytérienne que n'importe quelle bonne Irlandaise, répondit Judy prudemment. Mais, bien sûr, n'étant pas Écossaise, j'pourrai jamais être une vraie presbytérienne. Qu'importe, je prie pour que tout aille pour le mieux et que ta tante Hazel ait plus de chance à son mariage que la deuxième cousine de ton grand-père.

– Qu'est-ce qui est arrivé à la deuxième cousine de mon grand-père, Judy ?

– Oh, oh, tu n'en as jamais entendu parler ? Sûr, et on dirait bien que personne te raconterait l'histoire de ta famille si la vieille Judy ne le faisait pas. C'te pauvre petit cœur ! Elle est morte d'une pneumonie, la veille de son mariage, et on l'a enterrée avec sa robe de mariée. C'est triste parce que ça lui avait pris tellement de temps à s'trouver un homme. Elle avait au moins trente ans ; c'est dur d'être déçu comme ça, au dernier moment. Mais non, faut pas pleurer pour une histoire vieille de cinquante ans, mon trésor. Elle serait probablement morte aujourd'hui et p't'être ben qu'elle a évité plein de problèmes, parce que le fiancé, c'était tout un numéro et s'il la mariait, c'était beaucoup pour son argent. Du moins c'est c'qu'on disait. Allez, aide-moi à mélanger le gâteau et que j'te voie pas enlever les pruneaux pour les manger.

L'excitation fut à son comble durant la dernière semaine. Pat eut la permission de ne pas aller à l'école et de rester à la maison, parce que tout le monde avait besoin d'elle pour faire des courses et aussi parce qu'elle serait probablement morte de chagrin si on ne le lui avait pas permis. Judy passait presque tout son temps dans la cuisine, concoctant et cuisinant, ressemblant plutôt à une vieille sorcière penchée sur des préparations suspectes. Tante Barbara vint donner un coup de main, mais tante Edith décida de cuisiner les plats dans sa propre maison parce qu'aucune cuisine n'était assez grande pour elle et Judy Plum. Tante Hazel prépara les crèmes et maman les pâtes de fruits rouges scintillantes. C'est la seule chose qu'on lui permit de faire. On jugeait qu'elle avait assez de travail à s'occuper de Cuddles... comme tout le monde appelait le bébé en dépit de l'agitation qu'avait provoqué le choix de son prénom. Maman, avait expliqué Judy à Pat, ne s'était pas encore remise du gros mal de tête qui l'avait terrassée le même soir où on avait trouvé Cuddles dans les plants de persil, et il fallait prendre soin d'elle.

Pat battit des œufs et mélangea d'innombrables pâtes à gâteaux, se délectant avec Sid de ces choses savoureuses qui restaient dans les bols. Du matin au soir, la maison était pleine d'odeurs exquises. Et de partout, on entendait : « Pat, viens ici » et « Pat, cours à tel endroit », jusqu'à ce qu'elle soit un peu dépassée par les événements.

— Calme-toi, lui reprocha Judy. Dis à ta tête de ménager tes genoux, ma chérie. C't'une bonne leçon à prendre. Tout va s'arranger, dans l'temps où le Bon Dieu le voudra bien. On t'en demande beaucoup et compte sur Judy pour qu'on t'en mette pas plus sur les épaules. Sûr et j'vois pas comment on pourrait marier tante Hazel sans toi.

Sans elle, ils n'auraient jamais eu de beurre pour le mariage. Judy avait conservé tout le lait de la vache bleue, qu'on envoyait normalement à la crémerie. Et la veille du mariage, elle commença à le baratter dans la vieille baratte en bois actionnée par une manivelle qu'elle n'avait jamais voulu abandonner pour une machine plus moderne. Judy tourna et tourna la manivelle jusqu'à ce que Pat – qui, vers le milieu de la matinée, descendait à la cave froide et pleine de toiles d'araignées – la trouve complètement défaite.

— C't'e crème est ensorcelée, dit Judy désespérée. Mes bras vont lâcher tellement j'ai tourné et j'ai pas vu le moindre signe de beurre.

Maman, bien sûr, ne pouvait pas baratter, et tante Hazel avait encore mille choses à faire. On envoya quelqu'un chercher papa à la grange et il s'y mit de bonne grâce. Mais après s'être exécuté énergiquement pendant trente minutes, il abandonna, incapable de faire mieux.

— Aussi bien donner la crème aux cochons, Judy, dit-il. On achètera du beurre à l'épicerie.

Pour Judy, c'était une disgrâce absolue. Acheter du beurre à l'épicerie que Dieu seul saurait d'où il vient ! Jamais ! Elle s'en fut préparer le dîner, convaincue que le mariage en vert était la cause de son malheur.

Pat sauta du baril de pommes où elle s'était installée et commença à actionner la baratte. C'était très amusant. Elle avait toujours voulu faire le beurre, mais Judy ne voulait pas parce que selon qu'elle tournait trop lentement ou trop rapidement la manivelle, le beurre était trop mou ou trop dur. Mais maintenant, c'était sans importance et elle pouvait tourner comme bon lui semblait. Splash... splash... splash ! Flop... flop... flop ! Tchhh... tchhh... tchhh ! Swish... swish... swish ! Il était graduellement devenu de plus en plus difficile de tourner la manivelle. Au moment où Pat décida que, pour une fois dans sa vie, elle avait assez d'une chose, tout sembla plus léger et Judy annonça que le repas était près.

— Judy, j'ai tellement tourné, que je suis en sueur.

Judy était horrifiée.

— En sueur, que tu dis ? Ma petite fille, que j't'entende jamais dire ça. Souviens-toi que les Binnie peuvent suer, mais que les Gardiner transpirent. J'imagine qu'il va falloir donner la crème aux cochons, maintenant. Je brûle de honte, que j'te dis... la crème de la vache bleue et tout... et du beurre de l'épicerie pour un mariage à Silver Bush ! C'est c'qui arrive avec des robes vertes, j't'le dis. On aurait dû s'en douter.

Judy avait soulevé le couvercle de la baratte et elle eut la surprise de sa vie.

— Si c'est pas mon bijou qui a réussi le beurre ! Le v'là,

au beau milieu du petit lait, du beurre plus beau que le plus beau beurre jamais baratté. Et tout ça, avec ses petits bras de sept ans, du beurre que moi-même et Long Alec on n'a jamais été capables de réussir. Oh, oh, attends un peu que j'raconte ça à toute la famille !

Pat n'eut sans doute jamais de plus grand triomphe dans sa vie que ce jour-là.

7

Vive la mariée !

CE FUT ENFIN le jour du mariage. Pendant une semaine, Pat avait compté lugubrement les jours qui la séparaient de cet événement. Plus que quatre jours et tante Hazel aurait quitté Silver Bush... seulement trois... seulement deux, et enfin un. Pat eut la chance de dormir le dernier soir avec Judy car sa chambre était occupée par des invités venus de loin. Elle se réveilla donc avec Judy avant le soleil et descendit anxieusement pour vérifier quel genre de température les attendait à l'extérieur.

– Une journée de reine ! dit Judy très satisfaite. Hier soir, je craignais un peu qu'il pleuve, à cause du cercle autour de la lune et que ça porte malheur la pluie, le jour d'un mariage, sans parler de la boue et de la saleté qui se ramasseraient dans la maison. J'vais aller faire un p'tit tour dehors pour dire au soleil de se montrer et après j'm'occuperai des vaches avant que ton père se lève. Le pauvre, on lui voit les os tellement c'te semaine l'a fatigué.

– Est-ce que le soleil se lèverait, si tu ne lui demandais pas, Judy ?

– Pas d'risques à prendre un jour de noces, mon bijou.

Pendant que Judy trayait les vaches, Pat fit le tour de Silver Bush. Comme c'est étrange une maison tôt le matin avant que ses habitants ne se lèvent ! On aurait dit qu'elle attendait quelque chose. Naturellement, à cause du mariage, toutes les pièces semblaient différentes. Des bouquets flamboyants de feuilles d'automne et de chrysanthèmes emplissaient le grand salon. Les nouveaux rideaux étaient si magnifiques que Pat regretta amèrement que les Binnie ne soient pas invités à la maison après la cérémonie. Rien que pour contempler le visage de May quand elle les verrait ! Le petit salon était à moitié rempli par des cadeaux. La table avait été mise la veille dans la salle à manger. Quelle élégance avec les magnifiques couleurs des pâtes de fruits, les verres scintillants et les chandeliers en argent dont les longues et fines chandelles faisaient comme des rayons de lune !

Pat sortit en courant. Le soleil, obéissant aux ordres de Judy, commençait à se lever. L'air embaumait le miel ambré de l'automne. Chaque bouleau et chaque peuplier du bosquet argenté avait la forme d'une jeune fille dorée par le soleil. Le jardin était fatigué de pousser et se reposait, sauf les roses trémières qui étalaient leur splendeur sur le vieux muret de pierre. Une faible et délicate brume matinale enveloppait la Colline de la Brume et disparaissait en tremblant au contact du soleil. L'univers était magnifique et il faisait bon y vivre !

Pat se retourna et vit rôder un chat maigrelet à qui il manquait une oreille,... un étranger à Silver Bush. Et il buvait le lait qu'on avait mis dans une soucoupe à l'intention des fées. C'est donc ainsi que disparaissait le lait ! Pat s'en était toujours doutée, mais le constater lui laissait un goût amer. N'y avait-il plus de véritable magie dans ce monde ?

— Judy ? Pat était sur le point de pleurer quand Judy vint vers le puits avec ses deux seaux de lait... Les fées ne boivent pas le lait. C'est un chat... comme Sidney l'a toujours dit.

— Oh, oh, et si les fées n'ont pas pu venir la nuit dernière, j'me d'mande bien pourquoi un pauvre chat ne pour-

71

rait pas en profiter. Faut bien qu'il vive. Je ne t'ai jamais dit qu'elles venaient toutes les nuits. Y'a pas qu'ici où elles doivent venir.

— Judy, as-tu déjà vraiment vu une fée boire le lait ? Fais une croix sur ton cœur !

— Oh, oh, et même si je n'en avais pas vu. Sûr que ma grand-mère, elle a déjà vu quelque chose. Souvent que je l'ai entendue en parler. Un lutin, avec ses petites oreilles qui bougeaient pendant qu'il buvait le lait. Et la pauvre, elle s'est brisé une jambe le lendemain, vrai comme j'suis là. Tu peux te compter chanceuse si tu vois jamais les P'tits Gens Verts. Ils n'aiment pas du tout qu'on les regarde, c'est moi qui te l'dis.

Pour Pat, ce fut une journée où se mêlaient curieusement la douleur et le plaisir. Silver Bush bourdonnait d'excitation, surtout lorsque Snicklefritz fut piqué à la paupière par une guêpe et qu'il fallut l'enfermer dans la grange de l'église. Et puis tout le monde revêtit ses plus beaux atours. Les mariages étaient vraiment des événements excitants, Sid avait raison. Maman portait une nouvelle robe absolument ravissante, d'une belle couleur chrysanthème doré et Pat en était si fière qu'elle avait mal.

— C'est tellement magnifique d'avoir une jolie maman ! s'exclama-t-elle avec ravissement.

Elle était fière de toute la famille. De papa qui avait eu beaucoup de difficulté à trouver sa cravate et qui, dans l'énervement, avait mis sa botte gauche à son pied droit et l'avait lacée avant de découvrir son erreur, mais qui, en ce moment, ressemblait à un vrai Gardiner. De l'adorable petite Cuddles dont les socquettes de soie étaient roulées aux chevilles pour qu'on puisse voir ses chères petites jambes potelées. De Winnie qui, dans sa jolie robe jaune ressemblait à une belle pensée dorée. Elle était fière de Sid et de Joe aussi, avec leurs habits neufs et leurs cols blancs. Et même de Judy Plum qui, comme par magie, avait pris des airs de grande dame. Elle avait extirpé de la grande malle brune sa robe des grands jours de même qu'un châle en dentelle un peu vieillot et un bonnet en satin bleu piqué comme on en portait au siècle dernier. Judy n'aurait jamais accepté d'être vue en public sans un bonnet. Pas de chapeaux de fantaisie pour elle. Elle portait aussi ce qu'elle appelait une « pairette » d'escarpins de cuir à talons hauts. Ainsi, affreusement fagotée, Judy se mêla à la foule, surveillant tout de près et accueillant les amis avec sa « voix officielle » comme elle avait l'habitude de dire, et une surprenante et parfaite prononciation anglaise.

Tante Hazel et ses demoiselles d'honneur étaient toujours invisibles, cachées dans la Chambre du Poète. Maman aida Pat à mettre sa jolie robe et son chapeau vert. Pat les aimait bien… mais elle monta l'escalier en courant pour aller dire à son vieux voile bleu, dans la penderie, qu'il était toujours son préféré. Puis les tantes arrivèrent enfin : tante Barbara faisait très mariage dans son ensemble de dentelle beige que tante Edith trouvait beaucoup trop juvénile pour elle. Personne, cependant, n'aurait pu dire de la robe de tante Edith qu'elle faisait juvénile, et elle était très élégante. Pat était gonflée de fierté pour son clan, on aurait même pu dire qu'elle étouffait.

Oncle Brian de Summerside devait conduire la mariée et ses demoiselles d'honneur à l'église dans sa nouvelle voiture, et leur apparition dans l'escalier – on aurait dit qu'elles flottaient – fut l'un des moments extraordinaires de la journée. Pat sentait un léger picotement dans les yeux. Cette mystérieuse créature enveloppée de satin blanc et d'un voile transparent, portant cet énorme bouquet de roses et de muguets, était-ce sa chère et joyeuse tante Hazel ? Pat eut l'impression qu'ils l'avaient déjà perdue. Mais tante Hazel s'attarda un moment et lui murmura :

– J'ai glissé les pensées que tu as cueillies dans mon bouquet, ma chérie. C'est le petit « rien de bleu » que la mariée doit porter, je t'en remercie beaucoup.

Et, pendant un instant, tout fut de nouveau comme avant.

Maman, Winnie, Judy et Joe montèrent avec papa dans le vieux cabriolet de Silver Bush, quant à Pat et Sid, ils s'en furent avec oncle Tom. Pas question de cabriolet ou de voitures délicates pour oncle Tom. Il conduisait un imposant « phaéton » à deux banquettes auquel étaient attelés deux chevaux bais à la robe satinée mouchetée d'étoiles blanches sur le front. C'était de loin la voiture préférée de Pat. Mais pourquoi oncle Tom mettait-il tant de temps à arriver ?

– On va être en retard. Il y a un million de carrosses et de voitures qui sont déjà passés, s'inquiéta Pat.

– Oh, oh, n'exagère pas, fillette.

– De toute façon, j'en ai compté cinq, dit-elle d'un ton indigné.

– Le voilà qui arrive, dit Judy. Fais attention à tes manières, ajouta-t-elle en chuchotant d'un air sévère. Pas de grimaces de singe quand les choses vont devenir un peu sérieuses, n'oublie pas.

Pat, Sid et tante Barbara prirent place sur la banquette arrière. Pat se sentait extrêmement importante et releva le menton, surtout quand May Binnie, dans une automobile qui les dépassa en klaxonnant, la regarda avec envie. D'habitude, Sid et elle marchaient jusqu'à l'église en coupant à travers champs et en suivant le ruisseau bordé d'immortelles. Mais la route aussi était jolie avec ses champs de chaume dorés par le soleil, ses corbeaux noirs et brillants perchés sur les clôtures, ses cageots remplis de pommes qui attendaient sur l'herbe des vergers, ses pâturages parsemés d'asters et surtout, la mer au loin, si bleue et qui paraissait si heureuse, surplombée par d'imposantes flotilles de nuages.

Puis, ce fut l'église au milieu des érables et des épinettes, les préparatifs de la cérémonie, les gens qui se tenaient debout, tante Hazel qui descendait l'allée de l'église au bras de papa, Jean Madison et Sally Gardiner derrière elle, Pat qui fermait galamment la marche avec son panier de roses dans ses mains brunies par le soleil, les gens qui retenaient leur respiration, la voix solennelle du pasteur, la prière, les couleurs miroitantes des vitraux qui transformaient ces gens bien ordinaires en miracles. Au début, Pat fut trop déroutée pour analyser toutes ses sensations. Elle vit un rubis de lumière tremblante tomber sur le voile blanc de tante Hazel... et les grandes oreilles de Rob Madison... elle vit les cheveux noirs comme la nuit de Sally Gardiner sous son chapeau vert... elle vit les fougères et les fleurs... et soudain, elle entendit tante Hazel dire : « Je le veux » en regardant son mari.

Il arriva alors une chose terrible. Pat se tourna frénétiquement vers Judy Plum qui était assise juste derrière elle, à l'extrémité du premier banc.

— Judy, prête-moi ton mouchoir, je vais pleurer, chuchota-t-elle, prise de panique.

Judy, avec raison, en eut la chair de poule. Elle comprit que dans une situation désespérée il fallait recourir à des moyens désespérés. Son mouchoir blanc était si grand qu'il aurait pu envelopper Pat. Bien pis, les Binnie étaient quelque part, au fond de l'église. Elle se pencha vers Pat.

— Si tu pleures et que tu apportes la honte sur Silver Bush, j'te ferai plus jamais frire un œuf dans du beurre, tant que je suis en vie.

Pat se raidit. Était-ce l'idée de faire honte à Silver Bush, ou de ne plus manger d'œufs frits au beurre, ou les deux à la fois, mais elle eut un dernier serrement à la gorge et ravala ses larmes. Elle cligna assez fort des yeux pour empêcher qu'une seule larme ne coule. La cérémonie était terminée. Personne n'avait remarqué le petit drame et toute la famille se dit que Pat s'était conduite de manière irréprochable. Les gens de Silver Bush furent très soulagés. Ils avaient tous craint plus ou moins que Pat ne craque à la fin, tout comme Cora Gardiner avait craqué au mariage de sa sœur alors qu'elle avait fait une véritable crise d'hystérie au milieu de la prière et que sa mère, profondément humiliée, avait dû la conduire hors de l'église.

— Tu t'es conduite comme une vraie grande, ma chérie, chuchota Judy avec fierté.

Pat réussit à supporter la réception et le dîner, mais découvrit qu'il lui était impossible de manger, même pas le poulet ou l'exquise « salade de lys » que sa mère avait préparée. Elle faillit pleurer lorsque quelqu'un lança à tante Hazel :

— Comment se sent-on en Hazel Madison ? Te rends-tu compte que maintenant, tu es Hazel Madison ?

Elle ne serait plus jamais Hazel Gardiner. Pour Pat, c'en était trop.

8

Conséquences

*E*T PUIS ce fut le départ ! Pour la première fois de sa vie, Pat découvrait ce que cela représentait de dire au revoir à quelqu'un qui ne reviendrait pas. Mais elle put pleurer, parce que tous les autres pleuraient aussi, même Judy à qui cela n'arrivait que très rarement.

— Quand j'ai envie de pleurer, avait l'habitude de dire Judy, je m'assois sur une chaise et je commence à rire.

Elle ne voulut pas que Pat reste debout trop longtemps à observer le départ de tante Hazel, secouée par ses larmes d'enfant.

— Ça porte malheur de regarder une amie partir jusqu'à ce qu'elle disparaisse au loin, lui expliqua-t-elle.

Pat se retourna et erra sans but dans les pièces maintenant désertes. Avec le désordre qui régnait dans la maison, aussi bien à l'étage qu'au rez-de-chaussée, Silver Bush ne ressemblait plus du tout à sa maison. Même les nouveaux rideaux de dentelle ajoutaient à l'étrangeté. La table, si belle auparavant, était dans un état lamentable, défaite, couverte de miettes, sale, avec la chaise de tante Hazel repoussée négligemment, comme si elle venait juste de la quitter. Les yeux bruns de Pat s'emplirent à nouveau de larmes.

– Viens par ici me donner un coup de main, ma chérie, disait Judy... la sage Judy. Sûr, et ta mère s'en est allée se coucher, complètement épuisée par tout ce remue-ménage, rien d'étonnant là-dedans. Et Winnie qui a l'estomac tout entortillé et c'est pas surprenant d'la façon qu'elle s'est empiffrée. Reste plus que nous deux pour s'occuper de tout. La salle à manger, ça sera pour demain matin, mais faut faire de l'ordre dans les salons et les chambres. Sûr, et c'te pauvre maison a l'air bien fatiguée.

Judy avait rangé la soie, les talons hauts et la voix de cérémonie pour retrouver sa confortable vieille robe de coton, ses vieilles chaussures... et son vieil accent. Pat s'en réjouissait. Judy paraissait ainsi beaucoup plus familière et aimable.

– Peut-on remettre tous les meubles à leur place ? demanda-t-elle, empressée. D'une certaine façon, cela la réconforterait de voir le buffet, la vieille berceuse que l'on avait cachée quelque part parce qu'elle était trop élimée, et les vases d'herbes des pampas, jugés démodés, reprendre leur place habituelle.

– Oh, oh, pour sûr c'est ce qu'on va faire. Et laisse tomber ton air triste comme si on venait d'enterrer tante Hazel plutôt que de la marier.

– Je n'ai pas très envie de sourire, Judy.

– Y'a d'la raison dans ce que tu dis. Moi-même, j'ai tellement souri aujourd'hui qu'on dirait qu'on m'a transformée en chat de cirque. En tout cas, c'était un beau mariage, tellement beau que Jen Bennie elle en verra jamais, même avec tous ses prétendants de la ville. Même le parlement, y pourrait pas nous battre pour le dîner. Et la cérémonie était tellement solennelle que ça m'a enlevé l'idée de me marier, dans le cas où je l'ai jamais eue.

– Sans toi, je me serais mise à pleurer et j'aurais tout gâché, chère Judy, dit Pat pleine de reconnaissance.

– Oh, oh, je ne te blâme pas. J'ai connu une vraie belle demoiselle d'honneur qui a fondu en larmes au beau milieu de la cérémonie. Et tout ce que les gens ont dit, c'est qu'elle pleurait parce que c'était pas elle qui se mariait, alors que c'était juste son bon cœur qui parlait. Remarque que c'est mieux que l'autre demoiselle qui riait à propos de rien au beau milieu de la cérémonie au mariage de Rosella Gardiner. Personne a jamais su pourquoi elle riait... elle a jamais voulu l'dire... mais le marié a pensé qu'elle riait de lui et il lui a plus jamais adressé la parole après. Ça a commencé une chicane dans la famille qu'a duré quarante ans. Oh, oh, toutes ces p'tites choses qui ont des grosses conséquences.

De l'avis de Pat, ce n'était pas une chose sans importance qu'une demoiselle d'honneur éclate de rire au milieu de la cérémonie d'un mariage. Elle était heureuse que rien de la sorte ne se soit produit pour ridiculiser le mariage de tante Hazel.

— Viens, on va commencer par balayer tous ces confettis. J'ai pour mon dire que c'était mieux dans l'ancien temps avec le riz. Ça faisait un bon repas pour les poules, après. Oh, oh, on dirait bien les reliques de la décence, tu trouves pas ? Je vois qu'un des petits pots de crème en argent a reçu un coup. En tout cas, c'est pas aussi tragique que la table après le mariage de la grand-tante Margaret, de la ferme de Bay Shore. Oh, oh quel désastre !

— Que s'est-il passé, Judy ?

— Ce qui s'est passé ? Tu peux bien poser la question. Pour faire de l'effet, ils avaient mis sur la table une nappe à franges et quand le cousin du marié... le vieux Jim Milroy qu'on l'appelle maintenant... mais Jim à la barbe qu'on disait à l'époque... oh, oh, quelle belle barbe magnifique ! Sûr et c'aurait été une honte de la raser même si c'était passé de mode. Alors, qu'est-ce que j'disais ? Ah, oui. Il a voulu se lever de table à toute vitesse, comme il faisait toujours, et v'là tu pas qu'un de ses boutons se prend dans la frange et qu'il part avec la frange, la nappe et toute la vaisselle. Personne a jamais vu un tel boucan. J'm'étais rendue à Bay Shore pour donner un coup de main et c'est tante Frances qu'a fait tout le ménage, en pleurant et en se lamentant. Pour ça, j'la comprends. Toute la belle vaisselle en mille miettes et le tapis tout sali par la nourriture renversée, sans parler de la robe de c'te pauvre mariée, finie quand une tasse de thé s'est renversée sur ses genoux. Oh, oh, à cette époque j'étais bien maigre et bien jeune ; j'avais trouvé ça drôle, mais les gens de Bay Shore n'ont jamais été les mêmes après ça. Maintenant, monte dans ta chambre et enlève ta belle robe qu'on se mette à l'ouvrage. On dirait bien que c'est parti pour pleuvoir cette nuit. Il y a le vent qui se lève et il fait déjà aussi noir que dans la poche d'une squaw.

C'était réconfortant de remettre toutes les choses à leur place. Quand le travail fut terminé, Silver Bush avait repris ses allures d'antan. La nuit était tombée et la pluie commençait à tambouriner sur les fenêtres.

— Allons à la cuisine, je vais te préparer un bon p'tit goûter avant de faire le pain. J'ai remarqué que t'avais rien mangé de toutes les bonnes choses qu'étaient sur la table. J'ai un peu de soupe aux pois sur le feu que je me suis préparée et j'pense bien qu'il reste encore un peu de poulet.

— Je n'ai pas envie de manger avec cette histoire de tante Hazel qui est partie, répondit Pat encore un peu triste. Cette pensée allait revenir la hanter souvent.

— Oh, oh, un gros chagrin, c'est toujours bien mieux qu'un p'tit chagrin, mon bijou. Tiens, tu trouves pas que c'est mignon comme deux petits chats dans un panier. On va faire un peu de lumière. Et v'là-t-y pas un p'tit chat en habit gris et en chemise blanche qui s'appelle Jeudi, avec son p'tit cœur triste et qui vient chercher du réconfort parce qu'on l'a négligé toute la journée.

Un miaulement déchirant se fit entendre à l'extérieur. Gentleman Tom voulait entrer.

— Laisse-le entrer, Judy, demanda Pat avec ardeur. Elle aimait tellement laisser entrer ceux qui avaient froid. Pat tint la porte ouverte durant un moment. C'était une nuit de tempête après cette journée magnifique. La pluie tombait en trombe. Le vent fouettait sans merci le bosquet argenté. Snicklefritz hurlait désespérément dans la grange de l'église en attendant Joe qui n'était pas encore revenu de la gare pour le réconforter.

Pat frissonna et se retourna. La paix qui régnait dans la vieille cuisine contrastait délicieusement avec la tempête à l'extérieur. Le poêle rougissait dans la pénombre. Jeudi s'était installé en boule dessous, pensant que c'était ainsi que devaient se dérouler les choses. C'était si agréable de se retrouver dans cette pièce lumineuse et chaude, et de savourer la soupe aux pois fumante de Judy en contemplant le reflet de la cuisine sur les carreaux de la fenêtre. Pat adorait faire cela. C'était tellement curieux, aussi mystérieux que les sorcières... si vrai et en même temps si irréel... et Judy qui, calmement, pétrissait le pain près du puits, sous l'érable fouetté par le vent.

Pat aimait beaucoup regarder Judy pétrir et prenait plaisir à l'écouter marmonner à haute voix, comme elle faisait toujours quand elle préparait le pain. Ce soir, Judy passait en revue le mariage à l'église.

— Oh, oh, tout ça semblait très gai en apparence, surtout la façon dont elle était habillée, mais je me demande ce qu'il y avait en dessous de tout ça. Sûr et tant mieux pour elle si c'était pas pire que du rapiéçage... Bertha Holmes, c'est une petite coquine. Quinze ans seulement et ça fait déjà de l'œil aux garçons. J'me souviens d'elle au mariage de sa propre tante et qu'elle avait à peu près l'âge de notre Pat chérie. Elle s'était roulée sur le sol et donnait des coups de pied en criant. Oh, oh, j'aurais pas aimé recevoir la fessée qu'on a dû lui administrer. Simon Gardiner s'est fait beau pour vrai aujourd'hui. Sûr, et quand je l'ai vu amidonné et tout chic sur son banc, comme s'il faisait une faveur à l'univers de vivre, c'était dur de croire que la dernière fois que je l'ai vu, il était tellement saoul qu'il croyait que la table le suivait partout et il pleurait comme un bébé parce que la table a quatre pattes et que lui y'en a seulement deux. Ça, ça m'a fait rire. Oh, oh, ses enfants devaient bien savoir ce que les autres pensaient de lui. Et ce que j'ai pas entendu dire l'vieux Taylor qui appelait sa femme « ma tarte au sucre » après trente ans de mariage, ce vieux charmeur. Mais c'est probablement mieux que George Harvey qui parle de sa « vieille femme ». Et l'vieux Elmer Davidson qu'est arrivé en retard en trébuchant pendant la cérémonie et qui a gâché tout le solennel. Celui-là, il va arriver en retard à sa résurrection. Mary Jarvis et ses jappements pendant qu'on chantait. C'est pas c'qu'on peut appeler chanter. Chanter ! Tu parles ! Les grand-tantes de la ferme de Bay Shore faisaient tout pour en imposer encore plus qu'à l'habitude. J'me dis que ça doit être pour montrer leur mépris pour les Gardiner et les Madison. Sûr et c'est un miracle qu'elles aient même accepté de venir. Oh, oh, mais le dîner leur en a mis plein la vue. M'est avis que ça fait longtemps qu'elles n'ont pas vu quelque chose d'aussi beau. En tout cas, j'ai réglé son compte à la vieille Maid Sands. « Tant qu'y a de la vie, y a de l'espoir », que je lui ai dit l'air de rien. Elle a très bien compris c'que j'voulais dire, pour sûr.

Judy se tordait de rire en silence, tout en maniant sa pâte. Puis, elle se calma.

— Oh, oh, en tout cas, il y en a une qui ira pas à un autre mariage. Kate MacKenzie a reçu le signe.

— Quel signe ? demanda Pat assoupie.

— Oh, oh, j'ai oublié que les petites cruches ont de grandes oreilles, ma chérie. Je parlais du signe de la mort. Mais c'est ça la vie. Y'a toujours la naissance et la mort et le mariage entre les deux qui sont mêlés ensemble. Et c'était un beau mariage malgré tout.

Pat dormait presque. Les chats noirs du tapis commençaient à gambader sous ses yeux.

— Réveille-toi, mon trésor et va vite te mettre au lit. Écoute-moi ce vent. Va y'avoir plein de pommes à ramasser demain.

Réconfortée, Pat leva les yeux en bâillant. Après tout,

la vie continuait dans son cher Silver Bush. La terre ne s'était pas arrêtée de tourner à cause du départ de tante Hazel.

— Judy, avant de m'endormir, raconte-moi encore l'histoire du pendu que tu as vu en Irlande.

— Oh, oh, c'est vraiment une histoire terrible pour une petite fille qui va dormir. Ça te fera dresser les cheveux sur la tête.

— J'aime bien que mes cheveux se dressent sur ma tête. S'il te plaît, Judy.

Judy prit Pat sur ses genoux.

— Serre-moi fort, Judy et raconte-moi.

Judy raconta l'histoire terrifiante et Pat, qui l'avait entendue douze fois déjà, en retira la même délicieuse sensation de terreur que la première fois. Il n'y avait aucun doute... elle aimait les choses terribles.

— Sûr que je ne devrais pas te raconter toutes ces histoires sur des mauvaises gens, dit Judy, un peu mal à l'aise de voir les yeux grands ouverts de Pat.

— Évidemment, Judy, j'aime mieux vivre avec des bonnes gens, qu'avec de mauvaises, mais je préfère les histoires de ces mauvaises gens à celles des bonnes.

— Eh bien, je pense que le monde serait bien ennuyeux si personne faisait des choses qu'on n'a pas le droit de faire. On parlerait de quoi, sinon ? dit Judy d'une manière qui ne permettait pas de répondre. De toute façon, tu dois aller au lit maintenant. Et dis une prière pour tous les pauvres fantômes. Si Willy le Pleureur et Dick le Sauvage, ou d'autres encore, ou les deux sont sur la clôture cette nuit, c'est tout mouillés qu'ils vont rentrer chez eux demain matin.

« Je serai peut-être moins seule si je dis mes prières deux fois », pensa Pat. Elle les dit deux fois et fit même l'effort de prier pour son nouvel oncle. Est-ce pour cette raison que le sommeil la gagna instantanément ? Elle se réveilla une fois pendant la nuit et un flot de tristesse l'envahit. Mais, dans la noirceur, elle entendit un ronronnement mélodieux et elle sentit la douce présence veloutée d'un chat. Pat avala difficilement. La pluie pleurait toujours sur la corniche. Tante Hazel était partie. Mais Silver Bush la portait dans son cœur. Dormir dans cette maison adorée, protégée de la tempête, avec Jeudi ronronnant sous sa main... et des pommes à ramasser au matin... oh, la vie lui tendait la main une fois de plus. Pat s'endormit, réconfortée.

9

Une journée à passer

CE FUT de nouveau septembre à Silver Bush. Toute une année s'était écoulée depuis le mariage de tante Hazel : et maintenant, il semblait à Pat que tante Hazel avait toujours été mariée. Elle venait souvent à la « maison » avec oncle Bob que Pat aimait beaucoup maintenant, trouvant même ses grandes oreilles assez jolies. La dernière fois, tante Hazel était arrivée avec un joli petit bébé aux yeux brun ambré comme ceux de Pat. Cuddles n'était plus un bébé maintenant. Elle faisait ses premiers pas autour de la maison sur ses jambes potelées ; c'était une petite sœur dont on pouvait être fier. À onze mois, elle avait déjà toutes ses dents. C'était magnifique de la regarder s'éveiller et tout aussi magnifique de se pencher sur elle pendant qu'elle dormait. Elle paraissait sentir la présence de quelqu'un et esquissait un délicieux sourire. Elle avait son caractère aussi. À huit mois, elle avait mordu oncle Tom lorsqu'il avait mis un doigt dans sa bouche pour vérifier si elle avait des dents. Il avait compris.

Et puis Pat avait été invitée à passer un samedi à la ferme de Bay Shore, avec sa grand-tante Frances Selby et sa grand-tante Honor Atkins... sans parler de son « cousin » Dan Gowdy et d'une tante plus ancienne encore qui était en réalité la grand-tante de maman. Remonter aussi loin dans le passé donnait le vertige à Pat, ce que Judy trouvait tout à fait normal.

Pat aimait bien l'idée d'avoir une « journée à passer ». Cela faisait si glorieux que de pouvoir « passer » toute une journée, de laisser glisser un à un chaque moment de cette journée, comme autant de perles d'or.

Mais l'idée de passer cette journée à Bay Shore ne l'enthousiasmait guère. Quand elle et Sid étaient tout petits, ils surnommaient Bay Shore « La-Maison-Touche-Pas » avec un léger sentiment de culpabilité. Tout le monde était si vieux dans cette maison. Elle se souvenait encore comment, deux ans plus tôt, alors qu'elle s'y trouvait avec sa mère, tante Frances avait froncé les sourcils parce que, en traversant le verger, Pat avait cueilli une belle prune juteuse et rouge d'un prunier lourd de fruits. Et puis tante Honor, une grande dame aux cheveux blancs comme neige et aux yeux aussi noirs que sa robe, lui avait demandé de réciter des versets de la Bible et, après l'avoir écoutée, avait froidement exprimé sa surprise devant les quelques erreurs qu'elle avait commises. Les grand-tantes exigeaient toujours des enfants qu'ils récitent des versets de la Bible — c'est ce que disaient Winnie et Joe qui y étaient allés souvent — et on ne savait jamais ce qu'on allait recevoir après avoir fini... une pièce de dix sous, un biscuit ou une petite tape sur la tête.

Mais aller seule à Bay Shore ! Sidney aussi était invité, mais il se trouvait chez oncle Brian en attendant de se faire soigner les dents. C'était peut-être mieux ainsi parce que Sidney n'était pas très bien vu à Bay Shore. La dernière fois, il s'était endormi à table pendant le repas, tombant pitoyablement de sa chaise sur le plancher, avec à la main une coupe héritée de la famille.

Pat en discuta avec Judy vendredi soir en révisant ses additions pour le lundi suivant, assise sur les marches en grès de la cuisine. Pat avait vieilli d'un an et gagné plus de deux centimètres, d'après les marques tracées par Judy sur la vieille porte du garde-manger où elle avait mesuré chaque enfant le jour de son anniversaire. Elle avait presque terminé ses soustractions et Judy lui donnait un coup de main. Judy connaissait ses additions et ses soustractions. Quand elle était en forme, elle savait multiplier. Mais elle ne s'était jamais risquée avec les divisions.

Derrière elles, la cuisine sentait bon les épices des marinades de cornichons. Gentleman Tom, assis sur la margelle du puits, avait à l'œil Sniklefritz qui, somnolant sur le pas de la porte de la cave, avait à l'œil Gentleman Tom. Dans un coin de la cour, Pat et Sid avaient soigneusement aligné, les soirs d'été après l'école, une splendide corde de bois dur. Pat était très fière de ce travail. Elle imaginait déjà les soirées d'hiver chaudes et douillettes, quand le vent gronderait et rugirait parce qu'il ne pourrait pas entrer dans la maison. Pat aurait été parfaitement heureuse, n'eût été la visite qu'elle devait faire le lendemain.

— Les tantes sont si... si majestueuses, confia-t-elle à Judy. Elle n'aurait jamais osé les critiquer devant sa mère qui était aussi une Selby et très fière de l'être.

— Leur grand-mère, c'était une Chidlaw, dit Judy, comme si cela expliquait tout. J'te dis pas qu'elles ne sont pas un peu sinistres, mais il y a eu tout plein de funérailles à Bay Shore. Ta tante Frances a perdu son homme juste avant de le marier et ta tante Honor, juste après, et elles n'ont pas encore déterminé pour qui c'était le pire. Je suis bien forcée d'admettre qu'elles sont un peu près de leurs sous, bien qu'elles aient des tonnes d'argent. Mais elles ont un vrai grand cœur et elles aiment beaucoup tous les enfants de ta mère.

— Tante Frances et tante Honor ne me dérangent pas, mais j'ai un peu peur de l'arrière-grand-tante Hannah et de cousin Dan, avoua Pat.

— Oh, oh, y'a pas d'raison. Tu la verras peut-être pas du tout, la vieille dame. Elle n'a pas quitté sa propre chambre depuis seize ans et elle a quatre-vingt-treize ans bien sonnés et y'a pas grand monde qui l'a vue récemment. Et le vieux

Danny est inoffensif. Il s'est endormi en haut de l'escalier quand il était tout petit et il a roulé jusqu'en bas. Il n'a jamais plus été le même après ça. Mais y'en a d'autres qui disent qu'il a vu le fantôme.

— Oh, Judy, il y a un fantôme à Bay Shore ?

— Plus maintenant. Mais il y en avait un avant. Oh, oh, ils avaient vraiment honte de ça.

— Pourquoi ?

— Tu sais, la famille croyait que c'était assez disgracieux d'avoir un fantôme dans la maison. Il y en a pour penser que c'est un honneur, mais que veux-tu ? Je ne nie pas que le fantôme de Bay Shore était une créature un peu gênante. Sûr, mais c'était un gentil fantôme, amical et très sociable, qui avait le don de mal choisir ses moments pour apparaître. On aurait dit qu'il se sentait un peu seul. Il s'asseyait au pied du lit et regardait les gens avec un air triste comme pour dire : « Par le diable, pourquoi ne m'adressez-vous pas deux ou trois mots polis ? » Et quand la visite venait et que tout l'monde s'amusait, on entendait un grand soupir et v'là-t-y pas que not' fantôme apparaissait. Après un certain temps, c'est devenu pas mal monotone. On l'a plus jamais revu après la mort de ton arrière-grand-oncle et que ta grand-tante Honor a repris la maison en main. J'ai pour mon dire qu'elle aussi était un peu trop près de ses sous, même pour un fantôme. Alors, pas besoin d'avoir peur de le voir, c'te fantôme, mais tu ferais mieux de ne pas trop t'approcher du vase qui fait des grimaces.

— Un vase... qui fait des grimaces ?

— Sûr, mon bijou. L'est sur le dessus de la cheminée du salon et une fois, il a fait une grimace à Sarah Jenkins qui travaillait à Bay Shore, pendant qu'elle l'époussetait. Y'aurait fallu l'attacher tellement qu'elle avait peur.

Tout cela était charmant. Mais Pat trouvait néanmoins que Judy traitait les gens de Bay Shore d'un peu haut.

— Ils ont des meubles splendides, Judy.

— Splendides, tu dis ? Judy savait fort bien qu'il y avait une légère remontrance dans le ton de sa voix. Oh, oh, ce n'est pas toi qui vas me parler de ce qui est splendide. N'est-ce pas que j'ai travaillé au château McDermott quand j'étais toute jeune fille ? Splendide que tu dis ? Des édredons de satin et de dentelle, c'est moi qui te l'dis. Et un escalier tout en marbre blanc avec une rampe dorée. Des couverts en or solide et des vases dorés remplis de champagne. Et trente serviteurs pour un maître. Sûr et ils gardaient des serviteurs pour surveiller les autres serviteurs. Au souper de Noël, le vieux lord faisait passer des plats ronds remplis de souverains d'or et on se servait. Oh, oh, j'te d'mande bien ce que c'est que ta ferme de Bay Shore à côté de mon château. Et maintenant, répète-moi ces versets que tu as appris dimanche dernier, au cas où ta tante Honor te demanderait d'en réciter quelques-uns.

— À toi, Judy, je peux les réciter sans faire d'erreur. Mais c'est tellement différent avec tante Honor.

— Sûr et tu ferais mieux de fermer tes yeux et de t'imaginer que c'est une pomme de chou, ma chérie. C'est sûrement pas comme ça que le vieux Jed Cattermole l'a imaginée quand elle l'a remis à sa place durant le service religieux.

— Qu'est-ce qu'elle a fait, Judy ?

— Ce qu'elle a fait ? C'est moi qui te l'dis. Le vieux Jed pensait qu'il était très brillant parce qu'il croyait pas en Dieu. Juste pour se vanter, un soir, il s'est rendu à un des services de prières que tenait le vieux monsieur Campbell quand il était ministre à South Glen. Après tous les témoignages, mon fanfaron de Jed se lève et dit : « J'crois pas qu'il y a un Dieu, mais s'Il existe, c'est un tyran cruel et déraisonnable », qu'il dit et il continue en se gonflant la poitrine de fierté comme un vieux coq. « Si Dieu existe, qu'Il me terrasse et que je meure pour ce que je viens de dire. Je Le mets au défi de le faire », qu'il dit, se sentant plus important que jamais. Tout le monde était tellement renversé que t'aurais pu entendre tomber une aiguille. Et ta tante Honor de se retourner et de lui dire, froidement : « Penses-tu vraiment que tu as assez d'importance pour

89

Dieu, Jedediah Cattermole ? » L'assistance a éclaté de rire. As-tu déjà vu un de ces gros ballons rouges quand tu plantes une aiguille dedans ? Oh, oh, exactement comme ça qu'il était mon fanfaron de Jed. Il n'a plus jamais été pareil après. Bon, maintenant que tu as fini tes additions et que mes cornichons sont prêts, on va s'amuser un peu à mettre des pommes sauvages au four avec des clous de girofle dedans pour la senteur.

— J'aimerais tellement ça que Sid soit ici, soupira Pat. Lui aussi, il aime les pommes aux clous. Penses-tu qu'il sera de retour dimanche soir, Judy ? Je ne peux pas vivre une autre semaine sans lui.

— Mon bijou, tu l'aimes trop not' p'tit Siddy. Qu'est-ce que tu vas faire quand vous allez grandir et que vous allez vous séparer ?

— Oh, ça n'arrivera jamais, Judy. Sid et moi, on ne se séparera jamais. On ne se mariera pas ni l'un ni l'autre et on restera toujours à Silver Bush pour s'occuper de tout. On l'a déjà décidé.

Judy soupira.

— J'aimerais que tu penses un peu moins à lui. Pourquoi tu n'essaies pas de te faire une amie à l'école comme les autres p'tites filles ? Winnie a plein d'amies, elle.

— Je ne veux personne d'autre que Sid. Les filles à l'école sont gentilles, mais je n'en aime aucune. Je ne veux aimer personne, ni autre chose, seulement ma famille et Silver Bush.

Puisque Pat devait se rendre à Bay Shore, elle était heureuse que ce soit ce samedi-là en particulier, car papa devait remplacer la vieille clôture du verger par une nouvelle. Pat ne voulait pas voir la vieille clôture démantelée. Elle était couverte d'une jolie mousse ; des vignes s'enroulaient autour des poteaux et, tout le long, comme une vague, il y avait des plants de cumin qui lui arrivaient à la taille.

Judy avait ses propres raisons d'être contente. On avait

90

décidé d'abattre le grand peuplier dans le coin du jardin parce qu'il était complètement pourri et que le prochain gros vent pouvait le faire tomber sur le poulailler. Judy s'était entendue avec Long Alec pour l'abattre en l'absence de Pat, parce qu'elle savait que chaque coup de hache ferait mal au cœur de sa petite chérie.

Joe conduisit Judy à Bay Shore en automobile. Elle se pencha sur la portière pour dire au revoir à Silver Bush au moment où la voiture quittait l'allée dans un tourbillon de poussière. Trois jolies petites barboteuses de Cuddles accrochées à la corde à linge derrière la maison, étaient gonflées par le vent et ressemblaient comiquement à autant de petites Cuddles qui se balançaient. Pat eut un petit soupir de regret puis décida de profiter de la journée le mieux possible. Le jour était magnifique et baignait dans la douce brume bleue de l'automne. Sur presque tout le trajet jusqu'à Bay Shore, la route était en pente, traversant des landes bordées de fougères, de lauriers odoriférants, d'épinettes et d'arbres à baies rouges prisées par les oiseaux. Au bout, la mer bleue qui semblait attendre et une vieille maison grise, face au couchant, si près du ronronnement des vagues chantantes que, les jours de tempête, leur crête venait s'écraser sur les marches de l'entrée... une vieille maison très sage qui, comme l'avait toujours pensé Pat, savait beaucoup de choses. C'était l'ancienne maison de maman et il fallait l'aimer, que l'on aime ou non les gens qui l'habitaient maintenant.

L'arrivée d'une automobile faisait toujours sensation à Bay Shore. Les tantes vinrent leur souhaiter la bienvenue poliment et cousin Dan, qui soulevait la terre pour tracer dans le champ voisin de magnifiques sillons rouges bien réguliers, leur fit signe de la main. Cousin Dan était très fier de son labour.

Joe repartit dans un tourbillon de poussière, laissant Pat au rituel de bienvenue et à l'examen d'usage. Les grand-tantes étaient aussi raides que les jupons blancs qu'on portait encore à Bay Shore. En vérité, les grand-tantes ne

91

savaient absolument pas quoi dire à cette petite fille bronzée aux longues jambes qu'elles invitaient à l'occasion à Bay Shore, croyant que c'était là un devoir familial. Puis on conduisit Pat quelques minutes dans la chambre de l'arrière-grand-tante. Elle s'y rendit en regimbant car l'arrière-grand-tante Hannah était si mystérieusement vieille... une minuscule créature ratatinée et ridée qui surgissait d'un amoncellement d'édredons dans un immense lit à baldaquin.

— Alors voici la petite fille de Mary, dit-elle avec une voix de cornemuse.

— Non. Je suis Patricia Gardiner, répondit Pat qui n'aimait pas du tout qu'on l'appelle la petite fille de quelqu'un, même de sa mère.

L'arrière-grand-tante Hannah posa sa main qui ressemblait davantage à une pince sur le bras de Pat et l'attira vers le lit, la fixant avec de très, très vieux yeux bleus, si vieux que la vue y était revenue.

— Pas une beauté... pas une beauté, grommela-t-elle.

— Elle sera peut-être plus jolie que tu le penses en vieillissant, dit tante Frances comme si elle voulait voir le bon côté des choses. Elle est toute brûlée par le soleil, en ce moment.

Le petit visage brun de Pat avec sa belle peau satinée, rougit de désapprobation. Cela ne la dérangeait pas de ne pas être « une beauté », mais elle ne tolérait pas qu'on fasse ainsi des remarques devant elle. Judy aurait dit que ce n'était pas très convenable. Et pendant qu'elles descendaient, tante Honor dit d'un ton horrifié :

— Ta robe est déchirée, mon enfant.

Pat aurait préféré qu'elle ne l'appelle pas son « enfant ». Elle se serait fait un plaisir de tirer la langue à tante Honor, mais cela non plus n'aurait pas été très convenable. Elle resta campée bien droite pendant que tante Honor apportait du fil et une aiguille et recousait la robe.

— Naturellement, Mary ne peut pas tout faire et cela ne dérangeait pas Judy Plum que les vêtements des enfants soient en lambeaux, dit tante Frances avec condescendance.

— Cela la dérangerait, cria Pat. Elle est très pointilleuse au sujet de nos vêtements et de nos manières. Je me suis fait cet accroc à l'épaule en venant. Vous pouvez continuer.

Malgré ces débuts plutôt difficiles, la journée se déroula assez bien. Pat avait récité ses versets et tante Honor lui avait donné un biscuit... et l'avait regardée manger. Pat mourait de soif, mais elle était trop intimidée pour demander un verre d'eau. Cependant, lorsqu'on servit le dîner, il y avait du lait en abondance sur la table... Judy aurait dit du lait « écrémé ». Mais il était servi dans une vieille aiguière en verre, verte et dorée, si jolie qu'elle transformait le lait le plus « écrémé » en véritable crème de Jersey. Si on comparait à Silver Bush, la table était plutôt modeste. La portion qu'on avait servie à Pat n'était pas très généreuse, mais elle était servie dans une assiette dont la bordure colorée était décorée de feuilles d'automne. C'était une des fameuses assiettes des Selby, vieille de cent ans. Pat se sentit honorée et essaya de calmer sa faim. Au dessert, elle mangea trois des fameuses prunes rouges défendues.

Après le dîner, tante Frances annonça qu'elle allait s'allonger parce qu'elle avait mal à la tête. Cousin Dan suggéra une aspirine, mais tante Frances le foudroya du regard.

— Ce n'est pas la volonté de Dieu de prendre de l'aspirine pour soulager la douleur qu'Il nous envoie, dit-elle d'un ton condescendant en se levant, les lunettes rouges cerclées d'argent plantées sur l'arête de son nez.

Tante Honor abandonna Pat dans le salon en lui disant de s'amuser. C'est exactement ce à quoi elle s'appliqua. Tout était intéressant et maintenant qu'elle était seule, elle pouvait se divertir. Elle s'était demandé comment elle traverserait le reste de l'après-midi si elle avait dû le passer avec ses tantes. Pat et tante Honor étaient toutes deux soulagées d'être débarrassées l'une de l'autre.

Le mobilier du salon était vraiment splendide et magnifique. Elle pouvait voir le reflet déformé de son visage sur une grosse poignée de porte en bronze. On avait peint des roses sur le panneau de porcelaine de la porte. Les jalousies étaient descendues et elle aimait bien la lumière verte et fraîche qui remplissait la pièce ; elle se sentait comme une sirène dans une piscine d'eau de mer chatoyante. Elle adorait le petit cortège de six éléphants en ivoire sur la tablette noire de la cheminée. Elle adorait aussi les gros coquillages tachetés sur l'étagère qui laissaient entendre le murmure de la mer lorsqu'elle se les collait contre l'oreille. Et puis, le fameux vase, couvert de plumes de paon qui avait fait une grimace à Sarah Jenkins. Il était en verre blanc avec des dessins bizarres sur le côté qui ressemblaient à un visage. Mais le vase ne lui fit pas la grimace même si elle l'avait souhaité. Sur une table en coin reposait une merveilleuse poule en porcelaine brillante, rouge et jaune, assise sur un nid jaune. Les stores des fenêtres étaient décorés d'épaisses bordures en dentelle de Battenburg. Il n'y avait certainement pas mieux au château McDermott.

Pat aurait aimé découvrir toutes les choses cachées un peu partout dans la maison. Non pas les meubles ou les tapis, mais des lettres dans de vieilles boîtes à l'étage et des vêtements dans d'anciennes malles. Mais c'était impossible. Elle n'osait pas quitter le salon. Les tantes mourraient horrifiées si elles la surprenaient en train de fouiner.

Quand elle eut examiné tout ce qui était dans la pièce, Pat s'installa confortablement sur le sofa et resta des heures, complètement absorbée par l'examen des photos collées dans de vieux albums aux riches reliures rouges et bleues ou dans des cadres de cuir avec des charnières qui s'ouvraient et se refermaient comme des livres. Qu'elles étaient drôles, ces vieilles photos, avec les jupes longues, les manches bouffantes et les immenses hauts-de-forme. Il y en avait une de tante Frances, prise dans les années quatre-vingt, vêtue d'une robe à volants et d'un petit « sac » à épaules tombantes et festons carrés... et d'un parasol à franfreluches ! Oh, on voyait bien qu'elle était fière de son parasol ! C'était bizarre d'imaginer tante Frances en petite fille avec un parasol frivole.

Il y avait une photo de papa : un jeune homme sans moustache. Cela la fit rire. Une de maman aussi : un visage rond et joufflu avec une frange et un gros ruban attaché à ses cheveux. Il y en avait également une du grand-oncle Burton qui était parti un jour et dont on n'avait « jamais plus entendu parler ». Cette phrase la fascinait ! Même des morts, on entendait encore parler. On leur faisait des funérailles, ils avaient des pierres tombales.

Et voici tante Honor, quand elle était bébé. Elle ressemblait à Cuddles ! Oh, est-ce que Cuddles ressemblerait un jour à tante Honor ? C'était inimaginable. Les gens changeaient vraiment beaucoup ! Pat soupira.

10

Une jeune fille très triste

A LA BRUNANTE, on se demanda comment Pat allait
rentrer à la maison. Tante Frances, qui était responsable
des chevaux à Bay Shore, devait s'en charger. Mais tante
Frances supportait toujours la volonté de Dieu dans sa
chambre et tante Honor n'avait pas conduit un cheval
depuis des années. Quant à cousin Dan, on ne pouvait pas
lui faire confiance sur un attelage loin de la maison. Tante
Honor téléphona finalement au voisin le plus proche.

– Morton MacLeod va en ville. J'y ai pensé, parce que
c'est samedi soir. Il dit qu'il veut bien t'amener et te laisser à Silver Bush. Ça ne te dérange pas trop de te rendre toute seule chez les MacLeod ? Tu arriveras avant la
noirceur.

Rien ne dérangeait Pat sinon la perspective de passer la
nuit à Bay Shore. Et elle ne craignait pas du tout la noirceur. Elle avait souvent été seule dans le noir. Les autres
enfants de son âge avaient peur et ils partaient en courant
à la tombée de la nuit. Mais Pat, jamais. À Silver Bush,
on disait à cause de cela qu'elle était bien « la fille de son
père ». Long Alec avait toujours aimé se promener seul le
soir, pour « savourer la beauté de la nuit », disait-il. On
racontait à la maison, un peu comme une légende, que

Pat, alors âgée de quatre ans, avait passé une nuit couchée dans le cumin dans le verger, personne n'ayant remarqué son absence avant que Judy, qui était allée prendre soin d'un voisin malade toute la nuit, ne rentre à la maison au lever du soleil et ne provoque une émeute. Pat se souvenait vaguement du ravissement de tous les membres de sa famille quand on l'avait découverte et de la joie qui avait balayé le visage anxieux de sa mère comme une vague de rosée.

Elle dit au revoir poliment et se rendit jusque chez les MacLeod où elle fut accueillie par une mauvaise nouvelle. L'automobile de Morton « faisait des siennes » et il avait abandonné son projet d'aller en ville.

— Alors, il va falloir que tu retournes à Bay Shore, lui dit la mère de Morton gentiment.

Pat descendit lentement le chemin et, lorsque la maison disparut derrière un bosquet d'épinettes, elle s'arrêta pour réfléchir. Elle ne voulait pas retourner à Bay Shore. La seule pensée de passer la nuit dans la grande chambre d'amis, avec ce lit qui semblait beaucoup trop vaste pour qu'on puisse y dormir, était insupportable. Non, elle marcherait jusqu'à la maison. Après tout, ce n'était qu'à cinq kilomètres de là... elle parcourait la même distance chaque jour pour aller et revenir de l'école.

Pat se mit à marcher rapidement et gaiement, se sentant très indépendante, courageuse et responsable. Elle imaginait le regard surpris de Judy quand elle entrerait nonchalamment dans la cuisine et qu'elle annoncerait distraitement qu'elle avait marché de Bay Shore à la maison, toute seule dans la nuit. « Oh, oh, et si c'est pas qu'elle a du caractère ? » dirait Judy avec admiration.

Et puis, la nuit noire et froide sembla soudain fondre sur elle. Lorsqu'elle atteignit la fourche, elle ne sut de quel côté se diriger. À gauche ? Oh, ça devait être à gauche... Pat commença à courir, la panique la gagnant rapidement.

Il faisait noir maintenant, très noir. Et Pat découvrit soudain que la solitude dans une noirceur si profonde, sur une route inconnue, à quatre kilomètres de la maison, était très différente de celle qu'elle éprouvait lorsqu'elle se promenait dans le verger, qu'elle gambadait sur le Sentier qui Murmure ou vagabondait dans la Prairie de l'Étang, avec les lumières de Silver Bush toujours visibles.

Bois et fourrés qui, dans la journée dorée de l'automne lui avaient semblé si amicaux, étaient totalement étrangers maintenant. Les collines recouvertes d'épinettes noires au loin paraissaient se rapprocher d'une façon menaçante. Était-ce la bonne route ? Elle ne voyait aucune lumière à l'horizon. Avait-elle choisi le mauvais chemin et se trouvait-elle sur la route qui courait derrière les fermes, entre deux cantons ? Arriverait-elle jamais à la maison ? Reverrait-elle jamais Sid ? Entendrait-elle de nouveau le rire de Winnie et les petits cris de bienvenue de Cuddles ? Le dimanche précédent, à l'église, le chœur avait chanté « *La nuit est noire et je suis loin de la maison* ». Maintenant elle comprenait ce que ces mots signifiaient et elle entreprit une course désespérée. Les bouleaux blancs le long de la route semblaient vouloir la prendre avec leurs mains fantomatiques. Le vent hurlait à travers les épinettes. À Silver Bush, on ne savait jamais vraiment d'où venait le vent... de derrière la grange comme un chat sautillant... de la Colline de la Brume comme un doux vol d'oiseaux... à travers le verger, comme un compagnon de jeu... mais il venait toujours en ami. Ce vent qui soufflait n'était pas un ami. Était-ce lui qui pleurait dans les épinettes ? Ou était-ce plutôt la Grande Harpiste de l'histoire de Judy qui enchantait les gens et les amenait au Pays des fées, qu'ils le veuillent ou non ? Toutes les histoires de Judy, réjouissantes et incroyables à la maison, devenaient ici affreusement réelles. Ces petites ombres étranges sous les fougères, sombres dans la noirceur,... si c'étaient des farfadets. Judy disait que si on rencontrait un farfadet, on n'était plus jamais le même après. Aucune menace ne pouvait autant terrifier Pat. Changer... ne plus être la même !

Et ce bruit qui venait de loin, était-ce le Peter Branaghan d'une autre des histoires de Judy, celui qui, dans les collines, jouait du chalumeau pour ses moutons fantômes ? Et toujours aucune lumière... elle était sûrement sur la mauvaise route.

Elle eut alors terriblement peur du froid de la nuit, du vent sinistre et du monde immensément sombre et sans issue qui l'entourait. Elle s'arrêta brusquement et poussa un petit cri de désespoir.

— Est-ce que je peux t'aider ? demanda une voix.

Quelqu'un venait tout juste de surgir d'un tournant. C'était un garçon pas beaucoup plus grand qu'elle. Il avait quelque chose d'étrange avec ses yeux... et une petite tache d'ombre qui le suivait et qui ressemblait à un chien. C'est tout ce que Pat put voir. Elle se sentait soudain en sécurité, protégée. Il avait une si jolie voix.

— Je... je pense que je suis perdue, dit-elle le souffle coupé. Je m'appelle Pat Gardiner, et je crois que j'ai pris la mauvaise route.

— Tu es sur la route entre les deux cantons, dit le garçon. Mais ne t'inquiète pas, elle tourne et puis elle conduit un peu plus loin que Silver Bush. Seulement, c'est un peu plus long. Je vais t'accompagner. Je m'appelle Hilary Gordon... mais tout le monde m'appelle Jingle.

Pat savait enfin à qui elle avait affaire et elle se sentait bien avec lui. Judy avait déjà parlé des Gordon qui venaient d'acheter la petite ferme du vieil Adams à côté de celle de Silver Bush. Ils n'avaient pas d'enfants mais leur neveu orphelin vivait avec eux et Judy croyait qu'il n'était pas très heureux. Il ne fréquentait pas l'école de North Glen parce que la maison du vieil Adams était située dans le district scolaire de South Glen, mais, en fait, ils étaient voisins.

Ils poursuivirent leur marche. Ils ne parlaient pas beaucoup, mais Pat se sentait heureuse de marcher avec lui. La lune se leva et, dans le clair de lune, elle le regarda avec curiosité. Il portait des lunettes avec une monture foncée, en corne. C'était la chose curieuse qu'elle avait remarquée à propos de ses yeux. Il portait des pantalons dont une jambe allait jusqu'au genou et l'autre, entre la cheville et le genou. Pat trouvait cet accoutrement plutôt affreux.

— Je suis de Silver Bush, tu sais, dit-elle.

— Moi je suis de nulle part, répondit Jingle tristement.

Pat voulut le réconforter pour quelque chose qu'elle ne comprenait pas. Elle glissa sa main dans la sienne... il avait une main chaude et agréable. Le vent et la nuit étaient redevenus ses amis. Les grands bosquets d'arbres qui se découpaient sur un ciel éclairé par le clair de lune, étaient magnifiques... les parfums d'épices et de bois, le long de la route, délicieux.

— Jusqu'où va cette route ? demanda Pat alors qu'ils dépassaient un chemin zébré par les ombres et la lumière du clair de lune.

— Je n'en sais rien, mais on ira voir un jour, répondit Jingle.

Ils étaient comme deux très vieux amis.

Et puis elle vit la chère lumière de Silver Bush qui brillait à travers les champs... sa chère maison débordante de lumière accueillante. Pat aurait pu pleurer de joie de la retrouver. Et dans le cas où personne ne serait heureux de la revoir, la maison, elle, l'était.

— Je te remercie infiniment de m'avoir accompagnée jusqu'ici, dit-elle timidement à la porte de la cour arrière de la cuisine. J'étais tellement effrayée.

Puis, elle ajouta avec audace... parce qu'elle avait entendu Judy dire qu'une fille devait toujours offrir quelque chose à manger à un homme poli qui raccompagnait une femme à la maison et Pat, pour l'honneur de Silver Bush, voulait faire les choses comme elles devaient se faire...

— J'aimerais bien que tu viennes dîner avec nous, lundi. Nous allons préparer du poulet pour la fête du Travail. Judy dit qu'elle travaille autant ce jour-là que les autres, mais qu'elle célèbre toujours en préparant un poulet. Viens, s'il te plaît.

— Avec plaisir, dit Jingle. Et je suis content que McGinty et moi nous soyons trouvés sur ton chemin quand tu avais peur.

— Ton chien s'appelle McGinty ? demanda Pat en le regardant timidement. Elle ne connaissait que deux chiens : Snicklefritz et le **vieux** Bruno d'oncle Tom.

— Oui. C'est le seul ami que j'ai sur cette terre, dit Jingle.

— À part moi, ajouta Pat.

Jingle sourit. Même avec la seule lumière de la lune, elle put voir qu'il avait un beau sourire.

— À part toi, dit Jingle en approuvant.

Judy apparut dans l'encadrement de la porte ouverte de la cuisine, regardant d'un air inquiet.

— Il faut que je parte, dit Pat, pressée. Alors à lundi. N'oublie pas. Et amène McGinty aussi. Il y aura des os pour lui.

— Mais qui c'était à qui tu parlais ? demanda Judy, curieuse. Sûr et tu aurais pu le faire entrer ton beau et on lui aurait donné les restes du dîner. Tu trouves pas que t'es un peu jeune ?

— Ce n'était pas un beau Judy, cria Pat, scandalisée par cette seule pensée. C'était seulement Jingle.

— Entendez-vous ça. Et c'est qui ce Jingle, si c'est pas trop demander ?

— Hilary Gordon... parce que je suis rentrée seule à la maison... et je me suis perdue... et j'avais un peu peur... et il vient dîner lundi.

— Oh, oh, tu vas vite en affaires, ma petite, dit Judy en riant, heureuse de trouver une façon de se moquer de Pat... Pat qui pensait qu'il n'y avait d'autres garçons que Sidney dans le monde.

Mais Pat était trop heureuse pour être dérangée. Elle était à la maison, dans la cuisine éclairée de Silver Bush. Le sentiment d'horreur qu'elle avait éprouvé sur cette route solitaire avait disparu... il n'avait jamais existé. C'était merveilleux de revenir à la maison le soir... de quitter la noirceur et de pénétrer dans la lumière et la chaleur de la maison.

— M'as-tu gardé un morceau de tarte, Judy ?

— Oh, oh, certainement que oui. J'les connais les femelles avares de Bay Shore. Sûr, et jamais qu'elles te serviront deux fois. J'ai bien plus qu'un morceau de tarte pour toi. Qu'est-ce que tu dirais maintenant d'une saucisse et d'une patate au four ?

Tout en mangeant, Pat raconta à Judy sa journée et son retour à la maison.

— Parle-moi de courage, partir fin seule comme la jument de Shank, dit Judy exactement comme Pat s'y attendait. C'est ça qui était merveilleux avec Judy. J'te dis pas que ça n'a pas été une bonne affaire qu'il apparaisse ton Jingle quand il est apparu. Faudrait que t'invite c'te pauvre garçon pour une bouchée une fois de temps en temps. J'ai connu le vieux Larry Gordon quand c'est qu'il vivait à la ferme Taylor derrière le magasin. C'est du genre « lait écrémé », c'est c'qu'il est.

Judy possédait une série de qualificatifs pour les gens qui n'étaient pas prodigues. Vous pouviez être « épargne », ce qui était un compliment. Ou « près », ce qui était à la limite. Ou encore, « proche », ce qui dépassait la limite. Et si vous étiez « lait écrémé », cela dépassait les bornes. Mais Judy ne pouvait résister à la tentation de piquer Pat légèrement.

— Évidemment, je suppose que ma pauvre cuisine est bien ordinaire après les splendeurs de Bay Shore ?

— La cuisine de Silver Bush est plus belle que le salon de Bay Shore, déclara Pat. Mais elle fit cette déclaration d'une voix tout ensommeillée. Cela avait été une journée bien remplie et bien épuisante pour une enfant de huit ans.

— Ne frotte jamais tes yeux avec autre chose que tes coudes, mon bijou, recommanda Judy en accompagnant Pat dans l'escalier.

Maman, qui chantait une berceuse à Cuddles pour l'endormir, se glissa dans la chambre de Pat et lui demanda si elle avait passé une belle journée.

– La ferme de Bay Shore est si belle, dit Pat avec franchise. C'était vraiment une très belle ferme. Et pour rien au monde, Pat n'aurait causé du chagrin à sa mère en lui avouant que sa visite à son ancienne maison n'avait pas été particulièrement plaisante. Maman aimait Bay Shore presque autant que Pat aimait Silver Bush. Cher Silver Bush ! Pat eut l'impression que les bras de la maison l'entouraient pour la protéger pendant qu'elle glissait doucement dans le pays des rêves.

11

Le dîner est servi

PAT PASSA un mauvais dimanche. Quand elle découvrit que le vieux peuplier avait été abattu, elle prit le deuil et rien ne pouvait la consoler.

— Regarde, mon bijou ça te fait un beau paysage à voir entre le poulailler et la grange de l'église, dit Judy pour l'encourager. C'te p'tit morceau de la South River, on ne pouvait pas le voir avant. Sûr, et voilà tes raisins du dimanche. Mange-les et cesse de t'en faire pour un vieil arbre qu'on aurait mieux fait d'abattre il y a dix ans.

Judy donnait une poignée de raisins aux enfants tous les dimanches pour les récompenser. Pat mangea les siens entre deux sanglots et il fallut attendre le soir pour qu'elle puisse admettre que la nouvelle vue était en effet très jolie. Alors, elle s'installa à la fenêtre ronde et regarda la boucle argentée que faisait la rivière et une autre colline éloignée, tellement éloignée qu'elle était probablement presque au bout du monde. Mais la grande tache de verdure familière qui avait commencé à rougeoyer et qui occupait avant l'espace vide, lui manquait toujours.

— Je ne verrai plus jamais les chatons se pourchasser dans cet arbre, Judy, dit-elle, affligée. Ils s'amusaient tellement. Ils couraient jusqu'au bout de la grosse branche et sautaient sur le toit du poulailler. Oh, Judy, je ne savais pas que les arbres pouvaient vieillir.

Le lundi matin, elle se rappela qu'elle avait invité Jingle à dîner. Un souvenir mêlé de doutes. Et s'il arrivait avec ses affreux pantalons dont une jambe était plus courte que l'autre ? Craignant que Judy ne se moque d'elle, elle n'osa pas demander qu'elle rajoute un couvert. Mais elle fut heureuse quand elle vit Judy placer les couteaux et les fourchettes en argent et le deuxième plus joli pot de crème du service en argent.

— Pourquoi tout ce cérémonial ? demanda Joe.

— Sûr, et si c'est pas pour la visite du prétendant de Pat, répondit Judy. Faut faire pour le mieux, pour la bonne réputation de la famille.

— Judy ! lança Pat, furieuse. Elle ne tolérerait jamais, ni aujourd'hui, ni dans dix ans, qu'on appelle Jingle son prétendant. Jingle n'est pas mon prétendant ! Je n'aurai jamais de prétendant.

— Jamais est une bien longue journée, dit Judy en philosophe. Tu ferais mieux de faire taire Snicklefritz, Joe ; j'ai compris que le jeune homme venait avec son chien et nous ne voulons pas de dispute entre ces deux-là.

Ils aperçurent alors Jingle et McGinty qui attendaient à la porte de la cour, trop intimidés pour aller plus loin. Pat se lança à leur rencontre pour les accueillir. Soulagée, elle constata qu'il portait un pantalon qui, bien que froissé, était convenable avec ses jambes de longueur égale. Il n'avait pas de souliers, mais ce n'était pas grave. Tous les garçons de North Glen se promenaient les pieds nus durant l'été... même si, peut-être, ils ne le faisaient pas lorsqu'ils étaient invités à dîner. Quelqu'un avait coupé ses cheveux bruns d'une façon atroce. Ses yeux disparaissaient derrière le verre bleu de ses lunettes, son visage était pâle et sa bouche très grande. Jingle n'était certes pas beau garçon mais Pat l'aimait bien quand même. Et puis il y avait McGinty, un tout jeune chien qui faisait ses premiers pas dans la vie.

105

— Tu ne trouves pas que la farce sent très bon ? demanda Pat en l'entraînant dans la cuisine. Et Judy nous a préparé un de ses fameux gâteaux aux pommes pour le dessert. Ils sont délicieux. Judy, je te présente Jingle... et McGinty.

La famille de Silver Bush accueillit Jingle avec calme... Judy les avait probablement prévenus. Papa lui demanda d'un ton grave s'il préférait la viande blanche à la brune et maman lui proposa de la crème et du sucre. Pat savait qu'elle pouvait toujours compter sur son père et sa mère. Même Winnie fut adorable et le persuada de prendre une deuxième portion de gâteau. Quelle famille !

Quant à McGinty, Judy avait déposé pour lui, à l'entrée de la cave, une grande assiette avec de la viande et des os.

— Allez-y Monsieur Chien, lui dit Judy. Je parierais que ça fait des lunes qu'il a pas vu une assiette comme ça chez Maria Gordon.

Après le dîner, Jingle dit timidement :

— Écoute... j'ai vu de magnifiques lys blancs hier, dans le champ derrière la maison, de l'autre côté du ruisseau. Tu veux bien aller en cueillir ?

Pat avait toujours souhaité explorer le ruisseau qui coulait le long du champ, entre Silver Bush et la maison du vieil Adams, et puis tournait pour traverser les terres des Adams. Aucun enfant de Silver Bush n'avait jamais eu la permission de traverser la limite des terres. Ils savaient que la vieille Mme Adams n'aurait pas permis que « les jeunes viennent saccager ses terres ».

— Tu crois que ton oncle sera d'accord ? demanda Pat.

En fait ni son oncle ni sa tante n'étaient à la maison. Ils célébraient la fête du Travail chez des amis.

— Qu'est-ce que tu aurais mangé si tu n'étais pas venu ici ? s'exclama Pat.

— Oh, ils m'ont laissé un peu de pain et de la mélasse, répondit Jingle.

Du pain et de la mélasse, un jour de fête ! C'était pire encore que du lait écrémé.

— Attention de pas vous empoisonner avec des champignons, prévint Judy en leur remettant un sac rempli de brioches à la cannelle. J'ai connu un gars et une fille qu'avaient mangé une fois beaucoup de champignons vénéneux, dans les bois.

— Et j'imagine qu'ils n'ont jamais plus été les mêmes après ça, dit Joe d'un air moqueur.

— Sont morts et enterrés, si c'est ça que tu veux dire par ne plus jamais être les mêmes, rétorqua Judy, froissée.

Une fois loin de la maison, Jingle laissa tomber sa timidité et Pat découvrit un compagnon agréable... si agréable qu'elle eut l'horrible sensation d'être déloyale envers Sidney. Elle résolut le problème en se disant qu'elle était très triste que Jingle n'ait aucun ami.

Ce fut Jingle qui proposa d'appeler le ruisseau le Jordan, parce qu'il « coule entre les deux ».

— Entre notre ferme et la tienne, ajouta Pat qui se réjouissait de découvrir une autre personne qui, comme elle, aimait donner des noms aux choses.

— Et construisons un pont de pierres dessus. Comme ça, on pourra le traverser facilement quand on le voudra, proposa Jingle qui, de toute évidence, croyait qu'ils le traverseraient souvent.

C'était amusant ; et quand le pont fut terminé... solide et joli, car Jingle ne tolérait pas les constructions de mauvaise qualité... ils passèrent le reste de l'après-midi à se promener et à explorer. Ils remontèrent le Jordan jusqu'à sa source, tout au fond de la ferme du vieil Adams, traversant des champs baignés de soleil et de silence, sautant des clôtures gardées par de joyeuses bandes de gerbes d'or et explorant des bois mouchetés d'ombre, le long de sentiers tortueux qui n'allaient jamais là où on croyait qu'ils iraient. Le ruisseau était une suite infinie de jolis méandres et de petites cascades, et les berges étaient couvertes de lits de mousse émeraude et dorée.

McGinty, pour sa part, était aux anges. Se promener ainsi était le couronnement de la vie d'un jeune chien. Il partait en courant comme un fou devant eux, puis s'asseyait sur son derrière, sa petite langue rouge pendante, attendant qu'ils le rejoignent. Pat adorait McGinty ; elle craignait de l'aimer encore plus que le noir Snicklefritz qui, tout compte fait, était le chien de son maître et ne tolérait vraiment personne à l'exception de Joe. McGinty était un petit chien tellement aimable, si rêveur, n'attendant que d'être aimé : avec ses petites joues blanches, ses oreilles et son dos brun doré... des oreilles en pointe qui se dressaient lorsqu'il était heureux et qui se repliaient un peu lorsqu'il était triste, et sa queue toujours prête à frétiller dès que quelqu'un souhaitait qu'elle frétille.

Ils découvrirent un endroit merveilleux : un étang calme et profond, entouré d'arbres, où le ruisseau prenait sa source, nourri par un mince filet d'eau brillante comme des diamants qui courait à travers les pierres d'une petite colline. Autour de l'étang poussaient des épinettes plaquées de lichens et des érables murmurant, avec des petites buttes en forme de berceau, en dessous ; et puis, un peu plus loin, une pente léchée par le vent avec, çà et là, des bâtons plantés dans le sol envahi d'herbe et de mousse, et un geai bleu perché sur un piquet. C'était tellement beau que cela faisait mal. Pourquoi, se demanda Pat, les belles choses font-elles si souvent mal ?

— C'est le plus bel endroit que j'ai vu de ma vie, s'exclama Pat. Presque, ajouta-t-elle, se rappelant tout à coup le Champ secret.

— C'est vrai ? enchaîna Jingle, heureux. Je crois que nous sommes les seuls à le connaître. Gardons le secret.

— Tu as raison, approuva Pat.

— Ça me fait toujours penser à un poème que j'ai appris à l'école : *Le Printemps hanté*, tu le connais ?

Jingle le récita pour elle. Pat se dit qu'il devait être intelligent. Même Sid était incapable de réciter par cœur un si long poème. Quelques-uns des vers l'avaient bouleversée, comme l'aurait fait de la musique... gaiement dans le vallon de la montagne... des clairons lointains sonnent faiblement. Mais que signifiait : Éveille les craintes nocturnes des paysans ? Qu'est-ce qu'un paysan ? Oh, rien qu'un fermier... Éveille les craintes nocturnes des fermiers ?... dit comme cela, c'était drôle. Il était préférable de laisser le mot « paysan ». Jingle et elle eurent un de ces grands éclats de rire qui font mûrir les amitiés.

Ils s'assirent sur la colline entourés des parfums doux de l'herbe, et ils mangèrent leurs brioches à la cannelle. Beaucoup plus bas, derrière les champs et les vergers, ils pouvaient voir la plaine bleue que formait le golfe.

— Regarde, un diamant de fée, cria Pat en pointant du doigt un de ces éclats brillants de lumière que l'on voit, l'espace d'un instant, dans un champ lointain où une charrue fait remonter à la surface un éclat de verre.

Jingle lui apprit comment sucer le miel des pousses de trèfle. Ils trouvèrent cinq petites fleurs jaunes, en forme d'étoiles, près d'une vieille pierre plate recouverte de lichen, et Jingle, à travers ses lunettes absurdes, les examina en jubilant. Pat était heureuse de découvrir que Jingle aimait les fleurs, contrairement à la majorité des garçons. Joe et Sid pensaient que les fleurs c'était bien... pour les filles.

McGinty était allongé, la tête sur les jambes de Jingle et la queue sur les genoux nus de Pat. Et puis, Jingle arracha un morceau d'écorce d'un bouleau couché au sol près d'eux et, avec l'aide de quelques tiges de cette herbe qu'on appelle Timothée, il construisit devant elle la plus merveilleuse des petites maisons... chambres, porche, fenêtres, cheminée, rien ne manquait. C'était comme de la magie.

— Oh, comment fais-tu, souffla Pat émerveillée.

— Je n'arrête pas de construire des maisons, répondit Jingle, rêveur, en repoussant doucement McGinty et en posant sur ses genoux ses mains brûlées par le soleil. Je veux dire dans ma tête. Je les appelle mes maisons de rêve. Un jour quand je serai grand, je construirai vraiment des maisons de rêve. J'en construirai une pour toi, Pat.

— Oh, vraiment, Jingle ?

– Oui. J'y ai pensé samedi soir après être allé au lit. Et j'aurai encore beaucoup de détails à préciser. Quand je l'aurai terminée, Pat, ce sera la plus jolie maison que tu auras jamais vue de ta vie.

– Elle ne pourra pas être plus belle que Silver Bush, dit Pat avec une pointe de jalousie.

– Silver Bush est une belle maison, admit Jingle. Je suis satisfait quand je la regarde. La majorité des autres maisons ne me satisfont pas. Quand je regarde une maison, j'ai presque toujours envie de la démolir et de la reconstruire comme il faudrait qu'elle soit construite. Mais je ne changerais rien à Silver Bush.

Cher Jingle ! Après cela, Pat ne pensa jamais mettre en doute ses opinions sur les maisons.

McGinty se retourna sur le dos, implorant qu'on lui chatouille le ventre.

– Je voudrais bien que tante Maria aime McGinty un peu plus, dit Jingle. En fait, elle ne l'aime pas du tout. Le jour où il a mâchonné une de ses belles serviettes de table, j'ai eu peur qu'elle ne le chasse. Mais oncle Lawrence a dit qu'il pouvait rester. Oncle Lawrence n'a pas vraiment de problèmes avec McGinty, mais il se moque de lui et McGinty ne peut pas supporter qu'on se moque de lui.

– Les chiens n'aiment pas cela, dit Pat, se fiant à sa connaissance intime de trois chiens.

– La nuit, McGinty doit dormir dans la grange à foin. Il a tellement hurlé, l'autre nuit, que je suis allé le rejoindre pour dormir avec lui. Maman, elle, le laisserait dormir et apporter des os à l'intérieur.

La mère de Jingle ! Pat ouvrit grand ses yeux. Judy avait dit qu'il était orphelin. Et lui-même, n'avait-il pas dit qu'il n'avait aucun ami au monde à part McGinty ?

– Je pensais que ta mère était... morte.

Jingle choisit une tige d'herbe de Timothée et la mâchonna en affectant une parfaite indifférence.

– Non, mon père est mort. Il est mort quand j'étais

110

encore un bébé. Ma mère s'est remariée. Ils vivent à Honolulu.

— Tu ne la vois jamais ? s'exclama Pat pour qui Honolulu ne représentait absolument rien, bien que quelque chose dans le ton de Jingle lui suggérait que ce devait être très loin.

— Pas souvent, dit Jingle qui ne pouvait se résoudre à reconnaître qu'il ne se souvenait pas avoir déjà vu sa mère. Tu comprends, son mari est malade et il ne peut pas supporter le climat du Canada. Mais naturellement, je lui écris tous les dimanches.

Il ne lui révéla pas que les lettres n'étaient jamais envoyées et qu'il les conservait en paquets soigneusement attachés, dans une boîte sous son lit. Peut-être un jour pourrait-il les remettre à sa mère.

— Évidemment, approuva Pat, qui avait déjà accepté la situation avec toute la sagesse d'un enfant de huit ans. Comment est-elle ?

— Elle est... elle est très jolie, dit Jingle vaillamment. Elle a des cheveux dorés, très clairs... de grands yeux bleus brillants... des yeux aussi bleus que l'eau que l'on voit là-bas.

— Comme ceux de Winnie, dit Pat qui comprenait.

— Je préférerais qu'elle n'ait pas à vivre si loin, dit Jingle en s'étouffant. Il s'étouffa si bravement qu'il fut obligé d'avaler en même temps. Quand on est un grand garçon de dix ans, on ne peut tout simplement pas pleurer... en tout cas, pas devant une fille.

Pat garda le silence. Elle se contenta de mettre sa fine petite menotte sur la sienne et de la serrer. Même à huit ans, Pat, possédait toute la sagesse de l'univers.

Ils restèrent assis là, jusqu'à ce que l'air se refroidisse et que des ombres bleues recouvrent des collines si éloignées que, ni l'un ni l'autre ne les avaient jamais approchées ; des petits frissons parcouraient l'eau verte et argentée de la Source hantée. Pour n'importe qui, tout cela n'était que l'arrière-champ de Larry Gordon, mais pour Pat et Jingle,

111

cela devint, à compter de ce jour et pour toujours, le pays des fées.

— Trouvons un nom pour cet endroit aussi, dit Jingle. Appelons-le le Bonheur et nous n'en parlerons à personne. Ce sera notre secret.

— J'adore les secrets, dit Pat. C'est si agréable d'en avoir. J'ai vraiment passé un merveilleux après-midi.

Ils arrivèrent trop tard pour le souper, mais Judy leur servit du jambon frit et du pain de maïs à la cuisine. Après le départ de Jingle et de McGinty, Judy demanda à Pat comment cela s'était déroulé avec son « petit ami ». L'expression n'était pas aussi insultante que « prétendant ». Pat, cherchant un grand mot pour impressionner Judy, condescendit à laisser tomber sur un ton hautain :

— Nous nous sommes agréablement divertis.

— Oh, oh, je n'en doute pas. Et sûrement que pour le premier, tu as vraiment bien choisi. On peut voir qu'il a de la race dedans son sang.

Pour Judy, la lignée avait une grande importance.

— Il est affreusement maladroit, Judy. Pat pensait qu'en le critiquant, elle arriverait à la convaincre qu'il n'y avait rien sous cette histoire de prétendant. Tu n'as pas vu comment il s'est frappé contre la porte en sortant de la salle à manger, et cette façon qu'il a eu de s'excuser.

— Oh, oh, c'est pour ça que j'dis que c'est un gentleman. Tu connais quelqu'un qui peut demander pardon à une porte ?

— Mais il a été tellement stupide de penser qu'il avait frappé quelqu'un.

— Oh, oh, il n'est pas si stupide que ça. Non, non, mon bijou, c'est pas un imbécile c'te garçon. Et il a de belles manières. Il a mangé son bouillon sans essayer d'avaler sa cuiller et dire que moi-même je n'ai pas encore réussi à enseigner ça à Siddy.

— Mais il n'est vraiment pas beau, Judy... pas comme Sid.

– Oh, oh, j'dois avouer que ses lunettes lui donnent un drôle d'air. Et ses cheveux coupés n'importe comment, ça n'a jamais rien fait pour améliorer une personne. Mais as-tu remarqué comme ses oreilles sont bien placées sur sa tête. Et puis, on est aussi beau que c'qu'on fait est beau. Rappelle-toi ça, Mlle Pat, quand viendra l'temps de choisir vraiment ton homme. Il est un peu maigre et dégingandé, mais ça se remplit en vieillissant. T'as juste à le regarder pour savoir qu'on devrait le nourrir deux fois plus. Arrange-toi pour l'inviter à manger chaque fois que tu pourras le faire avec décence. Les gens disent que sa mère le néglige terriblement ; elle est tellement occupée avec son nouveau mari.

– L'as-tu déjà vue, Judy ?

– Jamais... et personne non plus dans les alentours. Jim Gordon l'a mariée de la Nouvelle-Écosse et c'est là qu'ils ont vécu. Il est mort bien vite après la naissance du bébé et sa veuve n'a pas porté le deuil très longtemps. Elle a marié son deuxième avant que le p'tit Jingle ait deux ans et ils sont partis dans des contrées étrangères en laissant le bébé à l'oncle Lawrence. Jim Gordon, c'était une personne bonne comme du bon pain même s'il essayait toujours de faire sa soupe avec une passoire. J'ai pour mon dire qu'il se retournerait dans sa tombe s'il apprenait que c'est Larry qui élève son garçon. Tient certainement de sa mère c'te Larry. Son père, c'était plutôt le genre joyeux avec la langue flatteuse. Pouvait pas ouvrir la bouche sans faire un compliment. L'est mort d'un murmure.

– Mort d'un murmure, Judy ?

– Je te jure. Il a brisé le cœur d'une jeune fille. Elle en est morte. Mais après, il entendait toujours sa voix... elle lui a murmuré dans l'oreille pour se venger de sa nouvelle femme qu'était bien gentille, jusqu'à ce qu'il en meure. T'aurais dû le voir à l'église avec sa tête penchée qui entendait des choses que le sermon et les cantiques pouvaient pas noyer. Oh, oh, encore une vieille histoire qu'on ferait mieux d'oublier. Y'a pas beaucoup de familles qu'ont pas des squelettes dans leurs garde-robes. Tiens, Solomon Gardiner de South Glen... l'homme qui blasphémait le Bon Dieu.

— Qu'est-ce qui lui est arrivé ?

— Rien.

— Rien ?

— Exactement. Plus rien ne lui est arrivé. Le Bon Homme d'en Haut l'a laissé tout seul. Oh, oh, mais c'était dur pour la famille. Allez, viens m'aider avec les dindes maintenant. Qu'est-ce qui te dérange, ma p'tite chérie ?

— J'ai peur, Judy... Jingle aussi a peut-être une langue pleine de flatteries. Il a dit... il a dit...

— Vas-y, dis-le.

— Il a dit que j'avais les plus beaux yeux qu'il lui avait été donné de voir.

Judy rit.

— Sûr, et c'est pas grande flatterie que de dire une chose pareille. Et moi qui pensais pendant le repas qu'il était tellement timide qu'il ne ferait pas peur à une oie. Il y a un peu d'Irlandais chez les Gordon ; ça leur vient de leur vieille grand-mère.

— Penses-tu, toi que j'ai de beaux yeux, Judy ? C'était bien la première fois de sa vie que Pat pensait à ses yeux.

— Tu as les yeux des Selby et Winnie, ceux des Gardiner, et ils passeront tous les deux avec un p'tit peu d'aide. Oublie tes yeux pour bien des années encore et ne va pas croire tout c'qu'y disent, les garçons, mon bijou. Souviens-toi, les compliments, ça ne coûte pas cher.

Quand elles réussirent enfin à faire entrer le beau troupeau de dindes blanches juchées sur la clôture du cimetière dans le poulailler, Sid était déjà arrivé à la maison dans l'auto d'oncle Brian. Il fallait qu'elle lui parle de Jingle et il l'écouta sans sourciller... au grand soulagement de Pat, bien que ce sentiment s'accompagnât d'un autre sentiment qui n'en était pas un de soulagement. Elle aurait presque souhaité le sentir un peu déçu. Se souciait-il vraiment d'elle ?

114

– Il a tellement besoin d'un ami, expliqua-t-elle. Moi, j'ai trois frères maintenant. Mais bien sûr, tu seras toujours mon préféré, Siddy.

– Tu as intérêt, ma vieille, dit Sid. Sinon, je vais commencer à aimer May Binnie plus que toi.

– Évidemment je ne pourrais pas aimer quelqu'un plus que ma propre famille, dit Pat, encore rêveuse.

Mais Sid rentra pour quémander un goûter à Judy Plum. Il était en grande forme parce qu'il venait de découvrir une nouvelle verrue sur sa main gauche. Cela signifiait qu'il devançait Sam Binnie qui, depuis quelque temps, en avait autant que lui.

Se sentant un peu seule, Pat monta les marches à l'arrière de la maison et s'assit près de la fenêtre ronde. Dans la petite mare nacrée du champ, elle voyait le reflet des épinettes noires qui se découpait contre le rougeoiement du couchant. Pendant un instant, les fenêtres de la Longue Maison solitaire semblèrent s'embraser... puis elles s'éteignirent tristement. Pas même un chat dans la cour à observer. Oh, si au moins Sid avait été un peu jaloux de Jingle ! Elle savait comment elle se sentirait s'il était devenu l'ami d'une autre fille. Et si jamais il lui préférait May Binnie... cette affreuse May Binnie avec ses yeux noirs et sévères. Pendant un instant, elle s'en voulut presque d'aimer Jingle.

Alors, elle pensa au Bonheur et à l'eau qui riait en cascades sur les pierres de cet endroit secret.

– Jingle aime mes yeux, pensa-t-elle. C'est vraiment bien d'avoir des amis.

12

Magie noire

McGINTY DISPARUT durant la dernière semaine d'octobre. Pat en était aussi attristée que Jingle. Il lui semblait maintenant que Jingle et McGinty avaient toujours fait partie de sa vie... comme s'il ne pouvait avoir existé un temps où ils ne traversaient pas le Jordan tous les samedis après-midi, où ils ne se glissaient pas dans la cuisine de Judy au crépuscule pour une soirée de plaisirs et de rires. Pour Jingle, qui n'avait jamais connu de véritable foyer, ces soirées étaient merveilleuses... de petites ouvertures sur un autre monde.

Malheureusement, Sid et Jingle ne semblaient pas si bien s'entendre. Non pas qu'ils ne s'aimaient pas, mais ils ne parlaient tout simplement pas le même langage. S'ils avaient été plus âgés, ils auraient pu dire qu'ils s'ennuyaient mutuellement. Sid pensait que Jingle était un type bizarre et lunatique avec ses rêves de maison, ses lunettes foncées et ses vêtements minables et il ne se gênait pas pour le dire. Jingle, par contre, trouvait que Sid avait une trop haute opinion de lui-même, même pour un Gardiner de Silver Bush et il ne le disait pas. De telle sorte que, les jours de semaine après l'école, Sid et Pat jouaient et se promenaient ensemble et les samedis après-midi, quand

116

Sid voulait aller travailler à la ferme avec Joe, Pat se consacrait à Jingle. La majeure partie du temps, ils étaient au Bonheur et Jingle construisait sans fin ses maisons et, chaque semaine, il avait une nouvelle idée pour la maison qu'il se proposait de construire pour Pat. Pat était très intéressée par le projet, bien que, naturellement, elle ne vivrait jamais ailleurs qu'à Silver Bush. Ils exploraient les forêts, les champs dénudés et les ruisseaux, mais Pat n'amena jamais Jingle au Champ secret. C'était son secret et celui de Sid tout comme le Bonheur était son secret et celui de Jingle. Pat se félicitait de son bonheur. Les secrets étaient des choses tellement merveilleuses. Elle avait l'habitude de s'asseoir à l'église et de prendre en pitié tous ces gens qui ignoraient l'existence de Bonheur et du Champ secret.

McGinty les accompagnait partout et était le plus heureux petit chien de la terre. Et puis un jour... McGinty disparut.

Pat trouva Jingle au Bonheur un après-midi, allongé, le visage dans les fougères gelées, pleurant comme si son cœur allait se briser. Pat aussi avait envie de pleurer ce jour-là. D'une part, cette affreuse May Binnie avait donné une pomme à Sid la veille à l'école... une magnifique pomme avec les initiales de Sid et les siennes... quel chic !... en vert pâle sur le côté rouge du fruit. May avait collé les lettres sur la pomme des semaines auparavant et voilà le résultat. Sid était flatté, mais Pat aurait lancé la pomme dans le poêle si elle en avait eu le courage. Sid mit la pomme sur la tablette de la cheminée dans la salle à manger et Pat fut forcée de la voir pendant tous les repas. De plus, le matin même Sid s'était fâché contre elle, parce qu'il avait plu la veille.

— Tu as prié pour qu'il pleuve jeudi soir... je t'ai entendue, lui reprocha-t-il. Et tu savais que je voulais qu'il fasse beau vendredi.

— Non, ce n'est pas vrai Siddy, pleura Pat. J'ai entendu papa qui disait que les sources manquaient d'eau... et celle

117

du Bon'... celle d'où vient le Jordan, en manque vraiment. C'est pour ça que j'ai prié pour qu'il pleuve. Excuse-moi, Siddy.

– Et ne m'appelle pas Siddy, répliqua Sid qui semblait plein de reproches en ce moment. Tu sais que je déteste ce nom.

– Je ne le ferai plus jamais, promit Pat. S'il te plaît, ne te fâche pas contre moi, Siddy... non, je veux dire Sid. Je ne peux absolument pas le supporter.

– Alors, arrête de faire le bébé. Tu es pire que Cuddles. Puis il la serra fort dans ses bras et Pat fut partiellement réconfortée. Partiellement seulement. Elle se dirigea le cœur plutôt gros vers le Bonheur, mais à la vue de la détresse de Jingle elle chassa tous ses problèmes de sa tête.

– Oh, Jingle, que se passe-t-il ?

– McGinty est parti, dit Jingle en s'asseyant.

– Parti ?

– Parti... ou perdu. Il est venu avec moi au magasin à Silverbridge hier soir et il... il a disparu. Je ne l'ai trouvé nulle part. Oh, Pat !

Et Jingle baissa la tête de nouveau. Il s'en fichait qu'on le voit pleurer. Pat mêla ses larmes aux siennes, mais l'assura qu'on retrouverait McGinty... il fallait qu'on le retrouve.

La semaine suivante fut terrible. Pas de trace de McGinty nulle part. Judy soutenait que le chien avait été volé. Jingle afficha un mot dans les magasins promettant une récompense de vingt-cinq sous – tout ce qu'il possédait en ce bas monde – pour la découverte de McGinty. Pat aurait préféré que ce soit quarante-cinq sous ; elle avait dix sous et était certaine de pouvoir en emprunter dix autres à Judy. Mais Jingle ne la laissa pas faire. Pat priait tous les soirs avant de se coucher pour qu'on retrouve McGinty puis s'asseyait dans son lit au milieu de la nuit pour prier à nouveau.

– Mon Dieu, faites qu'on ramène McGinty à Jingle. S'il

vous plaît Mon Dieu. Vous savez que c'est tout ce que Jingle possède au monde, avec sa mère qui est si loin.

Mais rien n'y fit. Il n'y avait aucune trace de McGinty nulle part. Jingle rentrait à la maison chaque soir sans son petit camarade brun doré qui courait à travers le champ pour l'accueillir. Il n'arrivait plus à dormir, s'imaginant un pauvre petit chien perdu, seul au monde dans la triste nuit d'automne. Où était McGinty ? Était-il seul, avait-il froid ? Peut-être qu'il n'avait pas assez... ou pas du tout... de nourriture.

— Judy, fais quelque chose, demanda Pat désespérée. Tu as toujours dit que tu étais un peu une sorcière. Tu as dit une fois que ta grand-mère pouvait se changer en chat quand elle le voulait. Tu ne peux pas trouver McGinty ?

Judy, qui de toute façon avait décidé qu'il fallait faire quelque chose avant que Pat ne meure d'inquiétude, hocha la tête.

— J'ai bien essayé, mon bijou, mais j'sais quand c'est que j'suis battue. Si j'avais le livre de magie de ma grand-mère, j'pourrais m'arranger. Mais j'ai une idée. M'est d'avis qu'il faudrait aller voir Mary Ann McClenahan sur la route de Silverbridge. Il paraît que c'est une bonne sorcière, même si je la trouve un peu grosse en vérité pour monter sur un manche à balai. Si elle peut pas t'aider, j'connais personne qui pourra le faire.

Pat avait été obligée de cesser de croire aux fées, mais elle avait encore l'esprit assez ouvert pour ce qui était des sorcières. Elles avaient sûrement existé à une certaine époque. C'était écrit dans la Bible. Et il était indiscutable que la grand-mère de Judy avait été une sorcière.

— Tu es certaine que Mary McClenahan est une sorcière, Judy ?

— Oh, oh, elle devine toujours ce que tu penses. Ça prouve que c'est une sorcière.

Pat courut le dire à Jingle. Elle le trouva debout sur le pont de pierre qui traversait le Jordan, regardant le ciel avec fureur en agitant son poing dans sa direction.

– Jingle... tu n'es pas... en train de prier de cette façon ?

– Non, je disais seulement à Dieu ce que je pensais de toute cette affaire, répondit Jingle désespéré.

Il accepta néanmoins de se rendre chez Mary Ann McClenahan le lendemain soir. Ils demandèrent à Sid de les accompagner... c'était plus sûr d'y aller à plusieurs... mais Sid essayait d'apprivoiser un jeune hibou qu'il avait capturé dans le bosquet argenté et refusa de rencontrer une sorcière. Ils partirent d'un pas décidé, malgré les incitations à la prudence de Joe, qui partait de son côté labourer le Champ de la Tarte anglaise dans le délicieux tintement des chaînes de ses chevaux.

– La vieille Mary Ann a signé un pacte avec le Diable, vous savez. Moi, je sortirais de ma peau pour courir plus vite si elle me regardait de travers.

Pat ne s'effrayait pas facilement et elle resta dans sa peau. Si Dieu, selon toute vraisemblance, ne portait aucune attention à leurs petites prières désespérées, pouvait-on leur reprocher de faire appel à une sorcière ?

– Soyez à la maison avant la noirceur, les prévint Judy. Sûr, et c'est la nuit bénie de l'Halloween, ce soir, celle où tous les morts se lèvent pour marcher. Racontez votre histoire à Mary Ann et faites ce qu'elle vous dit.

Jingle et Pat s'engagèrent sur la route où le vent soufflait les ombres des bouleaux dénudés sur les bords du chemin. Des vagues de feuilles mortes roulaient sous les rangées d'épinettes. Tout autour, la nature baignait dans la lumière dorée du soleil de cette fin d'automne. La Colline de la Brume portait une pâle écharpe pourpre. Pat était coiffée de son nouveau béret écarlate et elle en était agréablement consciente, malgré son inquiétude pour McGinty. Jingle marchait à ses côtés, les mains dans les poches fripées de ses pantalons encore plus fripés qui flottaient sur ses jambes nues. Pat n'avait jamais emprunté cette route en plein jour avec lui. Dans le Bonheur ou sur les rives sinueuses du Jordan, la manière dont il était habillé n'avait pas d'im-

120

portance. Mais ici... eh bien, elle espérait ne pas tomber sur un des Binnie, un point c'est tout.

La petite maison blanchie à la chaux de Madame McClenahan, avec sa porte bleu vif, était située sur la route de Silverbridge, à environ quatre kilomètres de Silver Bush. Un saule géant qui laissait tomber quelques tristes feuilles jaune pâle sur le toit gris, jetait son ombre impressionnante sur la maison. Une petite lucarne assez pittoresque se dessinait au-dessus de la porte.

— Oh, Pat, regarde cette fenêtre, murmura Jingle oubliant même McGinty durant ce moment d'extase. Je n'ai jamais vu une si jolie fenêtre. J'en mettrai une comme celle-là dans ta maison.

La fenêtre était sans doute très bien, mais la palissade tombait en ruine et derrière, la cour était littéralement envahie par les bardanes. Pat se dit que la sorcellerie, après tout, ne rapportait pas grand-chose. Futée, elle pensa que si elle avait signé un pacte avec le Diable, elle en aurait retiré une meilleure compensation.

Jingle frappa à la porte bleue. Ils entendirent des pas à l'intérieur. Pat sentait des picotements sur tout son corps. Peut-être n'était-ce pas très indiqué de jouer avec les pouvoirs des ténèbres. La porte s'ouvrit et Mary McClenahan apparut sur le seuil, les examinant de ses petits yeux noirs entourés de coussinets de graisse. Ses cheveux défaits étaient également noirs, aussi noirs que du charbon, bien qu'elle eût au moins le même âge que Judy. Dans l'ensemble, elle semblait beaucoup trop grassouillette et enjouée pour être une sorcière et la terreur de Pat se dissipa.

— Alors, qui c'est donc qui vient-y me voir et qu'est-c'est que vous voulez-t-y de moi ? demanda Mme McClenahan avec un accent trois fois plus prononcé que celui de Judy.

Pat avait appris des Selby à ne jamais gaspiller ses mots, son souffle ou son temps.

— Hilary Gordon que voici a perdu son chien et Judy a dit que si nous venions vous voir, vous pourriez peut-être

121

nous aider à le retrouver. Évidemment, si vous êtes vraiment une sorcière. Êtes-vous une sorcière ?

Le regard de Mary Ann McClenahan se fit tout à coup plus secret et plus mystérieux.

– Pchhhhtt, ma p'tite... 'faut pas parler de sorcières dans le plein jour. Sait-on jamais c'qui pourrait arriver. Et d'trouver une créature perdue, ça s'fait pas sur le pas d'la porte. Entrez-donc... et tant qu'à y'être, on va monter dans l'grenier pour que j'puisse continuer mon ouvrage de tissage. C't'une nappe que j'tisse pour les esprits du grenier. Toutes les sorcières de l'Île-du-Prince-Édouard ont promis d'en faire un morceau. C'tes pauvres p'tites créatures l'ont toutes laissé leurs nappes dans le frette l'autre jeudi soir et ça été la ruine.

Ils montèrent un escalier étroit jusqu'au grenier encombré où le métier à tisser de Mme McClenahan était tout près de la lucarne qui avait suscité l'admiration de Jingle. Sur le rebord de la fenêtre, un chat noir parfaitement propre se léchait partout pour être encore plus propre. Ses grands yeux jaunes cerclés de noir brillaient d'une façon étrange dans la pénombre. Même si c'était un chat de sorcière, Pat le trouva beau. Comment se serait-elle sentie si elle avait su que c'était son chat Dimanche, celui qu'elle avait perdu et tant pleuré, que Judy, un an auparavant, avait donné à Mary Ann McClenahan, cela, je ne peux vous le dire. Heureusement, Dimanche avait grandi au point qu'elle ne pouvait pas le reconnaître.

Mme McClenahan poussa un tabouret et une chaise branlante en direction des enfants et se remit à son tissage.

– Sûr, et il n'y a pas de temps à perdre. C'est la nappe d'la reine que j'fais là et j'ose pas imaginer son air de Majesté si c'est pas prêt en temps.

Pat savait fort bien que Mary Ann McClenahan tissait une couverture de flanelle, mais elle n'avait pas l'intention de contredire une sorcière... peut-être que Mary Ann, une fois sa couverture terminée, la transformerait en fils de la vierge... un de ces merveilleux petits nids tissés de rosée

122

scintillante que l'on voit sur l'herbe et dans les lits de fougères dans les bois, tôt les matins d'été.

– Alors, t'es v'nue me d'mander d'trouver le McGinty de c'te garçon ? dit Mary Ann. Ah, j'connais l'nom... j'connais tout tout sur ce nom. Le chat de ta tante Edith a tout raconté à mon chat durant la dernière danse. Trop importante pour nous qu'elle est, ta tante Edith, mais elle sait pas c'que son chat peut raconter. Vous êtes chanceux, c'est l'bon temps pour la lune. La s'maine prochaine j'aurions pu rien faire pour vous. Mais là, y'a p't'être une p'tite chance. Et dis-moi donc jeune Hilary Gordon, pourquoi ta très gentille de mère vient jamais te voir ?

Pat se dit que les sorcières étaient plutôt impertinentes. De toute façon, si on avait affaire à elle...

– Ma mère vit trop loin pour pouvoir venir souvent, expliqua-t-il poliment.

Mary Ann McClenahan haussa ses grasses épaules.

– T'as raison d'inventer des excuses pour elle, Hilary, mais j'ai ma p'tite idée sur elle et ça te sert à rien de te fâcher de contre moi pour c'que j'dis, parce que les sorcières s'occupent pas de qui c'est qui peuvent se fâcher contre elles. Maintenant que j'me suis vidé l'cœur, j'vas penser à ton chien. Mais ça va prendre un peu de connivence.

Mme McClenahan se pencha et sortit deux poignées de raisins d'un sac en papier sur l'étagère.

– T'nez, mettez ça dans vos p'tites entrailles pendant que j'm'affaire à penser.

Le silence régna pendant quelque temps. Les enfants se concentraient sur les raisins et surveillaient les allées et venues de Mme McClenahan. Pat la regardait pensivement. Avait-elle vraiment signé son nom dans le grand livre noir du Diable, comme Joe avait dit ?

En ce moment, Mme McClenahan la regardait droit dans les yeux et approuvait de la tête.

– T'as un p'tit grain de beauté dans l'cou. Pour sûr, c'est la marque des sorcières. Dis-moi, ma p'tite chérie, t'aimerais pas être une sorcière ? Pense à tout l'plaisir que t'aurais à t'promener sur un manche à balai.

Pat y avait pensé. L'idée était séduisante. Quoiqu'elle eût préféré voler sur le dos d'une hirondelle, frôlant les clochers et les bois d'épinettes noires la nuit. Mais...

— Dois-je signer mon nom dans le livre du Diable ? murmura-t-elle.

Mme McClenahan fit de la tête un signe solennel.

— J'te choisirais un gentil diable tout brillant... même si les diables sont plus c'qu'y'étaient avant.

— Je crois que je suis trop jeune pour être une sorcière, merci beaucoup, répondit Pat fermement.

Mme McClenahan eut un petit rire.

— Sûr, et c'est les jeunes sorcières qu'ont tout l'pouvoir, chère enfant. Ça sert à rien d'attendre que tu sois grise comme une chouette. Penses-y encore... pas donné à tout' l'monde d'être sorcière... tu sais pas comme on est unique. Pout c'te créature de McGinty... quand vous partirez d'ici, suivez vot' nez jusqu'en haut d'la colline et tournez trois fois sur vous-mêmes, nord, sud, est et ouest. Après, descendez jusqu'à Silverbridge. Y'a une maison juste avant l'pont, une maison qu'a une porte rouge comme celle de ton oncle Tom, mais plus pâle. Tournez encore trois fois sur vous-mêmes et cognez deux fois à la porte. S'il y a quelqu'un qui vient... souvenez-vous, j'dis pas que quelqu'un va v'nir... croisez vos doigts et demandez : Est-ce que McGinty est ici ? Et si vous trouvez McGinty... souvenez-vous, j'dis pas que vous l'trouverez... prenez vos jambes à vot' cou et posez pas d'questions. C'est tout c'que j'peux faire pour vous.

— Et ce sera combien pour votre conseil ? demanda Jingle en tendant, l'air sérieux, sa pièce de vingt-cinq sous.

— Sûr qu'on peut pas faire payer les gens qu'ont un grain d'beauté. C'est complètement cont' nos règles.

— Merci beaucoup, Mme McClenahan, dit Pat. Nous vous sommes très reconnaissants.

— En tout cas, vous faites une belle paire d'enfants avec

des bonnes manières, dit Mme McClenahan. Si vous aviez pas eu des manières, c'est pas Mary Ann McClenahan qui vous aurait aidés pour vot'chien. J'en ai jusqu'aux oreilles du culot et d'l'impudence d'la jeune friture des alentours. C'tait bien différent quand j'étions jeune. Dépêchez-vous maintenant... sûr que les plus sages s'ront en dedans avant que la lune se lève à l'Halloween. Oubliez pas le tournage autour, sinon vous allez chercher vot' McGinty jusqu'à temps que vos yeux tombent de vot' tête.

Mme McClenahan resta sur le pas de la porte et les regarda s'éloigner jusqu'à ce qu'ils disparaissent. Puis, elle dit quelque chose d'étrange pour une sorcière. Elle dit :

– Dieu bénisse ces p'tites créatures.

Cela dit, Mary Ann McClenahan traversa chez Mme Alexander, de l'autre côté de la route, et lui demanda si elle pouvait utiliser son téléphone pour appeler un ami qui vivait près du pont, s'il vous plaît, merci beaucoup.

Cette belle journée d'octobre rougeoyait encore derrière les collines sombres quand Pat et Jingle quittèrent Mme McClenahan. Lorsqu'ils atteignirent le sommet de la colline, ils firent trois tours sur eux-mêmes en s'inclinant cérémonieusement devant le nord, le sud, l'est et l'ouest. Quand ils s'arrêtèrent devant la maison à la porte rouge, près de Silverbridge, ils firent à nouveau trois tours. S'ils ne retrouvaient pas McGinty après tout cela, ce ne serait pas faute d'avoir suivi scrupuleusement le rituel imposé par la sorcière McClenahan.

Quand Jingle eut frappé deux coups, la porte s'ouvrit avec une rapidité surprenante sur un géant roux en chaussettes, à la chevelure en broussaille, portant une barbe d'une semaine. Une forte odeur s'échappa à l'extérieur, qui rappelait à Pat une chose que Judy versait d'une petite bouteille noire, de temps à autre l'hiver quand elle avait le rhume.

Ils croisèrent tous deux les doigts et Jingle demanda d'une voix enrouée :

– Est-ce que McGinty est ici ?

L'homme se retourna et ouvrit une petite porte à sa droite. À l'intérieur, sur une chaise bancale, était assis McGinty. Le regard misérable du pauvre chien se transforma en extase. D'un seul bond, il fut dans les bras de Jingle.

– Il est venu ici un soir, il y a une semaine, dit l'homme. Il était gelé et affamé. Alors nous l'avons fait entrer.

– C'est très gentil de votre part, dit Pat, étant donné que Jingle était momentanément privé de l'usage de la parole.

– N'est-ce pas que nous avons bien fait ? dit l'homme avec un large sourire.

Mais il y avait quelque chose dans cet homme qui lui rappelait la recommandation de la sorcière McClenahan d'apprendre à se servir de ses jambes.

– Merci beaucoup, dit-elle en tirant Jingle, littéralement en transe, par le bras.

La porte rouge se referma... la lune rouge au-dessus de la colline, entre deux grands sapins, les regardait... et ils avaient un chien qui mourait presque de bonheur dans leurs bras.

Quel retour à la maison ! L'univers entier baignait dans le merveilleux. Ils empruntèrent des chemins de campagne, traversant les champs, leurs grandes ombres les précédant. Jingle marchait dans une espèce d'extase rêveuse, serrant McGinty, mais Pat n'avait d'yeux que pour le charme des champs de chaume nus et solitaires, les bois où les branches s'assombrissaient contre un ciel baigné par la lumière blanche de la lune et pour le vent qui n'avait été qu'une brise plus tôt, lorsqu'ils avaient quitté la maison, et qui soufflait maintenant de la mer des bouffées fortes et bruyantes. Ils traversèrent le Bonheur où toutes les petites buttes en forme de berceau dormaient profondément, puis ils s'engagèrent le long du Jordan. Ils traversèrent le bosquet argenté en empruntant un sentier qui serpentait entre les bouleaux éclairés par la lune jusqu'à la cour arrière de la maison. Sid avait décoré les montants de la porte avec de magnifiques lanternes creusées dans des navets et Judy, en signe de bienvenue, avait posé sur le rebord de la fenêtre son petit chandelier de cuivre en forme de soucoupe avec une anse frisée. À mi-chemin dans le bosquet, ils avaient humé l'odeur du porc salé frit. Et ce fut enfin la chaleur de la cuisine remplie d'arômes délicieux, la joie et l'accueil de Judy et le repas de porc salé frit et de pommes de terre en robe des champs. Winnie était partie avec une amie, maman s'occupait de Cuddles en haut et papa s'était assoupi dans le fauteuil de la salle à manger.

Après le repas, Pat et Jingle descendirent chercher quelques pommes dans la grande cave mystérieuse dont les ombres géantes donnaient la chair de poule puis ils s'assirent tous ensemble autour du poêle qui donnait autant de chaleur qu'un foyer avec ses portes grandes ouvertes et ils passèrent en revue la journée. C'était agréable d'être assis ainsi, à l'aise et bien au chaud, avec ce vent inquiétant qui gémissait sans... les voix des fantômes, disait Judy, parce que c'était l'Halloween. McGinty se coucha sur le tapis aux chats noirs, les yeux fixés sur Jingle, évidemment effrayé de s'endormir de crainte de découvrir que tout cela n'était qu'un rêve. Jeudi, qui avait disparu depuis un jour ou deux, était revenu, comme un enfant prodigue, gras et florissant. Tout comme la Belle au bois dormant, Gentleman Tom aurait pu rester couché pendant un siècle à réfléchir.

— Je suis si heureuse qu'il fasse assez froid maintenant pour faire un feu, le soir, dit Pat. Et en hiver ce sera encore mieux. On peut être si bien, l'hiver.

Jingle ne disait rien. Il avait une idée très différente des soirs d'hiver. Une cuisine froide et sale, une lampe à huile enfumée, un lit dans un grenier non aménagé. Mais maintenant, il avait retrouvé son chien et il était au comble du bonheur. Être assis là à manger des pommes avec Pat pendant que Judy pétrissait son pain, c'était tout ce qu'il demandait.

— Oh, oh, on ne l'appelle pas la sorcière pour rien, celle-là, dit Judy après avoir entendu toute l'histoire. À une époque, il y a des années de cela, je les connaissais très bien les McClenahan. Tom McClenahan, c'était un bon diable, mais quand il commençait, y's'transformait en vrai moulin à paroles. Un vrai causeur, c'est moi qui vous l'dis. Un jour, s'est fâché parce que Mary Ann riait de sa langue qu'était trop bien pendue ; l'a juré qui dirait pas un mot durant tout un mois. Ça a duré deux jours, mais après, il n'a plus jamais été pareil. L'effort avait été trop grand pour lui. Mary Ann a toujours cru que c'était pour ça qu'il était mort un an plus tard. C'tait un bon violoneux dans son temps ; l'avait un violon qui pouvait faire danser tout l'monde.

— Les faire danser, Judy ?

— C'est moi qui te l'dis. Quand les gens l'entendaient, il fallait qu'ils dansent. C'tait un vieux violon que son père avait ramené d'Irlande. Sûr, même qu'une fois, il l'a essayé sur un pasteur.

— Est-ce qu'il a dansé, le pasteur ?

— S'il a dansé ? Ça a fait un scandale terrible. Ils ont convoqué tout un tribunal de presbytériens. Tom a proposé d'y aller et de leur violoner ça pour prouver que l'pauvre M. MacPhee pouvait pas s'empêcher de danser, mais ils l'ont pas laissé faire. Une vraie pitié. Pense au spectacle que ça aurait été... une douzaine ou plus de pasteurs en train de giguer au son du violon de Tom McClenahan. Oh, oh ! Mais ils ont laissé partir M. MacPhee et ils ont étouffé toute l'affaire. Es-tu sur ton départ, Jingle ? Alors, fais une prière pour tous les pauvres fantômes et arrange-toi pour avoir affaire le moins possible aux sorcières, après c'qui s'est passé aujourd'hui. Ça peut marcher une fois de temps en temps, mais faut pas en faire une habitude.

Jingle les quitta, ayant l'intention de dormir dans la grange à foin des Gordon avec McGinty, et Pat fatiguée, se glissa sous ses draps, heureuse.

— Judy, pourquoi racontes-tu toutes ces sornettes sur les

128

sorcières aux enfants ? lança Long Alec de la salle à manger, mi-figue, mi-raisin. Edith lui avait reproché aujourd'hui de laisser Judy Plum raconter tous ces mensonges aux enfants et elle trouvait qu'il était temps qu'il ait une petite conversation avec elle.

Judy gloussa.

— Dors tranquille, Alec Gardiner. Ils croient mes histoires à moitié et pour le reste, ça leur fait des émotions. En tout cas, j'ai l'impression que Mary Ann s'est bien amusée avec eux.

— Qu'est-ce qui t'a fait penser à les envoyer chez elle ?

— Sûr que j'avais ma petite idée qu'elle saurait où trouver McGinty. Elle est en mèche avec la bande de Silverbridge qui a volé le colley de Rob Clark et, la semaine d'avant, tous les fauteuils à bascule de Mme Taylor qui étaient prêts pour vendre au marché. En passant, Mary Ann est la tante par alliance de Tom Cudahy de la porte rouge. Mais c't'une créature tellement généreuse et gentille avec les enfants que j'pensais qu'elle pourrait aider. Elle a un peu d'économies et les Cudahy l'écoutent au doigt et à l'œil. Alors tout est bien qui finit bien et t'inquiète pas si les enfants s'amusent en pensant que c'est une sorcière. Sûr et j'vous ai-tu pas élevés vous autres aussi en parlant des sorcières ? Ça a pas fait trop de mal, j'te l'demande ?

13

Les bonnes manières

L'HIVER cette année-là, du moins les premiers mois, fut particulièrement doux. Pat et Jingle, ou Pat et Sid, selon le cas, mais rarement les trois ensemble, purent courir aussi loin qu'ils le voulaient, explorant de nouveaux repères, retrouvant avec amour les anciens, traversant des bosquets de bouleaux qui portaient des étoiles dans les cheveux au crépuscule, rentrant de leurs froides excursions avec les joues « comme des p'tites pommettes rouges », pour être nourris, dorlotés et parfois réprimandés par Judy. Du moins, elle grondait Pat et Sid quand elle croyait que c'était pour leur bien, mais elle ne réprimandait jamais Jingle. Il aurait souhaité qu'elle le fasse. Il pensait que ce serait agréable si quelqu'un tenait assez à lui pour le réprimander... à la manière de Judy, avec un rire espiègle derrière chaque mot, puis des pommes et des brioches à la cannelle pour consoler tout de suite l'amour propre un peu écorché. Même sa tante ne le réprimandait jamais : elle l'ignorait, tout simplement, comme s'il n'avait aucune existence pour elle. Jingle avait l'habitude de rentrer à la maison après une tirade de Judy se sentant très seul et se demandant comment se serait d'être important pour quelqu'un.

Même s'il n'y avait pas de neige, il faisait assez froid pour que l'Étang soit solidement gelé. Sid apprit à Pat à patiner et Jingle apprit de lui-même avec une paire de vieux patins que Judy avait dénichée au grenier pour lui. Avec ses longues jambes dans ses habituels pantalons flottants, son grand torse serré dans un vieux chandail vert que sa tante avait reprisé avec du fil rouge, ses cheveux mal coupés dont quelques mèches sortaient d'une vieille casquette appartenant à son oncle, Jingle ressemblait, en patinant, à un objet bizarre.

— N'est-ce pas qu'il est élégant ? dit Sid en riant.

— Il ne peut pas faire autrement, dit Pat, fidèle à son ami.

— Oh, oh, ce sera un beau garçon quand on l'aura rempli un peu, dit Judy, et il a plus de cervelle dans son petit doigt que tu n'en as dans toute ta carcasse, Sid, mon beau jeune homme.

Alors Pat se fâcha sans raison contre Judy parce qu'elle avait été méchante avec Sid.

— Sûr que c'est une vie difficile, c'te vie que vous m'faites vivre, soupira Judy. Des fois j'me dis que j'aurais mieux fait d'avoir pris le vieux Tom. Paraît qu'il est encore célibataire.

Ce sur quoi Pat fondit en larmes et supplia Judy de lui pardonner et de ne jamais, jamais les quitter.

Bien que quelques délicats flocons de neige blancs leur effleuraient parfois le visage en fin d'après-midi, ce ne fut pas avant décembre que tomba la première vraie neige, juste à temps pour transformer le monde en blanc pour Noël. Cela soulagea Judy qui disait toujours qu'un Noël vert signifiait qu'on remplissait le cimetière. Pat était assise à sa fenêtre ronde, regardant les jardins, les champs et les collines blanchir sous le voile mystérieux de la neige. Les flocons blancs emplissaient déjà les petits nids vides dans l'érable. Chaque fois qu'elle regardait dehors, le monde était devenu plus blanc.

— J'adore les tempêtes de neige, dit-elle avec enthousiasme à Judy.

— Oh, oh, y'a-t-il quelque chose que t'aimes pas, mon bijou ?

— C'est bien d'aimer les choses, Judy.

— Si tu ne les aimes pas trop fort. Parce que si tu les aimes trop fort, elles te feront vraiment mal à la fin.

— Pas Silver Bush. Silver Bush ne me fera jamais de mal, Judy.

— Et quand tu seras obligée de partir ?

— Tu sais bien que je ne quitterai jamais Silver Bush, Judy... jamais. Oh, Judy, regarde comme la Colline de la Brume est blanche. Et comme la Longue Maison solitaire a l'air seule. J'aimerais bien pouvoir y aller, y allumer un feu parfois et la réchauffer. Elle se sentirait tellement mieux.

— Oh, oh, tu vas pas m'dire que les maisons ont des sentiments, hein ?

— Oh, Judy, je suis *sûre* qu'elles en ont. Jingle le croit aussi. Je sais que Silver Bush a des émotions. Elle est heureuse quand nous sommes heureux et triste quand nous sommes tristes. Et si elle se retrouvait sans personne pour y vivre, cela lui briserait le cœur. Je sais que Silver Bush a toujours eu un peu honte de moi parce que je n'ai jamais réussi à réciter un poème comme tous les autres arrivent à le faire le vendredi après-midi à l'école. Et puis, vendredi dernier, j'y suis arrivée. J'ai appris le *Printemps hanté* avec Jingle et je suis allée en avant de la classe... oh, Judy, ça a été terrible. Mes jambes tremblaient, May Binnie ricanait, et je ne pouvais pas prononcer un mot. J'allais revenir à mon banc en courant... quand j'ai pensé à Silver Bush et je me suis demandé comment je pourrais rentrer à la maison et lui faire face si j'étais tellement lâche. Alors j'ai relevé la tête et j'ai récité mon poème d'un seul coup et Mlle Derry a dit : « Très bien Patricia », et tous les élèves ont applaudi. Et quand je suis arrivée à la maison, je suis certaine que Silver Bush m'a souri.

— Tu es vraiment bizarre, toi, dit Judy. Mais j'suis bien contente que t'aies pas laissé May Binnie t'humilier. C'est une p'tite fille que j'n'aime pas beaucoup et je me fiche pas mal si la terre entière l'apprend.

— Sid l'aime bien, dit Pat un peu tristement.

Silver Bush se transforma bientôt en une maison remplie de secrets. Le mystère se tapissait autour et Judy se promenait, telle un Sphinx agité. Pat l'aida à préparer le pudding et, avec Winnie et maman, elle décora la salle à manger, installa des guirlandes de verdure qu'elle trouva dans les bois autour du Champ secret, sur les rampes de l'escalier. Aussi, elle aida Sid à choisir tous ses cadeaux pour la famille, sauf le sien, au magasin de Silverbridge. Elle ne fut pas blessée lorsqu'il disparut à l'étage du magasin où se trouvait la vaisselle et ne lui demanda pas ce qu'il y avait dans le paquet qui gonflait sa poche, quand ils rentrèrent enfin à la maison. Mais elle se demanda lugubrement si c'était pour elle ou pour May Binnie.

C'était tellement amusant de faire le trajet de la boîte aux lettres à la maison, dans la neige, les bras remplis de paquets bruns qu'il ne fallait pas ouvrir avant le matin de Noël et qui cachaient de jolies boîtes enveloppées de papier argenté et de rubans dorés. Le jour de Noël lui-même était merveilleux. Jingle et McGinty vinrent dîner. Ils faillirent ne pas venir. Pat était furieuse parce que Judy lui avait dit de ne pas oublier d'inviter son prétendant et elle refusa d'en parler à Jingle avant la veille de Noël. Puis elle changea soudain d'avis et courut au grenier pour mettre une chandelle à la fenêtre. Les Gordon n'avaient pas le téléphone. Jingle et elle avaient donc convenu que, lorsqu'elle aurait envie de le voir, elle allumerait une chandelle dans la fenêtre du grenier. Jingle arriva rapidement et c'est ainsi qu'il reçut son invitation à la toute dernière minute.

C'était la première fois que Jingle célébrait un vrai Noël et McGinty faillit mourir d'avoir trop mangé. Tout le monde reçut des cadeaux... même Jingle. Judy lui offrit une paire de mitaines et Pat, un petit chien blanc en porcelaine, avec des yeux bleus et un ruban rose peint autour du cou... c'était ce qu'elle avait trouvé de mieux avec ses maigres économies, sans compter ses achats pour toute la famille. Personne n'arrivait à imaginer ce que Jingle pourrait en faire, mais il le glissa sous son oreiller et dormit ce soir-là, les mains bien au chaud dans les mitaines de Judy. Sa mère ne lui avait rien envoyé... pas même une lettre. Pour ne pas pleurer en y pensant, Jingle dut compter sur tout le réconfort que pouvait lui procurer le petit chien aux yeux bleus. Il essaya de trouver une bonne excuse à sa mère. Peut-être n'y avait-il pas de Noël à Honolulu, le pays de l'été éternel.

Sidney offrit un pot avec une bordure dorée à Pat... un petit pot brun rondelet qui semblait avoir enflé à force de rire. Pat l'adorait mais elle trouvait néanmoins que le plus beau cadeau était sans conteste celui de Jingle. Une maison de poupée qu'il avait construite lui-même et qui était le résultat d'un travail bien plus remarquable que tout ce que Pat pouvait imaginer. Long Alec siffla d'admiration en la voyant et oncle Tom s'exclama : « Par tous les diables ! »

— Je n'avais pas d'argent pour t'acheter un cadeau, dit Jingle qui avait consacré son unique pièce de vingt-cinq sous, péniblement économisée, à l'achat d'une carte à l'intention de sa mère. Alors j'ai fait ça.

— Je préfère quelque chose qu'on fabrique soi-même à quelque chose qu'on achète, dit Pat. Ah, toutes ces cheminées... et des vraies fenêtres qui s'ouvrent.

— Ce n'est rien comparé à la maison que je vais te construire un jour, Pat.

Ce Noël fut semblable à tous les Noëls agréables de Silver Bush. Le seul incident remarquable fut une bataille dans la cuisine entre Gentleman Tom et Snooks, le hibou apprivoisé. Snooks faisait maintenant plutôt partie de la maison. Il supportait Jeudi et Snicklefritz qui le supportaient aussi, mais avec Gentleman Tom, c'était la bagarre dès qu'ils se rencontraient. Gentleman Tom perdit la bataille et se retira, honteux, sous la cuisinière : mais une bonne quantité de plumes jonchait le sol de la cuisine.

Un soir, la semaine suivante, Pat tout excitée, appela Judy.

– Oh, Judy... Judy... j'ai mal parce que je grandis !

Jusqu'à présent, grandir ne lui avait jamais causé de douleur et Judy et elle craignaient qu'elle ne grandisse pas normalement. Long Alec parla avec inquiétude de rhumatisme, mais Judy se moqua de lui et passa la moitié de la nuit à masser joyeusement les jambes de Pat.

– Tu vas prendre ton départ au printemps et après tu vas grandir comme d'la mauvaise herbe, promit-elle à Pat. Sûr et ça m'fait un grand soulagement, c'est moi qui te l'dis. J'veux pas de p'tites filles sciées en deux à Silver Bush.

Après Noël, la neige disparut et les vents de janvier commencèrent à gémir dans les froids pâturages gelés et à travers les arbres gris et froids. Seule la crête rouge des sillons dans le Champ de la Tarte anglaise arborait encore quelques petites plumes blanches et un ruban de neige tenait bon du côté nord de la Colline de la Brume.

Les soirées de janvier étaient agréables à Silver Bush. Oncle Tom venait faire son tour et papa et lui s'asseyaient à côté du poêle de Judy et bavardaient, pendant que Pat, Jingle et Sidney écoutaient, et que Winnie et Joe étudiaient leurs leçons dans la salle à manger. Ils discutaient de politique et de porc et, finalement, se rabattaient sur les histoires de famille et les dernières rumeurs du coin. Les murs blanchis à la chaux de la vieille cuisine renvoyaient l'écho de leurs rires. Parfois, oncle Tom se fâchait et l'ombre de sa barbe sur le mur se mettait à trembler d'indignation. Mais les colères de l'oncle Tom ne duraient jamais longtemps. Un coup de poing sur la table et tout était oublié.

Maman venait parfois avec Cuddles et s'asseyait quelques instants, se contentant d'être belle. Maman ne parlait jamais beaucoup. C'est peut-être parce qu'elle n'avait aucune chance avec Judy, papa et oncle Tom. Mais il lui arrivait de regarder Pat, Sidney et la petite Cuddles avec des yeux qui faisaient venir une grosse boule dans la gorge de Jingle. Avoir une maman qui vous regarde ainsi !

— Judy, dit Pat après une de ces soirées, alors qu'elle dormait avec Judy parce qu'une des amies de Winnie était de passage. Je ne peux pas imaginer que le paradis puisse être mieux qu'ici.

— Oh, oh, entendez-vous ça ? répondit Judy scandalisée. Sûr, et penses-tu qu'au paradis y'aura un vent aussi méchant et braillard dans la fenêtre.

— Oh, je l'aime, ce vent, Judy. Il rend tout plus chaleureux... se rouler en boule ici, toute chaude et confortable, en pensant que le vent ne peut pas nous atteindre. Écoute-le qui craque dans le bosquet argenté. Maintenant, s'il te plaît, Judy, raconte-moi une histoire de fantôme. Il y a tellement longtemps que j'ai dormi dans ton lit... je t'en prie, Judy. Une histoire qui va me faire retrousser la peau sur les os.

— J't'ai-t-y déjà parlé de comment la Janet McGuigan était revenue chercher son alliance le lendemain soir de son enterrement parce que son mari, avant d'la mettre dans l'cercueil, l'avait enlevée de sur son doigt en s'disant que ça serait bien commode s'il s'mariait une deuxième fois ? Oh, oh, les McGuigan, c'est des gens qui voient loin.

— Comment ont-ils su qu'elle était revenue chercher l'alliance ?

— C'est moi qui te l'dis, l'alliance avait disparu de la caisse de Tom McGuigan le lendemain matin. Mais six ans plus tard, quand il a acheté un lot dans l'nouveau cimetière, ils ont déterré le cercueil pour le déménager et il s'est brisé en tombant... c't'ait un genre de cercueil économique, tu comprends... et là, sur le doigt de la Janet, y'avait l'alliance. Oh, oh, il paraît que Tom n'a jamais plus été le même après ça.

On était en février et il n'y avait toujours pas de neige. Judy commença à dire qu'elle se préparait à crocheter une grande nappe pour la salle à manger, plus grande encore que celle de tante Edith qui en était si fière.

— Oh, oh, j'm'en vais lui faire descendre l'orgueil d'un cran ou deux, promit Judy.

Sa marmite à teinture était toujours sur la cuisinière. Elle excellait dans la fabrication de teintures. Pas de teintures « achetées » pour Judy. Elles se décolorent en moins d'un an, disait-elle. Du lichen et de l'écorce ; des baies trop mûres pour les teintures pourpres ; l'intérieur de l'écorce de bouleau pour le brun ; des branches de saule pour le vert ; et des peupliers de Lombardie pour le jaune. Judy connaissait toutes les espèces et, avec les enfants, elle partait au loin à leur recherche.

Et puis ce fut mars avec ses vents fous galopants et l'anniversaire de mariage de papa et maman. Les Gardiner fêtaient toujours les anniversaires de naissance ou de mariage en organisant une petite réunion de famille. Cette année, la famille d'oncle Brian et tante Helen Taylor avait été invitée. Ils devaient arriver au cours de l'après-midi et manger avec eux le soir... une innovation qui rendait Judy perplexe.

— Oh, oh, c'est pas c'qu'on avait l'habitude que de recevoir du monde comme ça, lança-t-elle en maugréant.

Pat était dans son élément, quoiqu'elle n'attendait pas la fête avec autant de joie qu'à l'habitude. Oncle Brian ne faisait pas partie de ses amis parce que chaque fois qu'il venait, il disait à papa : « Si j'étais toi, je ferais quelques changements ici. » Et puis tante Helen serait là. La riche tante Helen, la sœur de papa, mais tellement plus âgée que lui qu'elle paraissait bien plus être sa tante que sa sœur. Et tante Helen, avait dit Judy, devait ramener Pat ou Winnie chez elle à Summerside.

Pat espérait et priait que tante Helen choisisse Winnie plutôt qu'elle. Elle ne voulait pas quitter Silver Bush... pourquoi le ferait-elle, elle n'avait jamais passé une nuit loin de chez elle. Ce serait terrible. Mais elle était heureuse de rendre ces petits services à sa chère maison : épousseter, frotter, cuisiner, faire des courses. Aider maman à sortir le service de mariage en porcelaine cannelée avec les pensées dorées sur les tasses et au centre des assiettes. Pat et Winnie furent autorisées à ranger la Chambre du Poète et à préparer un lit magnifique avec son couvre-lit en dentelle et des coussins en forme de fleurs. Judy concoctait et cuisait et Cuddles goûtait à tout ce qui était à portée de sa main, y compris un loquet givré. Après quoi, elle ne goûta plus à rien pendant un certain temps, se contentant, pour vivre, de lait malté.

Quand le jour du festin arriva, Pat prit soin de revêtir sa robe bleue en crêpe. Elle ne l'aimait pas autant que la rouge, mais c'était son tour et il ne fallait pas la négliger. Elle souhaitait tant que tante Helen ne la choisisse pas ! Cela lui enlevait toute envie de fêter. Elle pourrait faire semblant d'être malade.. Non, Judy serait capable de lui donner de l'huile de castor comme elle l'avait fait la dernière fois que Pat s'était enrhumée.

— Pourquoi ne me donnes-tu pas un peu de ce qu'il y a dans ta bouteille noire, Judy ? avait demandé Pat. Ça sent meilleur que l'huile de castor.

— Oh, oh. Judy prit un air rusé. C'est vraiment trop fort pour les p'tites filles comme toi...

— Mais qu'est-ce qu'il y a dans cette bouteille ?

— Oh, oh, j'me rappelle que rien que la semaine dernière, j'ai enterré un chat mort de curiosité, répliqua Judy. Plus un mot et avale-moi cette cuillerée de suite.

Elle préférerait encore tante Helen à l'huile de castor. Peut-être serait-elle malade et incapable de venir. Était-ce mal, se demandait Pat, de prier pour que quelqu'un soit malade... pas très malade... juste un peu malade... assez pour ne pas avoir envie de sortir un jour de mars, froid et venteux ?

Pat noua une écharpe bleue autour de sa tête et, avec Jingle, elle grimpa sur le tas de foin dans la grange de l'église d'où ils pouvaient surveiller les arrivées par la fenêtre en encorbellement, pendant que McGinty chassait des rats imaginaires sur la faucheuse ou s'allongeait devant eux en faisant le mort s'il sentait qu'on le négligeait. Chaque voiture ou chaque automobile qui montait ou descendait la route faisait frissonner Pat qui craignait que ce soit tante Helen. Mais elle vint finalement... dans l'automobile d'oncle Brian et elle traversa le jardin en se dandinant.

— Elle ressemble vraiment à une cruche, dit Pat avec amertume.

Et Norma, la fille de l'oncle Brian, était avec eux. Pat avait espéré que Norma ne vienne pas, elle non plus. Elle ne l'aimait pas parce qu'on la disait plus jolie que Winnie.

— Je pense qu'elle n'est pas à moitié aussi jolie, dit-elle.

— Toi, tu es vraiment très jolie avec ton écharpe bleue, Pat, dit Jingle d'un ton admiratif.

Ce qui aurait été parfait s'il s'était arrêté là. Mais il rajouta quelque chose qui allait tout gâter.

— Pat... quand on sera plus grands... voudrais-tu être ma petite amie ?

Pat, ne réalisant pas du tout qu'elle venait de recevoir à neuf ans ce qui, en fait, était une première déclaration, rougit de colère.

— Si tu me dis encore une chose comme celle-là, Hilary Gordon, je ne te parlerai plus jamais de ma vie, hurla-t-elle.

— Oh, ça va, je ne voulais pas te fâcher, dit Jingle misérablement. Tu ne m'aimes pas ?

— Bien sûr que je t'aime. Mais je ne serai jamais la petite amie de personne.

Jingle semblait tellement malheureux que cela augmenta la colère de Pat... et sa cruauté.

— Si j'étais la petite amie de quelqu'un, dit-elle distinctement, il faudrait qu'il soit beau.

Jingle retira ses lunettes.

— Est-ce que je suis mieux comme ça ? demanda-t-il.

Il l'était. Pat n'avait jamais vu ses yeux avant. C'était de grands yeux gris, calmes, avec une étincelle qui se cachait quelque part derrière cette tranquillité. Mais Pat n'était pas en mesure d'admirer.

— Pas vraiment. Tes cheveux sont toujours aussi ébouriffés et ta bouche est trop grande. Sid dit que ça prendrait un mètre pour la mesurer.

Et Pat secoua de ses pieds la poussière de la meule de foin et s'en fut, indignée.

— Peut-être changera-t-elle d'avis, dit McGinty.

— Il le faudra, dit Jingle.

La journée continua pleine de hauts et de bas pour Pat. Son premier contact avec Norma fut plutôt glacial. Norma regardait tout autour de la maison, rejetant en arrière ses fameuses boucles auburn, le nez retroussé et les yeux pers pleins de mépris.

— Alors c'est ça Silver Bush, dit-elle. C'est terriblement vieillot.

Une fois de plus, Pat rougit de colère.

— Les volets donnent de la personnalité à une maison, dit-elle.

— Oh, je ne parlais pas des volets. Nous en avons nous aussi... et bien plus verts que les vôtres. Mais tu devrais voir notre maison. Vous n'avez pas de véranda... même pas de garage.

— Non, mais nous avons un cimetière, dit Pat triomphante.

Norma se sentit un peu humiliée. Elle ne pouvait rien contre le cimetière.

— Et vous n'avez pas une Chambre du Poète, ou une fenêtre ronde, poursuivit Pat, de plus en plus agressive. La fenêtre donna une idée à Norma.

– Vous n'avez même pas une baie vitrée, affirma-t-elle. Nous en avons trois : deux dans le salon et une dans la salle à manger. Une maison sans baie vitrée, c'est plutôt drôle.

Entendre qualifier Silver Bush de drôle ! Pat ne put tout simplement pas le supporter. Elle gifla le visage rose et blanc de Norma... une gifle violente.

Alors il y eut ce que Judy appelle un boucan. Norma se mit à crier et éclata en sanglots. Maman fut horrifiée... papa, choqué... ou du moins fit semblant de l'être. Judy arriva à toute vitesse et repoussa Pat, récalcitrante, jusqu'à la cuisine.

– C'est un beau spectacle que tu donnes !

– Ça ne me fait rien... absolument rien... Je ne la laisserai pas rire de Silver Bush, sanglota Pat. Je suis contente de l'avoir giflée. Tu peux me gronder tant que tu en as envie. Je suis contente.

– Quel caractère ! s'offusqua Judy. Puis elle monta à sa chambre, s'assit sur son coffre bleu et rit aux larmes.

– Oh, oh, un beau savon pour ma chère p'tite Norma, pour une fois, avec ses grands airs et toutes ses gracieusetés et ses vantardises sur la maison où son père a été élevé.

Pat ne fut pas autorisée à dîner dans la salle à manger. Pour sa punition, elle dut manger à la cuisine. Être punie pour avoir défendu Silver Bush ! C'en était trop.

– Je préfère manger ici avec toi, Judy, n'importe quand, dit-elle en sanglotant. Mais j'ai été blessée.

Ce fut un mal pour un bien. Tante Helen était tellement scandalisée par le comportement de Pat, qu'il ne fut pas question de l'inviter à Summerside. Winnie partit avec elle. Pat fit la paix avec la famille... personne n'aimait vraiment Norma, cette enfant gâtée... et, en compagnie de Sid et de Judy, ils mangèrent les restes de la dinde sacrifiée avant d'aller dormir pendant que Judy leur racontait tout sur la grand-mère maternelle de Norma.

– Oh, oh, une vraie bête curieuse qui disait plein de folies. Son pauvre mari a pris beaucoup de temps pour mourir et elle lui reprochait chaque respiration. « S'il vit trop longtemps, j'me trouverai jamais un autre homme », qu'a m'a dit plusieurs fois. Et l'en a pas trouvé. Le mari s'est accroché à la vie jusqu'à temps qu'il soit trop tard pour elle et c'est pas moi Judy Plum qu'a été triste pour elle, c'est moi qui vous l'dis.

14

L'ombre de la peur

IMMÉDIATEMENT APRÈS le départ de Winnie, l'hiver s'abattit en une seule journée. La fenêtre ronde de Pat était recouverte d'une épaisse fourrure de neige ; le Sentier qui Murmure était encombré d'immenses amoncellements de neige à travers lesquels papa et oncle Tom durent tracer un fascinant chemin étroit jusqu'à la barrière. Les amas de pierres dans le vieux verger s'étaient transformés en pyramides de marbre. La Colline de la Brume brillait d'une lueur argentée. Le champ au pied de la colline n'était plus qu'une immense feuille blanche éblouissante. Même le champ rocailleux était beau. Pat se dit que le Champ secret devait être magnifique avec la Reine des Bois et la Princesse des Fougères qui montaient la garde.

Le cimetière était rempli de neige qui atteignait presque la hauteur de la palissade.

— Sûr et même Dick l'Aventurier trouverait ça difficile de sortir de là, dit Judy, préoccupée par le confort de toutes ses petites créatures transies de froid... les chats et les chiens, les poules et les enfants.

Pat aimait bien les grosses tempêtes. Elle aimait particulièrement s'emmitoufler sous les couvertures chaudes et douces, défiant la nuit sombre et menaçante qui soufflait

143

à l'extérieur de sa chambre douillette, tout en serrant contre elle sa bouillotte d'eau chaude. Quelle chose merveilleuse qu'une bouillotte d'eau chaude. On pouvait y planter ses orteils ; et quand les pieds étaient aussi chauds que possible, on pouvait la tenir serrée dans ses bras ; et finalement la glisser contre la partie froide dans son dos. Et la première chose qu'on découvrait c'est que c'était le matin, que le soleil brillait à travers la poudrerie... et que la bouillotte rappelait désagréablement un rat mort et moite derrière son dos.

C'était aussi agréable d'avoir une chambre tout à soi : malgré tout, elle s'ennuyait beaucoup de Winnie... le rire bleu de ses yeux... la musique argentée de sa voix.

— Deux semaines encore et Winnie sera de retour à la maison, dit-elle en comptant les jours triomphalement.

C'est à l'école qu'elle apprit la nouvelle. Et évidemment, ce fut May Binnie qui la lui annonça.

— Alors ta tante Helen va adopter Winnie.

Pat la dévisagea.

— Non, ce n'est pas vrai.

May gloussa.

— Curieux que tu ne le saches pas. Bien sûr qu'elle va le faire. Maman dit que c'est une très bonne chose pour Winnie. Et ça aurait pu être toi si tu n'avais pas giflé Norma.

Pat continua à dévisager May. Quelque chose venait de s'abattre sur elle comme la lumière froide et grise qui envahissait le ciel juste avant une bourrasque de neige en novembre. Elle était trop paralysée pour être vexée par le fait que Sid avait probablement raconté l'incident de la gifle à May. Il n'y avait de place dans son esprit que pour cette seule pensée atroce. C'était l'heure de la récréation de l'après-midi, mais Pat courut vers le porche, attrapa son manteau et son chapeau et se lança en direction de la maison, trébuchant sans arrêt sur le chemin rempli d'ornières et balayé par le vent. Oh, retrouver maman à la maison... elle avait besoin de maman, pas de Judy. Judy savait consoler les petits chagrins mais seule maman... pour lui dire que cette chose affreuse n'était pas vraie... que personne n'avait jamais pu imaginer une chose aussi grave que Winnie allant vivre chez tante Helen.

— Oh, oh, et qu'est-ce qui t'amène à la maison si tôt ? lança Judy quand elle vit Pat à moitié gelée entrer en titubant dans la cuisine. T'as pas pu marcher jusqu'ici sur ces routes... et ton oncle Tom qui s'en allait t'chercher avec son nouveau traîneau.

— Où est maman ? demanda Pat en cherchant sa respiration.

— Ta mère que tu cherches ? Pas d'chance, ta mère est partie avec ton père à Bay Shore. L'ont téléphoné pour dire que ta tante Frances était prise de pneumonie. Voulez-vous bien me dire ce qui se passe avec c't'enfant ?

Mais, pour la première fois de sa vie, Pat n'avait rien à dire à Judy. La question qu'elle devait poser n'était pas pour Judy. Judy, un peu vexée, la laissa seule et Pat arpenta la maison comme un fantôme agité. Comme la maison était vide ! Absolument personne... ni maman, ni papa, ni Cuddles. Ni Winnie ! Peut-être Winnie ne reviendrait-elle jamais et que plus jamais on n'entendrait son rire à Silver Bush.

« Il a dû se passer quelque chose à l'école, pensa Judy, mal à l'aise. J'espère qu'elle n'a pas eu de problème avec l'institutrice. J'ai jamais compris pourquoi les commissaires avaient engagé la fille du vieux Arthur Saint, avec ses cheveux rouges comme d'la brique. »

Pat fut incapable de manger. Il était temps d'aller dormir et papa et maman n'étaient toujours pas rentrés. Pat pleura tellement qu'elle s'endormit. Mais elle s'éveilla durant la nuit... s'assit dans son lit... et se rappela la chose horrible. Tout était calme. Le vent était tombé et Silver Bush craquait dans le froid. À travers sa fenêtre, elle pouvait voir la lueur faible des étoiles au-dessus des sapins qui s'élevaient le long de la digue entre les pâturages de Silver Bush et de Swallowfield. Pat découvrit alors que les choses paraissaient toujours pires dans le noir. Elle était certaine qu'elle ne pourrait pas vivre une minute de plus sans connaître la vérité.

Résolument, elle se leva et alluma une chandelle. Résolument, le petit visage blanc longea le corridor silencieux, devant la chambre de Joe et la Chambre du Poète, jusqu'à la chambre de papa et maman. Oui, ils étaient bien à la maison, ils dormaient profondément. L'adorable Cuddles qui sentait si bon, était recroquevillée dans son berceau, mais, pour la première fois, Pat ne s'arrêta pas pour l'admirer.

Long Alec et sa femme épuisée, qui venaient tout juste de s'endormir après un voyage glacial sur des chemins impraticables, s'éveillèrent en apercevant le petit visage désespéré penché au-dessus de leur tête.

— Ma fille, que se passe-t-il, tu es malade ?

— Oh, papa, ce n'est pas vrai que tante Helen va adopter Winnie ? Ce n'est pas vrai, dis-moi, papa ?

— Écoute-moi bien, Pat. Le ton de sa voix était dur. Tu es venue nous réveiller, ta mère et moi, rien que pour nous poser cette question ?

— Oh, papa, il fallait que je le sache.

Maman, compréhensive, posa une main fine sur le bras tremblant de Pat.

— Chérie, il n'est pas question qu'elle l'adopte... mais elle va peut-être la garder un certain temps et l'envoyer à l'école. Ce serait vraiment une très bonne chose pour Winnie.

— Tu veux dire... que Winnie ne reviendrait pas ici ?

— Il n'y a rien de décidé encore. Tante Helen n'a fait qu'une vague proposition. Mais bien sûr, Winnie viendrait à la maison souvent.

La semaine suivante, remplie de jours sombres et désespérants, fut la plus longue que Pat ait vécue. Elle n'arrivait pas à avaler quoi que ce soit et la seule vue de la chaise vide de Winnie pendant les repas provoquait chez elle un flot de larmes. Sa famille avait de la difficulté à excuser un comportement qu'elle jugeait déraisonnable.

– Faut la faire rire un peu, plaidait Judy. Elle est tellement épuisée et désespérée c'te p'tite, qu'a sait plus par quel bout commencer. Un oiseau pourrait pas vivre avec c'qu'elle mange.

– Tu la gâtes, Judy, dit Long Alec sévèrement. Il ne pouvait plus tolérer ces larmes.

– Ça fait toujours du bien de s'faire gâter une fois de temps en temps, répondit Judy loyalement. Mais elle tenta de convaincre Pat d'adopter une attitude plus raisonnable.

– Tu veux pas que Winnie reçoive une bonne éducation ?

– Elle pourrait recevoir son éducation à la maison, sanglota Pat.

– Une bien p'tite éducation. Oh, oh, faut qu'tu saches que les Gardiner, c'est pas comme les Binnie. « Pas d'éducation pour Suzanne », qu'elle m'a dit Mme Binnie. D'la minute qu'elle aurait fini avec Queen, elle se marierait et l'argent aurait été gaspillé. Non, non, mon bijou, les Gardiner c'est une autre race de monde. Elle a treize ans Winnie. Sûr, et bientôt elle va vouloir préparer son entrée au collège et dis-moi comment c'est que la fille du vieux Arthur Saint va pouvoir l'aider pour ça. J'te l'demande. T'arriveras jamais à me convaincre qu'elle connaît le latin pis le français.

– L'anglais suffit pour n'importe qui, protesta Pat.

– Tu découvriras que c'est pas assez pour Queen, ma p'tite, répliqua Judy. Winnie pourrait aller aux écoles de Summerside et ta tante Helen pourrait l'aider bien plus que ton pauvre père avec sa p'tite ferme et vos cinq bouches qui mangent tout. Allez mon bijou, arrête de te tourmenter et viens avec moi couper un peu de tissu pendant que j'fais du crochet.

Puis son père reçut une lettre de tante Helen. Pat, les mains cachées derrière le dos pour qu'on ne voie pas qu'elles tremblaient, resta, muette, pendant que, délibéré-

147

ment, Long Alec essayait deux paires de lunettes, examinait le timbre, remarquait que Helen avait une belle écriture, cherchait un couteau pour ouvrir l'enveloppe... et finalement sortait la lettre. Dehors, dans la cour, quelqu'un riait. Comment pouvait-on oser rire en un moment pareil ?

— Helen écrit que Brian ramène Winnie à la maison, samedi, annonça-t-il calmement. Alors j'imagine qu'elle a abandonné l'idée de la garder. Cela ne me surprend pas. Il n'y a rien d'autre à dire.

— Oh, je dois être en train de voler, pensa Pat en se précipitant pour annoncer la nouvelle à Judy. Celle-ci exprima sa satisfaction.

— Aussi bien comme ça, que j'me dis. Helen a toujours été un peu excentrique. Et j'pense pas que c'est sage de briser une famille plus tôt que nécessaire.

— N'est-ce pas qu'une famille c'est une des plus belles choses de la terre ? s'exclama Pat. Et regarde Gentleman Tom. Il est si mignon assis comme ça.

— Oh, oh, t'es bien différente de c'matin, mon p'tit bijou. Tout est beau ce soir, même d'la façon qu'le chat s'arrange sur ses gambettes, gloussa Judy qui se réjouissait de voir enfin sa p'tite chérie heureuse de nouveau.

Pat sortit en courant dans le crépuscule pour annoncer la nouvelle au bosquet argenté et aux érables dénudés. Avec des yeux amoureux, elle regarda la vieille maison au toit enneigé entourée de son rideau d'arbres, immobile dans ce soir d'hiver encore doux. Même en hiver, Silver Bush était adorable pour tous les espoirs qu'elle recelait.

Puis elle retourna précipitamment à l'intérieur et monta au grenier pour faire de la lumière à l'intention de Jingle. Au début de cette semaine horrible, Jingle l'avait réconfortée. Même Sid n'avait pas semblé très préoccupé par le retour de Winnie. Il souhaite qu'elle revienne, bien sûr, mais cela ne l'avait pas empêché de dormir. Quant à Jingle, il avait toujours assuré à Pat qu'elle reviendrait. Qui refuserait de revenir à Silver Bush si c'était possible, pensait-il ? Et maintenant il était là pour partager la joie de Pat. Ils remontèrent tous deux le Jordan dans la neige jusqu'au Bonheur qui était entièrement recouvert de neige, mais la Source hantée coulait encore joyeusement, perlée de diamants. Qu'il était magnifique, ce monde argenté. Qu'elles étaient magnifiques ces collines blanches de neige ! Ils rentrèrent à la maison un peu avant huit heures et Judy gronda.

– J'veux pas t'voir traîner avec Jingle si tu peux pas revenir à la maison te coucher à une heure raisonnable.

– C'est quoi une heure raisonnable pour aller au lit, Judy ? demanda Pat en riant. Chaque mot, ce soir, était un rire pour Pat. Et, oh, comme le repas était délicieux !

– Sûr et tu poses une question qu'a jamais eu de réponse, dit joyeusement Judy.

Ce fut enfin samedi avec beaucoup de neige et de vent de mars. Oh, il ne fallait pas qu'il y ait une tempête, le jour du retour de Winnie. Oncle Brian ne viendrait peut-être pas la reconduire s'il y avait une tempête. Mais, vers la fin de l'après-midi, le soleil fit son apparition sous les nuages de la tempête, créant un monde éblouissant et juste. Les pièces de Silver Bush resplendissaient d'une lumière dorée qui venait de l'ouest où le ciel se dégageait. Tous les jardins, toutes les cours et tous les vergers étaient tapissés des ombres exquises des arbres dénudés.

Puis ils arrivèrent enfin, sortant directement du cœur de cet étrange coucher de soleil d'hiver. Winnie était très heureuse que tante Helen ait décidé de ne pas la garder chez elle.

– Elle a dit que je riais trop et que ça l'énervait, raconta Winnie à Pat. Et puis j'ai mis du poivre sur les pommes de terre au lieu du sel, un jour où la bonne était absente... oh, par erreur bien sûr. Ça a été le point final. Elle a dit que j'avais tout pour faire une mauvaise maîtresse de maison.

– Silver Bush est heureuse de t'entendre rire, chuchota Pat en la serrant dans ses bras sauvagement.

La tempête se leva de nouveau pendant la nuit. Pat

149

s'éveilla et l'entendit... puis se rappela que tout allait bien et sombra de nouveau joyeusement dans le sommeil. Qu'est-ce que cela pouvait faire, maintenant, qu'il y ait une tempête ? Tous les gens qu'elle aimait étaient là, près d'elle, en sécurité, sous le même toit accueillant. Papa, maman et la petite Cuddles ; Joe et Sidney ; Judy dans son petit univers, avec le noir Gentleman Tom roulé à ses pieds ; Jeudi et Snicklefritz, derrière la cuisinière. Et Winnie était rentrée... rentrée pour rester !

15

L'incident Élizabeth

— JE SENS le printemps ! s'exclama un jour Pat, ravie, en humant l'air... un jour où elle découvrit les premières petites pousses duvetées de cumin sur les côtés du Sentier qui Murmure. Le même soir, les grenouilles se mirent à coasser dans le Champ de l'Étang. Elle et Jingle les entendirent quand ils revinrent du Bonheur à la pénombre.

— J'adore les grenouilles, dit Pat.

Jingle lui, n'était pas certain d'aimer les grenouilles. Leur musique était si triste, si argentée et si lointaine, qu'elle lui faisait toujours penser à sa mère.

Jamais, pensa Pat en revoyant sa longue vie de presque neuf ans, le printemps n'avait été aussi merveilleux. Jamais les grands prés ondulés autour de Silver Bush, n'avaient été aussi verts ; jamais les trilles joyeuses de la musique qui venaient de l'érable n'avaient été aussi douces ; jamais, elle n'avait connu de soirée aussi magnifique et pleine du parfum des lilas ; et jamais n'avait-elle vu quelque chose d'aussi beau que le jeune merisier du Bonheur ou que le petit prunier sauvage, de l'autre côté de la clôture du Champ secret. Un dimanche après-midi, elle et Sid allèrent visiter leur champ pour voir comment il avait survécu à l'hiver. Le printemps s'épanouissait dans ce champ avant de s'épanouir ailleurs. Les épinettes leur souhaitèrent une délicate bienvenue et le prunier sauvage devint un autre charmant secret à partager.

Tout est tellement propre au printemps, se dit Pat. Pas de mauvaises herbes, pas d'herbes folles ou de feuilles mortes. Et partout dans la maison l'odeur rafraîchissante des pièces nouvellement nettoyées. Car Judy et maman avaient passé des semaines à tapisser, gratter, laver, repasser et frotter. Pat et Winnie les aidaient le soir après l'école. C'était agréable de pouvoir faire rutiler Silver Bush.

— Sûr que j'sens la fièvre du printemps dans tous mes os, dit Judy un soir. Le lendemain, elle avait la grippe, une grippe qui affecta toute la famille... légèrement, à une exception. Pat fut terrassée... « comme si elle était obligée de tout attraper c'te pauvre p'tite chérie », pensait Judy... et elle mit longtemps avant de se rétablir. Tante Helen vint un jour sans prévenir et conclut que Pat avait besoin de changer d'air. En un clin d'œil, il fut décidé que Pat irait passer trois semaines à Elmwood.

Pat ne voulait pas y aller. Elle n'avait jamais dormi une nuit ailleurs qu'à Silver Bush et trois semaines de nuits semblaient une éternité. Mais personne ne prêta l'oreille à ses protestations et le matin tant redouté où son père devait la reconduire à Summerside arriva. Jingle était là et ils déjeunèrent ensemble, assis sur les marches de grès, avec le soleil qui se levait en rougissant au-dessus de la Colline de la Brume et les merisiers le long de la digue qui s'élançaient de toutes leurs branches fleuries de perle dans le ciel bleu...

Pat s'était résignée, gagnée par la perspective d'être le centre d'intérêt. Après tout, ce n'était pas si désagréable d'être importante. Sid était triste... ou envieux... et Jingle était indubitablement triste. Cuddles pleurait parce que, dans sa petite tête dorée, elle avait compris que quelque chose allait arriver à Pat. Et Judy lui rappelait de ne pas oublier d'écrire. Oublier ! Était-ce possible ?

— Et toi aussi tu dois m'écrire, Judy, dit Pat anxieuse.

– Oh, oh, c'est pas vraiment ma spécialité, d'écrire des lettres, dit Judy d'un air incertain. En vérité, Judy n'avait pas écrit une seule lettre depuis plus de vingt ans. J'pense bien qu'y faudra compter sur les autres pour les lettres, mais envoie-moi un p'tit mot de temps en temps, pour me raconter c'qu'y se passe.

Pat avait mis au lit ses trois poupées préférées dans la maison de poupée et elle réussit à convaincre Judy de la ranger dans son coffre bleu. Elle fit des adieux pleins de larmes à chaque pièce de la maison, à chaque arbre à portée de voix, ainsi qu'à sa propre image dans l'eau du puits. Elle prit dans ses bras Snicklefritz, McGinty et Jeudi en pleurant avec chacun d'eux. Puis vint le moment terrible de faire ses adieux à tout le monde. La dernière image que Judy conserva de Pat, fut celle d'un petit visage tragique regardant derrière la vitre arrière d'une automobile.

– Sûr que c't'endroit va être vide jusqu'à temps qu'elle revienne, soupira Judy.

À peine arrivée à Elmwood, Pat écrivit à sa mère une lettre déchirante, la priant de la faire revenir à la maison. La première nuit passée à Elmwood fut plutôt épouvantable. Le grand lit à baldaquin assez démodé, entouré d'un filet jaunâtre, était si immense qu'elle s'y sentait perdue. Pendant ce temps, à la maison, Judy et maman se tenaient à la porte de la cuisine appelant tout le monde resté à l'extérieur dans la pénombre. O... o... h ! À cette pensée, Pat laissa échapper un cri sourd d'angoisse. Mais...

– Ce n'est qu'une toute petite visite. Je serai bientôt de retour à la maison... dans seulement vingt et un jours, se dit-elle bravement.

La lettre suivante adressée à Judy était plus joyeuse. Pat avait découvert que ce genre de séjour avait des côtés agréables. La maison d'oncle Brian était tout près et tante Helen, dans sa propre maison, était étonnamment gentille et généreuse. C'était très excitant de se rendre tous les jours au centre-ville et de voir toutes ces choses merveilleuses dans les vitrines. Parfois, Norma et Amy l'amenaient le samedi soir, quand toutes les vitrines étaient illuminées et ressemblaient au royaume des fées, spécialement la vitrine du pharmacien, avec toutes ces belles bouteilles bleues, rubis et pourpres.

« La maison de tante Helen est très bien, écrivit Pat qui commençait à découvrir qu'elle aimait écrire des lettres. Elle est bien plus jolie que la maison de Bay Shore. Et celle d'oncle Brian est encore mieux. Mais je ne le dirai pas à Norma parce qu'elle a toujours tellement vanté cette maison. Elle m'a dit : « N'est-ce pas que c'est beaucoup plus élégant que Silver Bush ? » Et j'ai répondu : « Oui, beaucoup plus élégant, mais pas à moitié aussi charmant. »

« J'aime bien oncle Brian maintenant. Il me serre la main exactement comme si j'étais une grande personne. Norma est toujours aussi pincée, mais Amy est gentille. Tante Helen a un chien en plâtre de Paris sur la cheminée dans la salle à manger qui ressemble à Sam Binnie. Tante Helen dit que tous les pommiers d'Amasa Taylor sont morts à cause des souris l'hiver dernier. Oh, Judy j'espère que nos pommiers ne seront jamais rongés par des souris. Dis à papa de ne pas donner de nom au veau rouge avant que je revienne. Ce ne sera pas long... quatorze jours encore. N'oublie pas de donner son lait à Jeudi chaque soir, Judy, et s'il te plaît, ajoute un peu de crème. Est-ce que les colombines et les cœurs-saignants sont déjà sortis ? J'espère que Cuddles ne grandira pas trop avant que je revienne.

« Tante Helen m'a offert une robe neuve. Elle dit que c'est une robe comme-il-faut. Je n'aime pas vraiment les robes comme-il-faut. Et puis, il n'y a pas de raisins le dimanche, ici.

« Tante Helen est une parfaite ménagère. Les voisins disent qu'on pourrait manger du gruau sur son plancher mais elle ne met jamais assez de sel, alors je ne l'aime pas, peu importe l'endroit où on le mange.

« Oncle Brian dit que Jim Hartley va mal finir. Jim, c'est

le voisin d'à côté et c'est excitant de le regarder et de se demander comment il finira. Crois-tu qu'il pourrait être pendu, Judy ?

« Tante Helen me permet de boire du thé. Elle dit que la façon dont on élève les enfants aujourd'hui en leur interdisant de boire du thé est ridicule.

« Le vieux cousin George Gardiner m'a dit que je ne ressemblais pas beaucoup à maman. Il a dit que maman était une beauté quand elle était jeune. J'ai eu l'impression de le décevoir. Il trouve que Norma et Amy sont très jolies. Ça ne me dérange pas qu'il vante leurs qualités tant qu'il veut, mais je ne peux supporter d'entendre parler des mérites de la maison. Des baies vitrées, c'est horrible.

« Oh, Judy, j'espère que rien ne changera à Silver Bush pendant mon absence.

« C'est terriblement excitant de recevoir des lettres de la maison... *Mlle Patricia Gardiner, Elmwood, Summerside.* »

C'est Jingle qui lui écrivait les plus belles lettres parce qu'il lui racontait des choses auxquelles personne ne songeait... comment les gens de Silver Bush étaient envahis par les écureuils dans le grenier, ce qui mettait Judy dans tous ses états... que le laurier avait fleuri au Bonheur... lequel des pommiers avaient le plus de fleurs... comment Joe avait coupé les moustaches de Gentleman Tom et que Judy avait dit qu'elles repousseraient parfaitement... combien de chatons avait eus la chatte de la grange... et, le plus merveilleux de tout, comment la ferme avec la Longue Maison solitaire avait été vendue à un homme étrange qui allait bientôt y vivre. Cette nouvelle excitait Pat, mais elle trouvait insupportable d'être absente pendant que tout cela arrivait.

— Encore dix jours, dit Pat en regardant le calendrier. Encore dix jours et je serai à la maison.

Judy ne lui écrivit pas, mais lui faisait parvenir des messages dans chacune des lettres écrites par les autres. « Dislui que la maison s'ennuie beaucoup d'elle », fut le message préféré de Pat, « et que ton beau prétendant élancé res-

155

semble à quelqu'un qu'on a appelé, mais qu'a pas pu y aller », fut celui qu'elle aima le moins.

Pat trouva très assommant le thé que tante Helen offrit un après-midi pour une amie de passage. Norma et Amy étaient trop occupées à leurs propres activités pour s'en soucier et sa tête bourdonnait dans cette foule, avec toutes ces lumières et ces conversations. Cela lui rappelait les oies d'oncle Tom quand elles se mettaient toutes à caqueter en même temps, pensa-t-elle méchamment. Elle se faufila à l'étage, espérant trouver un coin tranquille où elle pourrait s'asseoir et rêver à Silver Bush et elle le trouva dans la petite pièce douillette d'oncle Brian, au bout du corridor. Mais quand elle tira le rideau pour s'installer sur le rebord de la fenêtre, l'endroit était déjà pris. Une petite fille qui avait environ son âge était recroquevillée dans un coin. Une fille qui venait de pleurer et qui la regardait maintenant avec des yeux implorants et défiants à la fois... des yeux magnifiques... des yeux gris, immenses et rêveurs... les plus jolis yeux qu'il lui ait été donné de voir, avec de longs cils foncés qui battaient doucement au rythme des battements de paupières. Et dans ces yeux, il y avait autre chose que la beauté. Pat ne pouvait dire ce que c'était, mais cela lui donna le sentiment étrange qu'elle avait toujours connu cette petite fille. Et peut-être l'étrangère eut-elle la même impression en regardant Pat dans les yeux. Ou peut-être était-ce le sourire de Pat... « le sourire de la petite Pat Gardiner » était, à l'insu de Pat, une expression consacrée du clan. Elle rejeta soudain en arrière son épaisse chevelure bouclée, ramena ses pieds sous elle et désigna le coin opposé du rebord avec un sourire de bienvenue sur ce petit visage qui ressemblait à une fleur. Elles étaient devenues de bonnes amies avant même de s'être adressé la parole.

Pat sauta et s'installa confortablement. Le lourd rideau de velours bleu se referma derrière elles, les isolant de l'univers. Dehors, les branches d'un pin faisaient un écran devant la fenêtre. Elles étaient seules toutes les deux. Elles se regardèrent et sourirent à nouveau.

— Je m'appelle Patricia Gardiner de Silver Bush, dit Pat.

— Et moi, Elizabeth Wilcox... mais tout le monde m'appelle Bets, dit la jeune fille.

— Mais c'est le nom de l'homme qui a acheté la ferme de la Longue Maison solitaire à North Glen ! s'exclama Pat.

Bets approuva.

— Oui, c'est papa. Et c'est pour cela que je pleurais. Je... ne veux pas aller là-bas... si loin de tout le monde.

— Ce n'est pas très loin de chez moi, dit Pat avec empressement.

Cela sembla réconforter Bets.

— Ah oui... vraiment ?

— À une promenade de chat comme dit Judy. À une colline de Silver Bush. Et c'est une très jolie vieille maison. Je l'aime tellement. J'ai toujours rêvé d'y voir de la lumière. Oh, je suis heureuse que tu t'installes là, Bets.

Bets fit disparaître d'un battement de paupières les dernières larmes qui perlaient à ses yeux et pensa qu'elle pourrait être heureuse, elle aussi. Elles restèrent assises et bavardèrent jusqu'à ce qu'elles entendent à travers la maison les cris qui les appelaient et que Bets soit emmenée par la tante qui l'avait traînée à cette fête. Mais Pat et Bets savaient déjà tout ce qu'il fallait savoir de leur passé respectif.

« Oh, Judy, écrivit Pat ce soir-là, j'ai rencontré la meilleure des amies. Elle s'appelle Bets Wilcox et elle va vivre dans la Longue Maison solitaire dont les fenêtres seront bientôt éclairées. Son nom au complet est Elizabeth Gertrude et elle est tellement jolie, bien plus jolie que Norma, et nous nous sommes promis d'être fidèles jusqu'à ce que la mort nous sépare. Penses-y un instant, Judy, hier encore, je ne savais pas qu'une telle personne existait dans le monde. Tante Helen dit qu'elle est très fragile et que c'est pour cette raison que son père a vendu sa ferme qui était située plus bas près des marécages, et il croit que le climat de la Longue Maison sera plus sain.

« Avant de rencontrer Bets, je ne savais pas que je pouvais autant aimer quelqu'un qui n'est pas de la famille. C'est Norma qui nous a trouvées sur le rebord de la fenêtre et elle était probablement jalouse parce qu'elle a levé le nez et elle a dit : Des oiseaux du même nid, je suppose. Et quand j'ai répondu oui, elle a dit à Bets : « Tu ne dois pas l'enlever à Hilary Gordon. C'est son amoureuse, tu sais. » Et j'ai répondu... avec beaucoup de dignité, Judy... « Je ne suis pas la petite amie de Hilary Gordon. Nous sommes seulement de très bons amis. » J'ai tout raconté à Bets à propos de Jingle et elle a dit que nous devrions essayer de lui rendre la vie plus agréable et qu'elle trouvait ridicule d'appeler un garçon un prétendant alors qu'il n'était qu'un ami ; elle a ajouté que nous ne pouvions même pas songer à avoir un prétendant avant au moins sept ans. Je lui ai répondu que je n'y songerais jamais, mais Bets a dit que ça pouvait être agréable quand nous serions plus vieilles.

« Mais, oh, Judy, je ne t'ai pas raconté la chose la plus étrange. Bets et moi sommes nées le même jour. Cela fait que nous sommes un peu jumelles, n'est-ce pas ? Et toutes les deux nous aimons la poésie passionnément. Bets m'a raconté que M. George Palmer, qui vit dans la ferme à côté de la leur, a découvert que son fils écrivait des poèmes et il l'a fouetté à cause de cela. Bets va me prêter une histoire de fées qui s'appelle *Le ragoût de miel de la comtesse Bertha*... Elle dit qu'il y a un charmant fantôme dans cette histoire.

« Oh, Judy, après-demain, je serai à la maison. Cela semble trop beau pour être vrai. »

— Le meilleur moment d'un séjour loin de chez soi, c'est le retour à la maison, dit Pat.

Oncle Brian la ramena un soir à Silver Bush. Pour oncle Brian, cela signifiait une balade agréable d'une demi-heure après une journée épuisante au bureau. Pour Pat, cela représentait un extraordinaire retour d'exil. Il faisait noir et elle ne pouvait voir que les lumières des maisons de ferme de North Glen, mais elle les connaissait toutes. La lumière de M. French et celle des Floyd, la lumière de Jimmy Cards et celles de Silverbridge au loin, à droite ; la lumière des Robinson... les Robinson avaient été absents pendant des mois, mais ils devaient être de retour, maintenant. Quel plaisir de revoir enfin leur lumière ! Les routes sombres étaient étranges... mais c'était leur propre étrangeté... une étrangeté qu'elle connaissait. Et tout à coup, elle vit le chemin de la maison... n'était-ce pas le sifflotement de Joe qu'on entendait ?... et les vieux arbres familiers qui la saluaient... et la maison avec toutes ses fenêtres éclairées pour lui souhaiter la bienvenue... Gentleman Tom, assis sur le seuil et toute la famille qui sortait et courait à sa rencontre... à l'exception de papa qui avait dû se rendre à une assemblée politique à Silverbridge. Et Cuddles qui, à deux ans, n'avait pas encore prononcé un mot, ce qui inquiétait secrètement tout le monde, cria clairement et distinctement : « Pat. » Jingle et McGinty aussi étaient là et un merveilleux repas l'attendait dans la cuisine : des petits pains brun doré et croustillants et de la truite de ruisseau frite que Jingle avait pêchée pour elle dans le Jordan.

Judy portait une nouvelle robe de toile et arborait le plus grand des sourires. Rien n'avait changé. Pat avait craint secrètement qu'on ait déplacé des meubles... que les chatons de la photo aient grandi ou que le roi William et ses chevaux blancs aient traversé la Boyne. C'était magnifique de voir la lune se lever au-dessus des champs. Elle était heureuse d'entendre les chiens de North Glen japper de ferme en ferme.

— Est-ce que Joe a vraiment coupé les moustaches de Gentleman Tom, Judy ?

— Sûr que c'est ce qu'il a fait, le sacripant. Ç'a donné la bête la plus drôle que t'as jamais vue... mais elles repoussent bien.

— Il va falloir que je réapprivoise tout de nouveau, dit Pat joyeusement. Est-ce que papa sera de retour à la maison avant que je me couche, Judy ?

— C'est peu probable, répondit Judy... qui avait de bonnes raisons de souhaiter que Pat ait une bonne nuit de sommeil avant de revoir Long Alec.

Sa très chère chambre ; une petite chambre si agréable, si tranquille, si joyeuse. Et puis le plaisir de se lever le matin et de tout revoir dans la lumière du jour. Tout avait incroyablement poussé dans le jardin, mais il la reconnaissait... oh, comme il la reconnaissait. Elle volait littéralement et embrassait tous les arbres, même la méchante petite épinette, près de la barrière, qu'elle n'avait jamais vraiment aimée à cause de son air renfrogné. Elle envoya un baiser à Pat au fond du puits. La vie était trop belle.

Alors, elle vit son père qui arrivait de la grange !

Ils réussirent à la consoler après un moment bien que Judy ait craint pendant un certain temps qu'ils n'y arriveraient pas. Long Alec dut promettre qu'il ferait pousser sa moustache immédiatement pour qu'elle cesse de pleurer.

— Sûr, et j'te l'avais dit que ça serait un choc pour elle, reprocha Judy à Long Alec. Tu sais bien qu'elle ne supporte pas le changement et t'aurais dû attendre qu'elle ait eu tout l'plaisir du retour à la maison avant de les raser.

C'est une petite fille ayant perdu tout son entrain qui s'engagea sur le Sentier qui Murmure pour retrouver sa famille de Swallowfield. Un oncle et des tantes qui s'étaient bien ennuyés d'elle, l'accueillirent avec joie. C'était tout de même extraordinaire d'être de retour à la maison. Et, Dieu merci, oncle Tom, lui, n'avait pas rasé sa moustache.

16

Le sauvetage de Poivre

En fait, Long Alec ne laissa jamais repousser sa moustache. Lorsqu'il demanda gravement son avis à Pat sur le sujet, Pat, habituée à le voir sans moustache, décida qu'elle le préférait plutôt ainsi. De plus, comme elle l'avoua candidement à Judy, c'était beaucoup mieux pour les baisers. Elle eut un autre cri du cœur quand les célèbres boucles blondes de Winnie furent enfin coupées... et de plus, coupées à la garçonne. Mais là encore, quand Winnie eut arboré sa nouvelle coiffure pendant une semaine, elle eut l'impression qu'elle avait toujours été ainsi.

La désapprobation de Judy dura plus longtemps.

— En faire un p'tit garçon, se lamenta Judy en déposant tendrement les boucles sacrifiées dans sa boîte à souvenirs. Oh, oh, c'est pas moi qui va comprendre c'que veulent les filles d'aujourd'hui. Se transformer en garçon et sans beaucoup de succès, à part ça. Sûr et elles seront chauves comme des noix avant cinquante ans et ce sera bien tant pis pour elles.

Mais pour Pat, pire encore que la coiffure à la garçonne fut l'idée saugrenue que Winnie ramena un jour de l'école du dimanche : elle serait missionnaire quand elle serait

161

grande et s'en irait aux Indes. Pat fut tourmentée pendant des semaines, malgré l'attitude plus philosophique de Judy.

— Oh, oh, t'inquiète pas pour des problèmes si lointains, ma chère Patsy. Elle ne pourra pas partir avant au moins dix ans et y'a beaucoup d'eau qui va couler dans le Jordan d'ici ce temps-là. Alors, assis-toi et mange un peu de mon pain d'évêque et ne te préoccupe pas des idées romantiques de Winnie à propos d'la religion.

— Je suppose que c'est très vilain de ma part de ne pas vouloir qu'elle devienne missionnaire, soupira Pat. Mais les Indes, c'est tellement loin. Crois-tu que ce serait mal si je priais pour que Winnie change d'idée avant qu'elle ne devienne grande ?

— Oh, oh, j'embarquerais pas dans c'te genre de prières, dit Judy l'air très sage. Peux jamais savoir comment ça finira, ma chère Patsy. Dans ma vie, j'ai été témoin de beaucoup de réponses bizarres. Souhaite seulement que Winnie change d'idée elle-même. C't'un bon conseil pour n'importe qui.

Pat mangea son pain d'évêque, une recette que Judy avait rapportée d'Australie et dont elle avait seule le secret. Elle avait cependant promis à Pat de la lui laisser dans son testament.

Mais Pat avait un autre sujet de doléance.

— M. James Robinson a coupé la rangée d'épinettes le long de la clôture dans son pâturage à vaches. Je ne peux tout simplement pas le lui pardonner.

— L'entendez-vous. Sûr et n'est-ce pas qu'un homme a l'droit de faire c'qu'il veut avec c'qui lui appartient. Encore que tu prendrais jamais un Robinson en train de planter un arbre. Pas ceux-là. Plus facile de couper et de détruire.

— Ces arbres m'appartenaient bien plus qu'à lui, dit Pat avec entêtement. Il ne les aimait pas et moi, je les aimais. J'avais l'habitude de regarder le soleil rouge se lever derrière en me réveillant. Ils étaient si beaux et ils se découpaient si distinctement, comme des masses sombres, sur le lever du soleil. Et te souviens-tu, Judy, pendant le dégel argenté de l'hiver dernier, comment les épinettes ressemblaient à une rangée de vieilles dames drôles qui auraient été surprises sans parapluie par l'orage, marchant l'une derrière l'autre ?

Ce fut une journée mémorable pour Pat quand les Wilcox emménagèrent dans la ferme de la Longue Maison, et que, dans sa mémoire, elle voyait briller de la lumière aux fenêtres pour la première fois. Et quel plaisir elle éprouva à cette camaraderie en aidant Bets à s'installer. M. et Mme Wilcox étaient des gens tranquilles qui adoraient Bets et qui obéissaient à tous ses désirs. Cela aurait sans doute gâté d'autres enfants qu'elle, mais Bets était trop douce, trop naturellement saine pour être facilement gâtée. Elle put choisir le papier peint pour les murs de sa chambre et Pat l'accompagna à Silverbridge pour l'aider à faire son choix. Elles aimèrent le même toutes les deux... vert pâle avec des branches roses. Pat l'imaginait déjà sur les murs de cette longue chambre, remplie de l'ombre des sapins, que les parents avaient réservée à Bets.

— Oh, cette maison est si heureuse d'être enfin habitée, dit-elle, débordante de joie. Ce sera toujours la Longue Maison, mais elle ne sera jamais plus solitaire.

Judy était secrètement enchantée que Pat ait enfin une amie de son âge. Judy avait toujours été troublée par le fait qu'elle n'en avait pas. Winnie avait une bonne demi-douzaine d'amies, mais Pat, même si elle s'entendait bien avec les filles de l'école, n'avait jamais été attirée sérieusement par aucune d'entre elles.

— Bets est la plus jolie fille de l'école, maintenant, dit-elle à Judy fièrement. May Binnie ne lui arrive pas à la cheville... et, oh, comme May la déteste ! Mais toutes les autres filles l'aiment. Je l'aime vraiment énormément, Judy.

— Faudrait pas que tu l'aimes trop, l'avertit Judy. Fais attention, ma chère Patsy.

— Comme s'il était possible de trop aimer quelqu'un, se moqua Pat. Mais Judy hocha la tête.

— Elle pourra jamais peigner ses cheveux gris, celle-là.

Sûr et son p'tit visage a une couleur qui vient pas de la terre, se dit Judy, en pensant au teint rose trop brillant de Bets et à cet air étrange qu'elle avait dans le regard, comme si elle possédait une source secrète de bonheur que personne d'autre ne connaissait. Peut-être le charme de Bets résidait-il dans ce regard. Parce qu'elle avait énormément de charme. Tout le monde le pensait, jeunes et vieux.

— Il y a des filles à l'école qui sont jalouses parce que Bets est mon amie, dit Pat à Judy. Elles ont tout fait pour nous séparer. Mais Bets et moi sommes toujours ensemble. En fait, c'est comme si on était jumelles, Judy. Et chaque jour, je découvre quelque chose de nouveau à son sujet. Parfois, on s'appelle l'une et l'autre Gertrude et Margaret. On a vraiment de la peine pour nos deuxièmes prénoms, parce qu'ils sont jamais utilisés. Ils doivent en être très malheureux. Mais c'est un de nos secrets. J'aime les beaux secrets. May Binnie m'a dit un secret la semaine dernière, mais c'était un secret horrible. Oh, Judy, es-tu heureuse que les Wilcox soient venus habiter dans la Longue Maison ?

— Oui, que j'le suis. C't'un plaisir d'avoir des bons voisins. Et George Wilcox est un homme tranquille et parfaitement inoffensif. Mais son père, le vieux Geordie, y'était capable de faire peur aux serpents dans son temps. Quand il prenait une de ses célèbres colères, y'était capable de lancer le plat de pudding par la porte. Et entêté en plus de ça. Quand ils ont voté à l'église pour s'asseoir durant les prières, penses-tu qu'il l'aurait fait ? Jamais d'la vie. Debout, drette comme une baguette qu'il est resté, tournant le dos au ministre, les jambes écartées d'un bon mètre avec un regard de défi sur toute la congrégation. Oh, oh, y'est au ciel maintenant, le pauvre homme, et j'espère qu'il permet aux anges de s'conduire comme ils veulent.

— Tu te souviens de tellement de choses drôles à propos de tout le monde, dit Pat en riant.

— Si j'me souviens, qu'tu dis ? Sûr et c'est pas drôle c'qui m'vient à la mémoire à propos du cousin de Geordie, Matt

164

Wilcox. Lui, il était dérangé, comme s'il avait un ou deux rats au plafond. Il pensait qu'il était hanté par le diable.

— Hanté par le diable ? Pat était très excitée.

— C'est moi qui te l'dis. Mais personne s'est inquiété dans la famille jusqu'à c'qu'il commence à aimer qu'la créature parle. Il disait que sa conversation était très intéressante. Ils l'ont mené à l'asile, sans qu'ça l'dérange, parce que son diable est venu avec lui. Il a vécu là trois ans, parfaitement heureux et satisfait, si on le laissait assis tranquille pendant qu'il écoutait. Et un jour, ils l'ont trouvé qui pleurait à fendre l'âme. « Sûr, qu'il a dit, que mon diable est retourné chez lui et qu'est-ce que je vais faire maintenant pour me divertir un peu, j'le sais pas. » Ils l'ont ramené à la maison complètement guéri, mais il a raconté que pour le restant de ses jours, il a jamais pris de plaisir à la conversation des autres. Il a dit que ça manquait du goût de... oh, oh, d'un endroit que je mentionnerai pas devant toi, ma chère Patsy.

— Je suppose que tu veux parler de l'enfer, dit Pat calmement, ce qui horrifia Judy. J'en entends assez souvent parler. Celui qui travaille pour oncle Tom n'arrête pas de me dire d'y aller. Oncle Tom dit qu'il ne peut pas s'en empêcher.

— Oh, oh, c'est peut-être bien vrai. C'est le petit-fils du vieux Andy Taylor et le vieux Andy avait tout un don pour les blasphèmes. C'était le seul homme de South Glen qui blasphémait. Sûr, et personne d'autre que lui a eu le courage de le faire quand ils ont entendu c'que le vieux Andy pouvait faire. Blasphémait et riait toujours, c'te vieux polisson. « Tant que j'pourrai rire des choses, j'm'arrangerai sans l'Bon Dieu, qu'y disait. Et quand j'pourrai plus rire, j'me retournerai vers lui », qu'y disait encore. Quand son propre fils est mort, il a ri et il a dit : « Pauvre garçon, il s'est épargné bien des problèmes. » Quand sa femme est morte, il a dit : « V'là une erreur de corrigée. » Mais quand le vieux Soapy John, qu'il haïssait et avec qui il s'était querellé toute sa vie, est tombé de sa voiture et qu'il s'est brisé le cou, le vieux Andy a dit : « C'est trop drôle pour que j'puisse rire. Va falloir que j'aille à l'église pour prendre un peu de religion », qu'il dit. Après, il a jamais manqué un dimanche jusqu'au jour de sa mort.

Pat n'avait jamais connu d'été aussi agréable. C'était merveilleux d'avoir quelqu'un avec qui elle pouvait faire l'aller et le retour, de la maison à l'école. Sid était de plus en plus attiré par la camaraderie avec les autres garçons, même si Pat et lui passaient encore de magnifiques heures à vagabonder dans les champs, à chercher des œufs dans la grange ou à courir après les dindes qui s'étaient enfuies dans les fourrés.

Bets venait parfois à Silver Bush où Pat et elle avaient une petite maison dans les bouleaux. À l'occasion, Judy leur permettait de manger là. C'était tellement romantique et aventureux de manger dehors et de terminer le repas avec des groseilles rouge rubis sur une feuille de laitue. Ou alors elles restaient assises au clair de lune à la porte de la cuisine et écoutaient Judy raconter ses histoires de fées, de fantômes, d'ancêtres et de ces « gens gris » qui hantaient les vergers à l'aube ou au crépuscule. Pas étonnant que Pat soit invitée par la suite chez Bets à explorer la Longue Maison. Pat était tellement habituée aux histoires de Judy qu'elles ne provoquaient chez elle que de l'excitation. Bets réagissait de la même façon, mais si son père et sa mère avait connu l'étendue du répertoire de Judy, ils n'auraient peut-être pas regardé d'un si bon œil les visites de Bets à Silver Bush.

Elles aidèrent Judy à faire ses fromages... pour la dernière fois, parce qu'il avait été décidé que, dorénavant, tout le lait irait à l'usine et qu'on y achèterait le fromage.

— Oh, Judy, j'aimerais que les choses ne changent pas.

— Mais elles changent, Patsy chérie. C'est ça la vie. Et ton père a besoin de tout l'argent qu'il peut gagner avec son lait. Mais on n'aura plus jamais un vrai fromage qui sent bon à Silver Bush. Du fromage d'usine ! dit Judy d'un air rebelle en faisant une moue de mépris.

Pat se rendait parfois à la Longue Maison... en empruntant un sentier fascinant à travers les champs de la colline... un sentier sur lequel on se sentait toujours heureux, comme s'il avait été tracé par des fées. Chaque fois qu'elle y passait, elle trouvait une nouvelle chose à aimer... un coin de fougères ensoleillé, un tronc d'arbre couvert de mousse ou un arbrisseau. Il fallait passer par le Sentier qui Murmure, puis à travers l'extrémité du jardin d'oncle Tom et là se trouvait le sentier. Le premier signe de ce pays des merveilles était un massif d'épinettes devant lequel Pat s'arrêtait généralement pour ramasser une « gomme » de résine. Puis il y avait un ruisseau ; un tout petit filet de ruisseau qui se jetait dans le Jordan, avec une dame bouleau argenté suspendue au-dessus du pont de rondins. Puis en coupant à travers la prairie elle découvrait un champ de marguerites et un vieux pin qui semblait toujours attendre quelque chose, pensait Pat. Puis le sentier courait le long d'un muret de montagne où l'on pouvait cueillir des fraises à longue tige dans les lézardes et d'où l'on découvrait la mer, au-delà des terres basses et des bosquets. Bets venait parfois la retrouver là, ou encore, installée à une des fenêtres de la maison, elle faisait des signes de la main dès que Pat traversait les épinettes sur la colline. C'est à ce moment que Silver Bush et le monde qu'elle connaissait disparaissaient de sa vue et étaient remplacés par les champs parsemés de buissons de la ferme de la Longue Maison et les méandres scintillants de la rivière Silverbridge. Et c'était merveilleux de vivre.

La tragédie de cet été-là fut la mort de Jeudi. Pauvre Jeudi, qui manquait à l'appel depuis quelques jours et qu'on retrouva un matin allongé, raide et froid sur la margelle du puits, s'étant traîné jusqu'à la maison pour mourir.

– Judy, c'est terrible que les chats ne vivent pas aussi longtemps que nous, soupira Pat. On a tout juste le temps

167

de commencer à les aimer... et puis ils meurent. Judy, crois-tu que ça lui a fait très mal de mourir ?

Pat eut de la difficulté à l'accepter, mais Jeudi avait été absent pendant une bonne partie de l'été, parfois des semaines entières, et Poivre et Sel, deux petits chatons adorables, l'un gris cendre et l'autre gris et blanc avec une petite figure en forme de pensée, se firent une place dans le cœur de Pat pour la consoler. Ils organisèrent des funérailles émouvantes durant lesquelles Sid et Jingle tinrent les cordons du poêle et Sel et Poivre jouèrent le rôle du cortège funèbre avec de gros nœuds noirs attachés autour du cou. Pat et Bets confectionnèrent des couronnes avec des fleurs sauvages pour le chat mort. Pat voulait qu'on l'enterre au cimetière, entre Willy le Pleureur et Dick le Sauvage, parce qu'il semblait tellement faire partie de la famille. Mais Judy fut horrifiée par cette idée : alors ils enterrèrent Jeudi dans la petite clairière, au milieu des épinettes, là où les autres chats de Silver Bush dormaient du sommeil dont on ne revient jamais. Bets lui composa une brillante épitaphe en vers que Jingle grava sur une planche. Le souvenir des funérailles de Jeudi demeura toujours inscrit dans les annales de Silver Bush parce que Cuddles, après la cérémonie, s'assit involontairement sur un chardon écossais et seule Pat réussit à la consoler. Car Cuddles se tournait toujours vers Pat quand elle avait des problèmes.

– J'espère que j'ai au moins le droit de déposer des fleurs sur la tombe de Jeudi, dit Pat avec un air de défi. Elle trouvait difficile de pardonner à Judy d'avoir refusé qu'elle enterre Jeudi dans le cimetière.

Il y eut un moment terrible lorsque, à la fin d'une agréable et chaude journée de pluie, Poivre tomba dans le puits. Poivre avait le don de se mettre dans des situations embarrassantes. Le dimanche précédent, il avait grimpé sur le dos de Judy et s'était mis à danser sur ses épaules pendant que toute la famille était réunie pour la prière dans le petit salon. Sid s'était couvert de honte en pouffant de rire, ce qui avait provoqué la colère de papa.

Poivre manquait à l'appel un soir, quand Pat déposa sa soucoupe de lait sur la margelle du puits et lorsqu'elle l'appela, elle entendit vaguement de tristes petits cris perçants. Mais d'où venaient-ils ? Pat et Bets cherchèrent partout où pouvait possiblement se cacher un chat, mais pas de Poivre. Seulement ces cris misérables qui semblaient parfois venir du ciel, parfois du bosquet argenté, parfois du cimetière.

— Sûr que c'te créature est ensorcelée, s'exclama Judy. Y'est certainement pas loin, mais j'pourrais pas vous dire où.

C'est Bets qui trouva la clé du mystère.

— Il est dans le puits, cria-t-elle.

Pat courut jusqu'au puits avec un hurlement de désespoir. On ne voyait rien dans les sombres profondeurs, mais Poivre était bien au fond, quelque part, à n'en point douter. Pendant qu'elles étaient penchées au-dessus du puits, les miaulements redoublèrent.

— L'eau est aussi calme qu'une horloge, dit Judy. Où c'est qu'elle est cachée c'te bête ? Oh, oh, je la vois. Regardez-moi ces yeux qui brillent. Doit être tombé dans l'eau, mais mon brave p'tit Poivre a réussi à grimper sur c'te p'tite corniche entre les pierres et l'eau. Écoutez-le. Va se déchirer la gorge. Il peut bien crier, parce que j'vois pas comment on va pouvoir le sortir de là, avec ton père et les garçons qui sont partis à Bay Shore au moins jusqu'à minuit. Ça va faire une autre histoire de fous.

— Nous ne pouvons pas le laisser là toute la nuit, cria Pat à l'agonie. Elle fonça au grenier pour allumer le signal. Si seulement Jingle pouvait le voir ! Jingle avait passé presque toutes ses soirées à arracher de jeunes épinettes dans un grand champ que M. Gordon voulait nettoyer, mais il vit la lumière de Pat en rentrant à la maison et, quelques minutes plus tard, lui et McGinty étaient dans la cour de Silver Bush. Quand McGinty comprit la nature du problème, il s'assit et se mit à hurler désespérément pour répondre aux miaulements de Poivre. Cela faisait un triste duo.

– Oh, Jingle, peux-tu sauver Poivre ? implora Pat.

Jingle faisait, à vrai dire, un chevalier servant plutôt comique, avec ses pantalons fripés, ses lunettes foncées et ses cheveux ébouriffés, mais il vint rapidement et sérieusement à l'aide de la dame éplorée. À trois, avec l'aide de Judy, ils traînèrent une échelle de la grange et réussirent, Dieu sait comment, à la descendre dans le puits. Et Jingle descendit, pendant que Pat et Bets empêchaient McGinty de le suivre dans un saut suicidaire. Il y eut de terribles moments de suspense. Puis Jingle remonta, serrant fort contre lui un chaton triste et trempé jusqu'aux os qui exprima rapidement sa reconnaissance en mordillant férocement le poignet de son sauveur.

– Oh, oh, grogna Judy, j'me sens tomber comme si on venait de me tirer à travers un trou de serrure. Ç'a été une journée terrible, avec Cuddles qui s'est pris les p'tits doigts dans l'essoreuse et Snicklefritz qu'a mangé une des bottes de ton père et le hibou de Siddy qu'est parti Dieu sait où. Et maintenant, conclut-elle sur le ton du désespoir, va falloir aller chercher notre eau au Jordan jusqu'à c'qu'on nettoie bien le puits. Personne sait combien de lézards on va être obligés de boire dans c't'eau-là.

– Des lézards !

– C'est moi qui vous l'dis. C'est-y pas le grand-père du vieux M. Adams qu'a avalé un lézard un jour en buvant de l'eau du ruisseau ? Sûr qu'il n'a jamais plus été le même après ça... il l'entendait toujours se tortiller dans ses intérieurs quand son estomac était vide.

Pat se rappela avec dégoût qu'elle et Jingle avaient souvent bu de l'eau du Jordan... mais que c'était généralement l'eau qui coulait dans la cascade rocheuse, en haut, au Bonheur. Elle sentit aussitôt qu'il y avait quelque chose qui n'allait pas dans son estomac. Mais peut-être était-ce seulement parce qu'il était vide. Ils enfermèrent Poivre dans le grenier pour qu'il sèche et s'en furent manger une tourte à la viande dans la cuisine de Judy. Après tant d'émoi, ils avaient besoin de se nourrir un peu...

Mais, cette nuit-là, Pat fit un rêve horrible : elle avait avalé une grenouille !

Pat découvrit un nouveau plaisir... passer toute une nuit avec Bets. Il y eut une première fois en décembre quand Judy fut très heureuse de l'envoyer à la Longue Maison à son retour de l'école, parce que Long Alec tuait les cochons et que Pat devenait insupportable quand ils égorgeaient les cochons. Même si, comme le lui soulignait Judy avec sarcasme, cela ne l'empêchait pas de raffoler plus tard des saucisses et du jambon frit, produits des pauvres bêtes tant pleurées.

Pat se dirigea vers la Longue Maison sur une route argentée par une neige toute fraîche. Chaque fois qu'elle se retournait pour regarder la maison en bas, le monde était devenu un peu plus blanc. Bets, qui n'était pas allée à l'école ce jour-là, l'attendait sous le pin. Plus haut, la Longue Maison au milieu des sapins, faisait comme une île sombre dans une mer de neige.

Il y avait quelque chose dans cette longue maison à l'avant-toit très bas et aux fenêtres mansardées, qui enchantait Pat. La chambre de Bets était ravissante avec ses deux lucarnes dans un des murs et une à chaque extrémité de la pièce. C'était une chambre qui avait beaucoup de classe, avait dit Pat à Judy, avec un véritable « mobilier de chambre » et un grand miroir dans lequel les deux filles réjouies pouvaient se voir de la tête aux pieds. La fenêtre à l'ouest était couverte de vignes, dont les branches étaient dénudées en ce moment mais qui, l'été, formaient un rideau vert moucheté ; la fenêtre à l'est donnait sur un immense pommier. Pat et Bets s'installaient autour du petit poêle et mangeaient des pommes jusqu'à ce que l'une ou l'autre ait l'impression d'éclater. Alors elles se glissaient dans le lit et se mettaient en boule pour une de ces longues conversations qui, depuis des temps immémoriaux, ravissent le cœur des petites écolières.

— C'est tellement plus facile de se faire des confidences dans le noir, avait expliqué Pat à Judy. Alors, je peux tout dire à Bets.

— Oh, oh, je ne dirais jamais tout à quelqu'un, recommanda Judy. Pas tout, mon bijou.

— À personne d'autre qu'à Bets, approuva Pat. Bets est différente.

— Trop différente, soupira Judy. Mais elle fit en sorte que Pat ne l'entende pas.

D'être allongée là, avec le doux bruissement des sapins tout près, dehors, et parler « secrets » avec Bets — des secrets magnifiques, pas comme ceux de May Binnie — était délicieux. Bets avait récemment assisté à un mariage dans la famille Wilcox et Pat se fit tout raconter... la mystérieuse mariée vêtue de blanc perle, les jolies robes des demoiselles d'honneur, les fleurs, le festin.

— Penses-tu que nous allons nous marier un jour ? murmura Bets.

— Pas moi, dit Pat. Je ne pourrais jamais quitter Silver Bush.

— Mais tu ne voudrais pas rester vieille fille, n'est-ce pas ? dit Bets. Et puis, tu pourrais le convaincre de venir habiter avec toi à Silver Bush, tu ne penses pas ?

C'était là une nouvelle idée pour Pat. Et elle lui paraissait très intéressante. D'une certaine façon, quand on était avec Bets, tout semblait possible. Peut-être était-ce là une autre partie de son charme.

— Nous sommes nées le même jour, poursuivit Bets, alors si nous nous marions, nous tâcherons de nous marier le même jour.

— Et de mourir le même jour. Oh, ce serait tellement romantique, soupira Pat au comble de l'extase.

Pat s'éveilla dans la nuit avec un petit pincement au

172

cœur. Est-ce que tout allait bien à Silver Bush ? Elle se glissa hors du lit et marcha sur la pointe des pieds jusqu'à la lucarne la plus proche. Elle souffla sur la couche d'étoiles givrées, jusqu'à ce que se forme un espace découvert assez grand pour qu'elle puisse regarder à travers... puis elle reprit son souffle avec ravissement. La neige avait cessé de tomber et une grosse lune brillait au-dessus des collines froides et couvertes de neige. Les sapins enneigés semblaient couverts de fleurs nées du clair de lune et les pommiers se découpaient en filigrane argenté. D'énormes diamants scintillaient sur la pelouse. Silver Bush était magnifique dans le clair de lune d'une nuit d'hiver ! Est-ce que Cuddles chérie était bien au chaud sous ses couvertures ? Elle repoussait souvent ses couvertures. Est-ce que maman avait moins mal à la tête ? Plus loin, derrière Silver Bush, elle voyait la pauvre maison des Gordon, affreuse et misérable, que personne n'avait jamais aimée. Jingle devait dormir au-dessus de la cuisine, maintenant. Tout l'été, il avait dormi sur une meule de foin avec McGinty. Pauvre Jingle, à qui sa mère n'écrivait jamais ! Comment une mère pouvait-elle se comporter ainsi ? Pat trouva difficile de retourner se coucher et de perdre autant de beauté. Il lui semblait toujours honteux de dormir par une nuit de clair de lune. D'une certaine façon, les collines au loin étaient si différentes au clair de lune. Un poème, que Bets et elle avaient appris « par cœur » à l'école le même jour, lui revint à l'esprit :

> *Viens, car la nuit est froide,*
> *Et le clair de lune frileux emplit*
> *Les creux et les crevasses et les plis*
> *Des sinistres collines de l'Ardise*

Elle répéta le poème dans sa tête avec une étrange, profonde et exquise sensation de ravissement, comme elle n'en avait jamais éprouvé auparavant. Une sensation qui dépassait le corps et l'esprit pour atteindre une mystérieuse intériorité de l'être dont l'enfant qu'elle était n'avait encore jamais pris conscience. Ce moment fut peut-être pour Patricia « le réveil de l'âme » de la vieille image. Pendant toute sa vie, elle se souviendrait de ce moment comme d'un événement marquant... cette brève vigile argentée à la lucarne de la Longue Maison.

17

Judy met les choses au point

– AUSSI NUE que le jour de sa naissance, conclut tante Edith, qui n'ajouta pas un mot. Elle croyait... tout le monde croyait... que tout avait été dit.

Maman paraissait horrifiée et honteuse. Oncle Tom et Brian, horrifiés et amusés. Tante Jessie horrifiée et méprisante. Norma et Amy paraissaient horrifiées et suffisantes. Winnie, horrifiée et contrariée. Papa et Joe et Sid avaient tout simplement l'air horrifié.

Pat était debout devant ce tribunal familial, la main de tante Edith sur son épaule, faisant des efforts inutiles pour retenir ses larmes. Eh bien qu'elle pleure, pensait la famille ; mais elle ne pleurait pas de crainte ou de peur, comme le croyait la famille, mais de regret pour une chose absolument merveilleuse que tante Edith avait détruite... une chose qui ne pourrait jamais être remplacée. C'est pour cela que Pat pleurait ; elle ne réalisait pas encore l'énormité de ce qu'elle venait de faire.

Pat avait été bien seule pendant toute une semaine. Bets était partie en visite. Jingle et Sid étaient occupés à faire les foins et Judy, quelle chose impensable, était absente. Judy, de mémoire, n'avait jamais quitté Silver Bush. Les vacances n'existaient pas dans le calendrier de Judy.

175

– Sûr, et j'travaillerais pas si j'trouvais autre chose à faire, disait-elle, mais le problème, c'est que j'trouve jamais.

On avait des problèmes à Bay Shore. Cousin Danny s'était cassé la jambe et tante Frances était malade, alors Bay Shore emprunta Judy à Silver Bush pour faire face à la situation. Pat en fut complètement désespérée. Judy lui manquait à chaque instant. La maison n'avait jamais été aussi habitée par elle depuis qu'elle était partie, et même le plaisir de voir maman dans la cuisine la plupart du temps et de l'aider à s'occuper de la maison, ne compensait pas l'absence de Judy. De plus, Gentleman Tom était parti, lui aussi. Il avait disparu le jour du départ de Judy pour Bay Shore. La cour arrière et le jardin étaient des endroits déserts sans Gentleman Tom. Et que dirait Judy, à son retour, en découvrant que son chat n'était plus là ? Peut-être penserait-elle que Pat avait oublié de le nourrir.

Pat se consola en travaillant fébrilement dans le jardin, déterminée à faire plaisir à Judy lors de son retour. Soir après soir, Pat transportait des seaux d'eau. Elle aimait tirer l'eau du puits. C'était amusant de regarder le seau descendre dans l'ovale du ciel bleu qui encadrait le reflet de son visage au fond du puits, et, quand le seau frappait l'eau, de voir son visage se défaire complètement, comme si un miroir s'était brisé. Quand elle avait monté le dernier seau, Pat se penchait au-dessus de la margelle et regardait l'eau retrouver lentement son calme. Alors elle retrouvait l'image de Pat du Puits, frissonnante au début, puis plus claire et, enfin, à nouveau totalement claire et distincte, avec parfois un petit frémissement provoqué par une goutte d'eau tombant d'une fougère.

Pat aimait arroser le jardin, donner à boire à toutes ces assoiffées après une chaude journée. Elle commençait toujours par arroser les fleurs préférées de Judy : la rangée de violettes sous la fenêtre de la cuisine que Judy appelait ses « roses-de-mon-cœur »... un nom si charmant ! Puis, elle arrosait un massif de « trempettes-de-vin », mauves et blanches, près du poulailler et des « pennies » près de la barrière. Et après, toutes les autres... et finalement les roses, parce qu'elle aimait bien s'attarder devant ces fleurs, et particulièrement devant les roses blanches dont le cœur abritait un soupçon d'or, et le massif de pensées dans un coin qui ne semblait fleurir que pour elle.

Ce soir-là, Pat était très détendue. Il avait tellement plu la nuit précédente que le jardin n'avait pas besoin d'être arrosé et, à la brunante, il n'y avait rien à faire et personne à qui parler. Mais c'était un soir d'été exceptionnel, enchanteur et mystérieux ; Pat s'en donnait à cœur joie en courant, les cheveux au vent, à travers les bosquets argentés, sous un clair de la lune qui se levait à peine, jusqu'à ce qu'elle atteigne une petite clairière au sud, couverte de pâquerettes blanches faisant une tache au milieu des fougères comme une mare d'eau froide sous une lune froide.

Elle fit une pause pour s'imprégner de la beauté de la scène qui s'étalait devant ses yeux. De plus en plus, en cet été de ses dix ans, Pat découvrait qu'elle réagissait à la beauté du monde qui l'entourait. Cela devenait une véritable passion.

La lune s'élevait au-dessus de la Colline de la Brume... la lune que, lorsqu'elle était toute petite, Pat croyait enchantée et sur laquelle tout n'était que bonheur. Elle pouvait voir des petites taches d'ombre, çà et là, sur toute la ferme au milieu des champs dont on venait de faire les foins. Il y avait un grand champ de foin qui n'avait pas encore été touché ; il ondulait dans la lumière brumeuse sous des vagues de vent. Plus loin, un autre champ et des veaux au milieu des boutons d'or... les seules créatures vivantes à l'horizon si les ombres à l'orée du bosquet argenté étaient vraiment des ombres et non pas des petits lapins dansants.

Une soirée chaude et rêveuse... une nuit qui appartenait certainement aux fées. En ce moment, Pat croyait de tout son cœur. Elle sentit tout à coup, montant dans ses veines, un curieux sentiment d'ensorcellement. Elle se rappelait une histoire de Judy, l'histoire d'une princesse enchantée

177

qui devait danser nue au clair de lune tous les soirs dans une vallée boisée, et une soudaine envie de danser ainsi sous le clair de lune, s'empara d'elle. Pourquoi pas ? Il n'y avait personne. Ce serait magnifique... magnifique...

Pat enleva sa robe. Elle n'avait pas grand-chose à faire... elle avait déjà les jambes nues. Elle mit de côté sa robe de coton bleu pâle et deux petits sous-vêtements et resta debout ainsi parmi les ombres, petite nymphette impudente, prise d'un étrange frisson d'extase comme elle n'en avait jamais connu auparavant, pendant que les doigts pâles de la lune l'effleuraient à travers les arbres.

Elle avança au milieu des pâquerettes et esquissa la petite danse que Bets lui avait apprise. Une légère brise souffla à travers les allées de bouleaux brillants. Si elle levait les mains, le vent s'en emparerait-il ? Un parfum léger et délicieux émanait des fougères gorgées de rosée sur lesquelles elle dansait ; quelque part, très loin, des rires traversaient la nuit... un faible rire de fée qui semblait venir de la Source hantée. Elle se sentait aussi légère que si elle avait été faite de clair de lune. Oh, elle n'avait jamais connu un moment pareil ! Elle s'arrêta sur la pointe des pieds au milieu des pâquerettes et tendit les bras pour laisser la flamme blanche de cette chère et admirable lune, envelopper son corps d'enfant.

— Pat ! dit tante Edith avec quarante points d'exclamation dans la voix.

Pat revint sur terre dans un grand frisson. Son rêve exquis était terminé. L'horreur contenu dans la voix de tante Edith l'habillait d'un vêtement de honte. Elle ne trouva pas un seul mot à répondre.

— Habille-toi, dit tante Edith sur un ton glacial. Ce n'était pas de son ressort. C'était à Long Alec d'y voir. Maladroitement, Pat s'habilla et suivit tante Edith à travers le bosquet argenté jusqu'au petit salon où le reste du clan de Silver Bush recevait le clan des Brian qui était venu leur rendre visite. Évidemment, pensa Pat misérablement,

Norma et Amy qui ne se conduisaient jamais mal, seraient témoins de son humiliation.

— Comment as-tu osé faire une chose pareille ? demanda maman d'une voix pleine de reproches.

— Je... Je voulais me baigner sous le clair de lune, sanglota Pat. Je ne pensais pas mal faire. Je ne pensais pas qu'on me verrait.

— Je n'ai jamais entendu parler d'un enfant convenable qui veut se baigner sous le clair de lune, dit tante Jessie.

Et alors, oncle Tom se mit à rire aux éclats.

La punition de Pat, que la famille de Silver Bush trouva très clémente, considérant l'énormité de la faute, fut considérée par Pat comme le pire châtiment qu'on eût pu inventer. Elle fut « envoyée au couvent », ce qui signifiait que, pendant une semaine, elle ne devait adresser la parole à aucun des habitants de Silver Bush et que personne n'avait le droit de lui parler, à moins que ce ne soit absolument nécessaire.

Pat survécut... elle ne sut jamais comment... à trois jours de cette punition. Cela lui parut aussi long que l'éternité. Penser que Sid ne lui parlerait pas ! Pourtant Sid avait été le plus enragé de tous. Maman et papa étaient plutôt tristes pour elle, mais fermes. Quant à Winnie...

— Elle me regarde comme si j'étais une étrangère, pensait la pauvre Pat.

Il lui était interdit de jouer avec Jingle qui vint la retrouver le lendemain soir, ne soupçonnant rien. Jingle fut très indigné de la punition et Pat lui fit la tête à cause de cela.

— Ma famille a le droit de me corriger, lui dit-elle sur un ton hautain.

Mais elle pleurait tous les soirs jusqu'à en tomber d'épuisement. Le troisième soir, elle alla au lit tristement, après avoir embrassé toutes ses fleurs et ses deux chatons. En bas de l'escalier, la maison était pleine de lumières et de rires car oncle Tom et papa s'amusaient dans la cuisine, Winnie

179

répétait sa leçon de chant dans le petit salon, Joe et Sid jouaient à « je t'attrape » dans la salle à manger et Cuddles riait et gargouillait avec maman sur le seuil de la maison. Seule Pat n'avait pas le droit de partager ces plaisirs avec eux. Elle était un paria.

Pat se réveilla dans la pénombre... et sentit l'odeur du jambon frit ! Elle s'assit dans son lit. L'horloge du petit salon sonna minuit. Qui pouvait bien, à minuit, faire frire du jambon à Silver Bush ? Personne d'autre que Judy... Judy était certainement de retour !

Pat glissa hors du lit sans bruit, pour ne pas éveiller Winnie... Winnie qui ne lui demanderait même pas ce qu'elle faisait. Humant cette odeur délectable, elle descendit les marches dans la maison silencieuse. Elle espérait que Judy ne l'enverrait pas au couvent ; et elle se dit que son cœur cesserait de souffrir pendant un moment si elle pouvait sentir les bras de Judy autour d'elle.

Doucement, elle ouvrit la porte de la cuisine. Quelle vue magnifique ! Elle était là, cette bonne vieille Judy se préparant une petite collation de jambon, sa vieille ombre enjouée volant dans toutes les directions sur les murs et le plafond de la cuisine, suivant ses déplacements.

Et – quel miracle ! – il y avait aussi Gentleman Tom, assis, impénétrable sur le banc, qui la surveillait. Comme tout cela était paisible et familier !

La scène dans la cuisine avait été tout sauf paisible, deux heures auparavant, quand Judy était arrivée et qu'elle avait demandé si tout allait bien avec les enfants. Quand on lui expliqua la disgrâce de Pat et la raison de cette disgrâce, Judy, comme elle l'expliqua plus tard, sortit de ses gonds. Jamais avait-on entendu un tel « boucan » à Silver Bush. Et personne ne fut épargné.

– Supposons que quelqu'un l'ait vue, Judy, protesta maman.

– Oh, oh, mais personne ne l'a vue, n'est-ce pas ? répondit Judy avec mépris.

– Personne à l'exception de tante Edith...

180

– Oh, oh, tante Edith ? siffla Judy. Et c'est ma brillante Edith qui l'a ramenée et qui a révélé le pot aux roses devant Brian et sa très sainte femme que vous me dites ? Sûr que ça lui ressemble. C'est une pitié qu'on n'ait pas réussi à garder une p'tite chose comme ça dans la famille. Et punir, c'te p'tite créature si cruellement, avec son cœur si tendre ! Mon cher Long Alec, c'est rare que t'es pas intelligent. Quelques remontrances auraient fait l'affaire, mais continuer à torturer le pauvre bijou pendant toute une semaine, elle qui vous aime tant. J'te l'dis en face, Long Alec, tu mérites pas une fille comme elle.

– Bon, bon, dit Alec un peu abattu, je ne pense pas que ça lui ait fait beaucoup de mal. Nous allons oublier la punition pour le reste de la semaine.

– Je me demande ce qui a bien pu pousser cette enfant à faire une chose semblable, dit maman.

– Oh, oh, c'est l'sang de la vieille dame française qui coule dans ses veines, j'vous l'garantis, suggéra Judy.

– Ça ne vient certainement pas des quakers, dit oncle Tom en pouffant de rire.

– Judy !

Pat était dans les bras de Judy, riant et pleurant à la fois. Ce furent cinq minutes inoubliables. Même Gentleman Tom ne put s'empêcher de démontrer un peu de sympathie.

Finalement, Judy repoussa Pat et fit semblant de prendre un air sévère.

– J'veux pas être dure avec toi, Patsy, mais veux-tu bien m'dire dans quelles folies de singe tu t'es lancée ? C't'une belle histoire que ton père m'a narrée que tu t'serais mise à danser toute nue dans les buissons.

– Oh, Judy, je n'ai jamais vu une si belle lune... et je faisais semblant que j'étais une princesse enchantée... et oncle Tom a ri de moi ! Et ça a été pire ensuite, Judy... et c'était si magnifique avant que tante Edith arrive.

Judy avait un petit côté poète qui lui fit comprendre. Elle embrassa Pat avec une tendresse débordante.

– Oh, oh, je leur ai lu la loi de l'émeute, ça j'te l'dis.

Quand j'sors mon caractère, j'suis une terreur pour les serpents. Fini la visite au couvent pour toi, mon bijou. Mais tu ferais mieux de ne pas recommencer à faire des choses étranges pendant un certain temps.

— Le problème, Judy, c'est que je ne pense pas que les choses que je fais sont étranges, dit Pat gravement. Elles me semblent tout à fait raisonnables. Et puis, tante Edith a été tout simplement... ridicule.

— T'as jamais parlé aussi vrai. Oh, oh, quel choc ça a dû être pour c'te pauvre âme. L'a oublié qu'elle avait déjà eu des jambes, celle-là. Mais tu devrais faire un peu plus attention, Patsy ; si une autre envie comme ça te prend de t'baigner, t'as juste à m'le dire et j'vais aller chercher une pleine chaudière de clair de lune et t'la verser sur la tête. Et maintenant, assis-toi et mange un peu de jambon avec moi et raconte-moi tout ce qui est arrivé. Sûr que c'est bon d'être revenue à la maison.

— Oh, Judy, où était Gentleman Tom ? On ne l'a pas vu depuis que tu es partie.

— Tu m'dis pas ! Sûr, l'était assis sur le pas d'la porte quand j'suis descendue de la voiture de Bay Shore, avec l'air de quelqu'un qui saurait pas d'où viendrait sa prochaine souris. Je lui demande pas d'où il vient, peut-être que j'aimerais pas la réponse. De toute manière, il est là et moi aussi... et dans ma valise, y'a une magnifique robe rose avec des œillets brodés que ta tante Honor te fait envoyer. Ça fera une belle jambe à Norma quand elle te verra dedans.

— Je vais passer le reste de la nuit avec toi, Judy, dit Pat résolument.

18

L'ombre des nuages

QUANT À la mi-septembre, Long Alec annonça à sa famille que la récolte étant terminée, il avait l'intention d'aller dans l'Ouest visiter un frère qui habitait là depuis trois ans, Pat accueillit la nouvelle plus calmement qu'on ne l'avait craint. C'était plutôt triste, naturellement, de penser que papa serait absent pendant tout un mois mais, comme il l'avait dit lui-même, s'il ne partait pas, il ne pourrait jamais revenir. Il y aurait ce retour à la maison à attendre et à préparer, et, pendant ce temps, la vie était tout de même agréable à Silver Bush. Elle aimait les nuits d'automne, à cause des feux dans les cheminées. Jingle construisait pour elle une élégante cabane à oiseaux qu'ils installeraient, une fois terminée, dans l'érable près du puits ; et M. Wilcox devait l'amener avec Bets visiter l'exposition à Charlottetown. Pat n'avait jamais visité une exposition. Pour les jeunes citoyens de North Glen, une visite à l'exposition était synonyme d'excitation et de plaisir, tout comme un voyage en Europe ou sur « la côte », pour les plus âgés. Socialement, vous n'étiez pas à la page si vous n'aviez pas visité l'exposition. Il y eut des semaines de délicieuse anticipation, puis l'exposition elle-même, et des semaines de souvenirs aussi exquis. Toutes choses étant égales, Pat acceptait plutôt joyeusement l'absence de son père. C'est Judy qui semblait moins bien la supporter ; Pat n'arrivait pas à comprendre pourquoi. Pendant la semaine qui avait précédé le départ de Long Alec, Judy avait parlé et discuté toute seule plus qu'à son habitude. Régulièrement, Pat pouvait entendre ses propos décousus.

— J'comprends pas c'qui se passe avec les hommes. C'est comme s'il leur fallait une crise de folie de temps en temps. C't'un peu de l'héritage de Dick le Sauvage, c'est moi qui vous l'dis... c'est le mauvais sort du pied errant... oh, oh, c'est trop facile de voyager de nos jours, c'est ça le problème avec le monde.

Mais quand Pat lui demanda de quel problème il s'agissait, la seule réponse de Judy fut plutôt froide.

— Pose pas de questions et j'te raconterai pas de mensonges.

Papa s'en fut un matin venteux et nuageux de septembre. Oncle Tom et les tantes vinrent lui dire au revoir en passant par le Sentier qui Murmure. Tout le monde avait un air sérieux. L'« Ouest », c'était très loin... et les adieux furent un peu tristes.

— Que le Bon Homme d'en Haut nous donne à tous la santé, murmura Judy qui se précipita aussitôt dans sa cuisine où elle fit un grand tintamarre avec les ronds du poêle. Pat sauta dans l'automobile et accompagna son père jusqu'à la route. Elle se tint là jusqu'à ce que la voiture disparaisse de sa vue et retourna vers la maison avec une sensation d'étouffement. À ce moment précis, le soleil perça un nuage noir et déversa un flot de lumière sur Silver Bush. Pat réalisa à nouveau combien sa maison était belle, nichée dans sa colline bleue et brumeuse, contre une forêt d'arbres dorés.

— Oh, comme tu es belle !, s'écria-t-elle, en lui tendant les bras. Les larmes qui lui emplissaient les yeux n'étaient pas provoquées par le départ de son père. Elle était transportée par ce plaisir exquis et doux que suscitait tant de

184

beauté... et qu'elle susciterait toujours. Ce plaisir ressemblait à de l'angoisse, mais la douleur était céleste.

Heureusement que Pat fit sa visite à l'exposition avant d'apprendre la terrible nouvelle. Elle fut très heureuse... deux jours magnifiques avec Bets. Et comme les dieux eux-mêmes ne peuvent pas reprendre leurs cadeaux, elle eut toujours ces deux jours de bonheur, bien que, pendant un certain temps, on eût dit qu'elle n'avait jamais rien reçu – et ne recevrait plus jamais rien d'autre – que la douleur et la peur.

Encore une fois, elle l'apprit de May Binnie... que papa avait l'intention d'acheter une ferme dans l'Ouest et de s'y installer !

Un courant froid et étrange comme elle n'en avait jamais connu traversa le corps de Pat.

– Ce n'est pas vrai ! s'écria Pat.

May éclata de rire.

– Oui, c'est vrai. Tout le monde le sait. Winnie le sait. Je suppose qu'ils ne veulent pas te le dire de peur que tu fasses une scène.

Pat regarda intensément dans les yeux noirs et effrontés de May.

– Je ne t'aurais pas détestée de m'avoir dit cela, May Binnie, si tu n'avais pas eu du plaisir à me le dire. Mais, ce soir, je vais parler de toi au Bon Dieu.

May rit à nouveau, un peu mal à l'aise. Ce qu'elle appelait les « rages » de Pat Gardiner la rendait toujours un peu mal à l'aise. Et qui sait ce qu'elle pourrait raconter au Bon Dieu à son sujet.

Pat rentra à la maison, malade et transie d'agonie, jusqu'au plus profond de son être.

– Maman, ce n'est pas vrai, n'est-ce pas ? Dis-moi que ce n'est pas vrai !

Maman eut un regard rempli de compassion pour les jeunes yeux torturés de Pat. Ils avaient tenté de lui cacher la chose, espérant qu'ils n'auraient jamais à la lui dire. Papa n'aimerait peut-être pas l'Ouest. Mais s'il s'y plaisait, il fallait partir. Quand Long Alec, pourtant si accommodant, décidait quelque chose, rien ne pouvait le faire changer d'avis, et cela, tout le monde le savait à Silver Bush.

— Nous ne savons pas, chérie. Papa y songe. Il a eu envie d'y aller quand Allan est parti il y a quelques années, mais il ne pouvait pas abandonner ses parents. Maintenant, je ne sais pas. Sois brave, Pat chérie. Nous serons tous ensemble. L'Ouest est un pays splendide, avec plus de possibilités pour les garçons peut-être.

Elle s'arrêta. C'était préférable de ne rien dire de plus.

— Alors tu sais maintenant ? fut tout ce que Judy trouva à dire, quand Pat entra dans la cuisine le visage blanc.

— Judy, c'est impossible... ça ne peut pas arriver. Judy, Dieu ne laisserait pas faire une chose pareille.

Judy hocha la tête.

— Long Alec va régler tout ça en laissant Dieu en dehors d'la question, Patsy, mon bijou. Oh, oh, le monde est fait pour les hommes, et nous les femmes, on doit accepter, un point c'est tout.

— Ce sera la fin de tout, Judy.

— J'ai bien peur que ce soit pire que ça, grommela Judy. J'ai peur que ce soit l'début d'un tas de choses nouvelles. Sûr que mon cœur va s'briser.

Cette phrase elle ne la prononça pas tout haut. Pat ne devait pas apprendre avant que ce ne soit nécessaire, que Judy ne les accompagnerait pas dans l'Ouest. Pour Judy, la seule pensée de quitter Silver Bush était aussi terrible que pour Pat ; mais elle ne pouvait pas quitter l'Île. Judy avait la conviction secrète que si les Gardiner partaient pour l'Ouest, elle terminerait ses jours à la ferme de Bay Shore, prenant la place de Danny et s'occupant de la vieille dame qui ne mourait jamais. Il ne lui resterait plus qu'à languir d'ennui et de tristesse.

— Oh, oh, ils sont tout c'que j'ai, dit-elle tristement. Et tout c'que j'ai d'mandé, c'est d'pouvoir travailler pour eux tant que j'tiens sur mes jambes. Qu'il aille au diable Long Alec avec ses idées et sa tête dure... lui qu'on dirait qu'il

186

peut pas s'tenir debout devant un rayon d'lune. Mais c'est dans l'sang, d'être comme ça, quand on veut tout avoir. Son vieux grand-oncle Alec était pareil, mais l'avait assez de plomb dans la tête ; quand il partait sur une idée d'aller quelque part où il savait qu'il fallait pas aller, il se rasait la tête comme une balle et il pouvait pas partir tant que ses cheveux avaient pas repoussé et à c'moment-là, le danger était passé. Combien de fois que j'ai entendu le vieux grand-père Gardiner en parler ; c'tait devenu une blague dans la famille.

— Quand le saura-t-on, Judy ?

— Ça, j'peux pas dire, ma p'tite chérie. Long Alec a dit qu'il écrirait dès qu'il serait décidé. Dieu fasse que ça vienne vite ! Y'a rien d'autre à faire que d'attendre.

Pat trembla. Ces mots étaient si terribles et si vrais. Comment attendre ? Demain serait encore plus cruel qu'aujourd'hui.

Pendant les semaines qui suivirent, Pat eut l'impression que son cœur perdait son sang goutte à goutte. Elle semblait être la seule à entretenir une telle angoisse. Sid, d'une certaine façon, espérait que papa décide de ne pas aller dans l'Ouest, mais il n'en était pas si sûr. Joe souhaitait franchement partir. Winnie pensait que ce pourrait être amusant. Maman paraissait assez indifférente avec son calme habituel et son attitude gentille. Même Judy était férocement silencieuse et n'exprimait ni regrets ni espoirs. Bets et Jingle étaient tous deux désespérés, mais Pat découvrit qu'elle ne pouvait pas aborder ce sujet avec eux. Son trouble était trop profond.

Elle réussissait tant bien que mal à aller à l'école, puis elle errait autour de Silver Bush comme un petit fantôme malheureux. Elle était incapable de lire. Les livres qu'elle avait aimés n'étaient rien d'autre que des mots imprimés. Bets et elle avaient lu la moitié d'un livre, *Le Vent dans les Saules*, installées sous le Pin observateur au sommet de la colline, mais depuis, ce livre dormait dans la bibliothè-

187

que de la Longue Maison. Elle n'arrivait pas à jouer avec Bets ou Jingle... elle ne pouvait le supporter puisqu'elle allait peut-être les quitter pour toujours. Elle n'arrivait pas à jouer avec Sid, parce que Sid y arrivait, démontrant ainsi qu'il n'était pas aussi triste qu'elle. Elle n'arrivait pas à jouer avec Sel et Poivre, parce qu'ils étaient trop enjoués. McGinty était le seul animal qui semblait comprendre la situation. Jingle et lui faisaient une triste paire.

Pat dormait mal et ne mangeait presque rien.

— Terrible comme elle devient maigre, affirmait Judy avec inquiétude à Mme Gardiner. Sûr, elle n'a rien sur les os. C'est ma croyance que si Long Alec traîne cette enfant dans l'Ouest, ça va la tuer. Elle ne peut pas vivre loin de Silver Bush. Sûr, elle aime chaque centimètre de c'te maison.

— Je préférerais qu'elle l'aime un peu moins, soupira maman. Mais elle est jeune ; elle oubliera. Nous, les plus vieux... Maman se tut. C'était bien elle : elle ne montrait jamais ses sentiments. C'était une tradition à Bay Shore. Les Gardiner, plus enclins à exprimer leurs émotions, pensaient parfois qu'elle n'avait pas de « sentiments ».

Pat, de son côté, débordait de sentiments et ils étaient désespérés. Tout ce qu'elle regardait lui faisait mal. Elle souffrait d'être dans la maison, de penser à toutes ces pièces chéries qui seraient froides... peut-être que personne ne penserait à y allumer un feu. Peut-être qu'il n'y aurait plus de lumière le soir aux fenêtres, dans cette maison qui avait toujours baigné dans la lumière ; pas de volutes de fumée chaleureuse montant des cheminées, personne pour contempler la beauté à travers la fenêtre ronde. Et s'il y avait des gens qui l'habitaient... cette pensée aussi la faisait frémir. Qui dormirait dans sa chambre ? Qui serait le maître dans la cuisine de Judy ?

À l'extérieur, c'était pire. Le jardin serait tellement solitaire. Il n'y aurait personne pour accueillir ou aimer les fleurs. Les jonquilles et les colombines fleuriraient au printemps, mais elle ne serait pas là pour les voir. Les abeilles bourdonneraient dans les cloches de Canterbury et elle ne serait pas là pour les écouter. Les peupliers chuchoteraient, mais elle n'entendrait pas leur chuchotement. Les minuscules boutons cramoisis pointus s'épanouiraient sur les massifs de rosiers sauvages dans l'allée, mais elle n'en serait pas témoin. Les nouveaux habitants de Silver Bush retourneraient peut-être tout le jardin. Pat avait déjà entendu oncle Brian dire que ce jardin n'était en réalité qu'une vieille jungle et qu'Alec devrait nettoyer tout cela. Ils changeraient et détruiraient tout. Oh, non, elle ne pouvait pas le supporter !

Et puis, d'une certaine façon, Silver Bush ne leur appartiendrait jamais. Des années plus tard, Pat dit un jour de cette époque : « Je savais qu'ils ne pourraient jamais posséder l'âme de Silver Bush. Elle serait toujours à moi. »

Mais elle ne serait plus là. Plus de repas joyeux dans la vieille cuisine, finies les longues histoires de Judy sur les marches de grès, plus de courses pour les chatons dans les vieilles granges, plus de jours et de soirs délicieux à la Longue Maison, plus de pèlerinages sur le Jordan, plus de Bonheur, disparus le Champ secret et la Colline de la Brume. Il n'y avait absolument aucune colline dans les prairies.

Il faut que ce soit un rêve. Oh, si seulement elle pouvait s'éveiller !

Tellement de choses méchantes furent dites à l'école. Les filles parlaient du départ des Gardiner vers l'Ouest avec une telle légèreté ; certaines avec une pointe d'envie, comme si elles voulaient partir elles aussi. Jean Robinson dit un jour que son seul souhait était de quitter ce vieux trou monotone.

Et puis, un jour, May Binnie lui annonça que son père avait décidé d'acheter Silver Bush !

— S'il le fait, on va l'arranger un peu, ça je te le promets, dit-elle à Pat. 'Pa a dit qu'il raserait la vieille partie du verger et qu'il la labourerait pour y faire pousser des fèves. Nous allons naturellement construire une véranda. Et 'pa dit qu'il va couper tous ces bouleaux. Il dit que trop d'arbres, ce n'est pas sain.

Seule la pure malice pouvait lui faire dire cela. Pat se traîna jusqu'à la maison.

— Les Binnie vont couper tous nos bouleaux, Judy.

— Oh, oh, le Bon Homme d'en Haut a peut-être son mot à dire dans tout ça ! dit Judy d'un air sombre. Mais son vieux cœur de croyante était lourd. Elle savait que Mac Binnie considérait déjà Silver Bush comme sa propriété et qu'il parlait à tout le monde des « améliorations » qu'il y apporterait.

— Des améliorations qu'y dit ? avait demandé Judy. Sûr qu'il devrait faire des améliorations dans ses manières et dans celles de ses filles, si vraiment il veut des améliorations, ce vieux sac plein d'vent. Mme Binnie aussi en aurait besoin. Imaginez-la dans ma cuisine, ressemblant à une botte de foin, ou, pire encore, présidant à la table de la salle à manger, là où une Selby de Bay Shore s'est déjà assise. Oh, oh, nous vivons dans un monde complètement à l'envers et ça s'améliore pas rapidement.

— J'étais tellement heureuse il n'y a pas si longtemps, Judy. Et maintenant je ne serai plus jamais heureuse.

— Oh, oh, jamais c't'une bien longue journée, mon bijou.

— Je déteste May Binnie, Judy... je la déteste !

— Sûr, Patsy chérie, que détester c'est une chose qu'est toujours meilleure la veille. La vie est trop courte pour en gaspiller une partie en détestant. Quoique, si quelqu'un avait un peu plus d'temps... mais ces créatures de Binnie ne méritent pas qu'on les déteste.

— Si au moins il y avait moyen de faire quelque chose pour empêcher ça, sanglota Pat.

Judy hocha la tête.

— Mais il y a rien à faire, pas au Canada en tout cas. C'est l'pire côté d'un nouveau pays où ni le Diable, ni le Bon Dieu ont eu l'temps d'organiser les choses. Mais s'il y avait un puits pour les souhaits comme y'en avait chez moi

190

en Irlande, sûr qu'on pourrait tout arranger en un clin d'œil de fée. Tout c'que t'aurais à faire, c'est d'y aller quand la lune se lève et ton souhait serait exaucé.

Pat se rendit au Bonheur ce soir-là et fit un souhait au-dessus de la Source hantée. Sait-on jamais ?

C'était horrible de vivre dans la peur et le suspense. La première lettre de papa arriva quand Pat était à l'école et Judy lui dit, dès son retour, qu'il n'y avait rien de nouveau. Long Alec trouvait que l'Ouest était un pays splendide. Allan avait réussi. Mais il ne s'était pas décidé... il regardait... il pourrait le dire dans sa prochaine lettre.

— Alors garde ton sourire, Patsy chérie. Y'a encore d'l'espoir.

— J'ai peur d'espérer, Judy, dit Pat sur un ton lugubre. Ça fait trop mal d'espérer. Ce sera tellement pire quand il faudra cesser d'espérer.

— Oh, oh, mais t'es bien trop jeune pour savoir ça, marmonna Judy. Elle pétrissait son pain, tournant, frappant, comme si cela avait été Long Alec. Oh, oh, comme elle lui pétrirait du plomb dans la tête ! Lui qui avait une bonne ferme sur l'Île et une belle famille qui grandissait, en train de rêver de tout vendre et de partir pour un nouveau pays à son âge !

La lettre suivante arriva. C'était un samedi et Pat s'était éveillée dans la grisaille de l'aube. La pluie à la fenêtre était désespérante. Tout le monde à Silver Bush attendait ce jour-là une lettre de papa, bien que personne n'en ait dit un mot, et Pat pensa que la pluie était un mauvais présage.

— Oh, oh, courage, Patsy chérie, dit Judy. Sûr et j'me souviens d'un p'tit poème que j'ai appris quand j'étais fille... *« un matin sombre et triste apporte souvent un jour plaisant »*. J'l'ai vérifié souvent moi-même.

La pluie cessa à midi, même si les nuages, sombres et lourds, menaçaient toujours au-dessus de Silver Bush. Pat attendait dans le jardin quand le vieux facteur s'arrêta devant la boîte aux lettres. C'était un petit homme courbé avec un collier de barbe blanche, conduisant une voiture folle tirée par un maigre cheval alezan. Cela semblait incroyable que son destin soit enfermé dans le sac de cet homme. Elle descendit lentement l'allée, une pauvre petite fille pâle et triste, ne sachant pas vraiment si elle voulait voir la lettre ou pas. Ce serait difficile d'attendre qu'on l'ouvre, mais au moins, on saurait.

La lettre était là. Pat la prit et l'examina... « *Mme Alex B. Gardiner, Silver Bush, North Glen, Île-du-Prince-Édouard* ». Tout son avenir dans une lettre. Cela lui semblait une chose fascinante, terrible et diabolique à la fois. Que pouvait-il y avoir... ou ne pas avoir dans cette lettre ? Elle se rappela qu'étant petite, elle avait été affreusement terrifiée par une lettre « morte » qu'elle avait apportée à la maison. Elle pensait que la lettre venait d'une personne morte. Mais cette fois c'était bien pire.

Elle remonta l'allée. À mi-chemin, elle s'arrêta dans une petite travée de la clôture où poussaient ces « immortelles » blanches et dorées qui fleurissent en septembre. Ses genoux tremblaient.

— Oh, Mon Dieu, faites qu'il n'y ait pas de mauvaises nouvelles dans cette lettre, murmura-t-elle. Et puis, désespérément... parce que le vieil Alec Gardiner de South Glen avait une fille, Patricia, dans la vingtaine et mariée, il ne fallait pas qu'il y ait d'erreur... Mon Dieu, c'est Pat, la fille de Long Alec, Pat de Silver Bush qui parle, pas Pat, la fille d'Alec tout court.

Comme par hasard, tout le monde était là quand Pat entra dans la cuisine. Judy se laissa soudain tomber sur une chaise. Bets arrivait, hors de souffle, ayant dévalé la colline à toute allure dès qu'elle avait vu le facteur. Jingle et McGinty se tenaient près des marches de l'entrée. Les oreilles de McGinty pendaient. Maman, les yeux très brillants et des petites rougeurs inhabituelles sur les joues, prit la lettre et regarda autour d'elle tous ces visages tendus par l'attente... tous sauf celui de Pat. Elle était incapable de regarder Pat.

C'était mille fois plus étouffant que l'arrivée de la lettre au sujet de Winnie.

— Nous devons tous être aussi braves que possible si papa nous annonce qu'il faut partir, dit-elle doucement.

Elle ouvrit la lettre résolument et la parcourut. On aurait dit que même les arbres dehors s'étaient arrêtés pour écouter.

— Dieu merci, dit-elle dans un souffle.

— Maman...

— Papa rentre à la maison. Il n'aime pas l'Ouest autant que l'Île. Il écrit qu'« il a très hâte de rentrer ».

Et, à ce moment précis, comme s'il n'attendait que ce signal, le soleil perça les nuages au-dessus de Silver Bush et la cuisine fut inondée de lumière dansante et de l'ombre féerique des feuilles.

— Eh bien puisque c'est comme ça, dit Joe. Il siffla Snicklefritz et sortit de la maison.

Pat et Bets pleuraient à chaudes larmes, dans les bras l'une de l'autre. Judy se leva en grognant.

— Oh, oh, pourquoi c'est toutes ces larmes, j'vous l'demande ? J'pensais que vous sauteriez de joie.

— Toi aussi tu pleures, Judy. Pat riait à travers ses larmes.

— Sûr et c'est à cause de mon cœur tendre. J'ai jamais pu voir quelqu'un pleurer sans pleurer moi aussi. Est-ce que j'ai pas rempli des pintes de larmes aux funérailles de personnes qui m'faisaient ni chaud ni froid. J'suis tellement contente que j'appellerais pas la reine ma cousine. Oh, oh, et mes tartes au citron qu'ont brûlé et qui sont aussi noires que la cendre de mon poêle. Bon, bon, j'ai rien qu'à faire une autre fournée. On a eu plein de bon repas ici, et plaise au Bon Homme d'en Haut, on en aura plein d'autres. Ç'a été une dure semaine, mais tout a une fin, si seulement on réussit à vivre pour la voir.

Pat portait la joie comme un vêtement. Elle se demanda si quelqu'un était déjà mort de bonheur.

193

— Je n'aurais vraiment pas été capable de le supporter, Pat, si tu étais partie, sanglota Bets.

Jingle n'avait rien dit. Il avait reniflé désespérément, déterminé à ce qu'on ne le voie pas pleurer, lui. Il était allongé, le visage dans la menthe sur les rives du Jordan et seul McGinty aurait pu dire ce qu'il faisait. Mais McGinty ne s'inquiétait pas. Il redressa les oreilles parce qu'il savait que, en dépit des épaules qui tremblaient, son ami était heureux.

Pat descendit la colline en dansant, ce soir-là, ses pieds effleurant à peine le sol. Elle s'arrêta sous le Pin observateur pour admirer Silver Bush, tout son amour pour cette maison s'épanouissant telle une rose sur son visage. La maison n'avait jamais été si belle et si aimée. Comme c'était plaisant de voir la fumée qui sortait en volutes de sa cheminée ! Comme elles paraissaient joyeuses et confortables, ces vieilles granges débordantes, à l'intérieur desquelles des centaines de chats qui n'étaient pas encore nés, s'amuseraient un jour. Partout dans les arbres, le vent chantait. Au-dessus de sa tête, le ciel était doux, profond et amoureux. Chaque champ était un ami. Les asters le long du sentier étaient les lettres et les mots du poème qu'elle portait dans son cœur. Elle paraissait avancer et respirer dans une transe de bonheur. Elle était le roseau dans l'étang au clair de lune, elle était le vent dans un jardin sauvage, elle était les étoiles et les lumières de la maison, elle était... elle était Pat Gardiner de Silver Bush !

— Oh, Mon Dieu, c'est un monde tellement merveilleux, murmura-t-elle.

— Belle heure pour rentrer, dit Judy. Tu n'as pas faim ?

— J'étais tellement heureuse que j'ai complètement oublié le repas. Oh, Judy, j'aimerai toujours cette journée. Je suis tellement heureuse que j'ai un peu peur... comme si ce n'était pas bien d'être aussi heureuse.

— Oh, oh, si la coupe est offerte, prends tout le bonheur que tu peux, ma chérie, dit Judy sagement. Maintenant, tu vas manger un peu et puis, au lit. J'ai fait monter ta mère aussi quand Cuddles est allée dormir. Elle n'a pas beaucoup dormi ces derniers jours, c'est moi qui te l'dis, même si les Selby gardent leurs faiblesses pour eux. Oh, oh, comme ça, Mme Binnie ne viendra pas régimenter les choses ici avant un bout d'temps. Et que pensez-vous de ça, cher Gentleman Tom ?

— Je ne sais pas si je vais être capable de dormir beaucoup, même ce soir, Judy. C'est si agréable d'être heureuse qu'on ne peut pas dormir.

Mais Pat dormait profondément quand Judy se glissa dans la chambre pour voir si les petites sœurs avaient leur couverture supplémentaire pour cette froide nuit de septembre.

— Oh, oh, elle ne sera plus jamais aussi jeune, murmura Judy. C'qu'elle vient de vivre, ça fait vieillir l'âme, même celle des p'tites créatures. Si au moins quelqu'un pouvait donner la fessée à Long Alec, comme j'le faisais quand il était p'tit.

19

« Suis-je si laide, Judy ? »

Pour la première fois, Pat se préparait pour aller à une fête... une vraie fête donnée le soir par tante Hazel en l'honneur des deux nièces de son mari qui étaient de passage. C'est ce qu'oncle Tom appelait « une fête à double fond »... des garçons et des filles de l'âge de Winnie et de Joe pour Elma Madison, et les « jeunes » de dix à douze ans pour Kathleen. Sid affirma qu'il détestait ce genre d'organisation et jura qu'il n'irait pas jusqu'à ce que, à la dernière minute, il change soudain d'idée... peut-être parce que Winnie le taquinait sur sa mauvaise humeur provoquée par le fait que May Binnie n'était pas invitée.

— Sûr, et tu t'attendrais quand même pas qu'elle le soit, dit Judy avec condescendance. Depuis quand les Binnie se prennent-ils pour les égaux des Gardiner... ou même des Madison, J'te l'demande.

Pat fut très heureuse que Sid décide de venir car Bets était retenue au lit par un mal de gorge et Jingle, bien qu'étant invité, ne pouvait ou ne voulait pas y aller parce que son seul costume décent était devenu ridiculement trop étroit pour lui. Il avait espéré que sa mère lui ferait parvenir de l'argent pour s'en acheter un nouveau à Noël,

196

mais Noël était passé, sans cadeau et sans lettre, comme d'habitude.

— C'est agréable d'avoir presque onze ans, dit Pat, heureuse, à Judy. Je suis presque une grande fille maintenant.

— Eh oui, t'es grande, dit Judy en soupirant.

C'était excitant de s'habiller pour une vraie fête. Winnie y était déjà allée plusieurs fois et Pat avait toujours eu beaucoup de plaisir à la regarder se préparer, assise sur le lit. Mais de pouvoir se préparer soi-même !

— Ta couleur, c'est l'jaune, mon bijou, dit Judy pendant que Pat enfilait sa petite robe de fête en voile jaune primevère. Sûr, et quand ta mère a parlé de la robe vert Nil, j'ai mis mon pied par terre. Une robe verte dans la vie, c'est suffisant, que j'lui ai dit. Vous vous souvenez pas de toute la malchance qu'elle a eu avec la robe verte pour le mariage ? Chaque fois qu'elle l'a portée, elle a eu un problème.

— Tu as bien raison, Judy, maitenant que j'y pense. Je la portais quand j'ai brisé le plateau du service Royal Derby de maman... et quand je me suis querellée avec Sid... ça n'était jamais arrivé avant... et quand j'ai découvert un trou dans mon bas à l'église... et aussi quand j'ai mis trop de poivre dans les navets, le jour où tante Frances est venue dîner...

— De toute façon, que j'lui ai dit pour conclure l'affaire, le vert ça va pas avec sa couleur de peau. Alors, ce sera la jaune et tu vas avoir l'air d'un bouton d'or dansant.

— Mais je ne danserai pas, Judy. Je ne suis pas assez vieille. On va jouer seulement. Mais j'espère qu'on ne jouera pas au mouchoir, on y joue tellement souvent à l'école et je déteste ça parce que... parce que, Judy, il n'y a jamais un garçon qui me choisit pour s'asseoir à côté de moi. Je ne suis pas jolie, tu sais.

Pat avait dit cela sans amertume. Cela ne l'avait jamais inquiétée de ne pas être belle. Mais Judy redressa la tête en arrière.

— Sont mieux d'attendre que tu sois toute finie avant de dire ça. C'est c'que j'pense. Tiens, un peu d'parfum pour ton mouchoir.

— Mets en un peu derrière mes oreilles aussi, s'il te plaît, Judy.

— Pas question. Du parfum derrière les oreilles, c'est pas décent. Une goutte sur ton mouchoir et peut-être une autre sur le volant. V'la un p'tit renard bleu pour ton cou, même si j'vois pas très bien pourquoi on dit que c'est bleu. Mais ça te va bien. Alors tiens ta tête bien droite et du mieux qu'tu peux et n'oublie pas que t'es une Gardiner. Paraît qu'tu vas réciter quelque chose ?

— Oui. Tante Hazel me l'a demandé. J'ai répété devant le petit bosquet d'épinettes, derrière le poulailler. Bets devait chanter mais elle a un gros mal de gorge. Ce n'est vraiment pas juste que ça lui arrive maintenant. Ça aurait été tellement extraordinaire qu'on puisse se rendre à notre première fête ensemble. Je sais qu'elle va se sentir très seule. Je ne connais pas très bien les filles de Silverbridge. Et Bets va vraiment me manquer. Elle est si gentille, Judy. On dit que Kathie Madison est jolie mais sûrement pas plus jolie que Bets.

Joe, Winnie, Sid et Pat s'entassèrent dans le traîneau qui les conduisait à Silverbridge à travers le fin cristal bleu de cette soirée d'hiver, le long des routes où des arbres élancés dentelés de givre se découpaient en silhouette sombre contre le mordoré du ciel. Comme c'était agréable ; et cette première fête aussi fut amusante. Kathleen Madison était jolie : la plus jolie fille que Pat ait rencontrée dans sa vie. Elle avait les cheveux courts, d'un blond profond, bouclés et scintillants, une peau de lait et de roses, une bouche comme un bouton de fleur et des yeux turquoise étincelants. Pat entendit Chet Taylor de South Glen déclarer qu'il valait la peine de marcher cinq kilomètres pour la voir.

Bon, très bien. Ça ne gênait pas Pat. La soirée passa en un rien de temps. Les filles de Silverbridge étaient toutes gentilles et chaleureuses. Elles savaient jouer au mouchoir mais Mark Madison demanda à Pat de s'asseoir avec lui et tant pis pour la demi-douzaine de garçons qui se mouraient de jalousie pour Kathie. Oh, comme les fêtes étaient amusantes !

Puis, pendant un moment angoissant, le ruban de ses cheveux se défit et elle se précipita à l'étage pour le remettre. Kathie Madison était dans la pièce, elle aussi, tentant de réparer un accroc dans sa robe. Pendant que Pat était debout devant la glace, Kathie vint se camper à côté d'elle. Il n'y avait pas de malice particulière de la part de Kathie dans ce geste. Elle aimait bien Pat Gardiner, comme la plupart des filles l'aimaient. Mais, malheureusement, Mark Madison était le seul garçon avec lequel Kathie voulait jouer au mouchoir. Alors elle fit quelques pas et s'immobilisa à côté de Pat.

— Quelle agréable fête, n'est-ce pas ? dit elle. Ta robe est vraiment très jolie. Mais... penses-tu que le jaune sied bien à une peau si brune ?

Il arriva quelque chose à Pat, au moment ou elle leva les yeux sur son reflet dans la glace, à côté de Kathie... quelque chose qu'elle n'avait jamais éprouvé auparavant. Ce n'était pas de la jalousie, c'était soudain un épouvantable désespoir. Elle était laide ! Debout, à côté de cette fille qui ressemblait tant à une fée, elle était laide. Des cheveux pâles, un visage bruni par le soleil, une bouche qui faisait un trait bien droit, et un trait beaucoup trop long. Pat frissonna.

— Que se passe-t-il ? demanda Kathie.

— Rien. Je viens de me cogner le petit juif, répondit Pat avec vaillance. Mais tout avait éclaté comme une bulle. Elle n'avait plus de plaisir à se trouver à cette soirée. Même qu'elle détestait Mark Madison. Il avait dû lui demander de s'asseoir avec lui par pitié seulement, ou bien parce que tante Hazel lui avait ordonné de le faire. Elle ne put rien avaler du merveilleux repas préparé par tante Hazel et sa déclamation tomba à plat parce que, comme le dit oncle

Robert, elle n'avait mis aucun enthousiasme à la réciter. De l'enthousiasme ! Pat avait l'impression qu'elle n'éprouverait plus jamais d'enthousiasme. Elle souhaitait seulement pouvoir s'enfuir à la maison et pleurer. Elle pleura en effet sur le chemin du retour, tranquillement, dans le froid glacial et sans vent de cette nuit étincelante, entre les arbres noirs de velours. La beauté de la nuit n'avait aucune existence pour Pat qui ne voyait rien d'autre que son reflet et celui de Kathie, côte à côte dans le miroir.

En arrivant à la maison, elle se glissa dans la Chambre du Poète pour se voir encore une fois. Oui, il n'y avait pas de doute. Elle était laide. Ce n'était pas bien grave de ne pas être très jolie. À la dernière visite d'oncle Brian, ne lui avait-il pas dit avant de partir : « Tâche d'être un peu plus jolie à mon retour », et Pat avait ri avec tous les autres... tous à l'exception de Judy qui avait décoché un de ses regards noirs à Brian.

Mais d'être laide. Les larmes lui montèrent aux yeux. Elle n'avait jamais pensé qu'elle était laide avant de se voir dans le miroir à côté de Kathie. Maintenant, elle savait. Quelle façon de finir une si agréable soirée ! Parlant du vert qui porte malchance ! Il n'aurait rien pu lui arriver de pire si elle avait porté du vert. C'est elle qui était malchanceuse. Personne ne pourrait jamais l'aimer ; Bets n'avait rien à faire d'une amie laide et Jingle devait se moquer d'elle quand il lui avait dit que son nez était mignon et qu'elle avait de jolis yeux. Des yeux... quelque chose entre le jaune et le brun... on aurait dit des yeux de chats à côté des énormes billes bleues de Kathie. Et ses cils !

— Même si je les avais longs, je n'arriverais jamais à battre des cils comme elle, pensa Pat, inconsolable, oubliant que Kathie l'avait fait en vain devant Mark Madison.

Le lit de Pat s'appuyait contre la fenêtre d'où elle pouvait voir le lever du soleil si elle se réveillait assez tôt. Elle se réveilla en effet très tôt le lendemain matin, mais le lever de soleil rouge flamboyant à travers les arbres et la lumière qui se déversait sur les prés enneigés la laissèrent indifférente. Elle n'eut pas grand-chose à dire au petit déjeuner. Elle raconta à Judy que la soirée avait été « très agréable ». Elle se rendit à l'école, aveugle aux couleurs irréelles de l'hiver d'opale et à la danse de la poudrerie au-dessus de la prairie. Elle se tint à l'écart de toutes les filles qui étaient présentes la veille. Elles n'arrêtaient pas de parler de Kathleen. Pat n'arrivait tout simplement pas à le supporter.

Elle ne s'était jamais sentie jalouse d'une autre fille avant cette soirée. Bets était jolie et Pat était fière d'elle. Assurément, elle avait toujours détesté Norma, mais c'est parce qu'on disait de Norma qu'elle était plus jolie que Winnie. Elle se demanda si Jingle la trouvait vraiment très laide. Elle se rappela la plaque photographique en couleur de la jolie petite fille dans le petit salon des Gordon que Jingle adorait. Elle ne savait plus s'il l'adorait parce qu'il avait entendu quelqu'un lui dire que ça ressemblait à sa mère. En se rappelant plus précisément cette photo, Pat se dit qu'elle ressemblait à Kathie. Elle frémit.

Est-ce que tout le monde pensait qu'elle était laide ? Le vieil homme qui passait une fois par semaine vendre son poisson l'appelait toujours « ma jolie ». Mais il appelait tout le monde « ma jolie ». Elle ne s'était jamais trouvée jolie. Elle ne s'était jamais trouvée grand-chose, de toute façon, en ce qui la regardait. Et maintenant elle serait incapable de penser à autre chose. Elle était laide. Personne ne pourrait jamais l'aimer. Sid et Joe auraient honte de leur laideron de sœur.

— Patricia, as-tu terminé ta composition ?

Patricia n'avait pas terminé. Comment peut-on rédiger une composition quand on a le cœur brisé.

Il y avait des invités à dîner ce soir-là à Silver Bush et Judy était trop occupée pour s'occuper de Pat, même si elle l'observait du coin de l'œil. Pat avait pour tâche d'essuyer la vaisselle du repas. En général, elle se faisait une joie de s'astreindre à cette tâche. Elle adorait laver la belle vaisselle. Pat aimait beaucoup s'occuper de la maison mais elle affectionnait particulièrement les tâches liées à la vaisselle. C'était si amusant de la laver et de la faire briller dans l'eau chaude savonneuse. Elle lavait toujours ses morceaux préférés en premier. Les assiettes et les verres qu'elle aimait moins n'avaient qu'à attendre qu'elle soit prête et d'humeur à s'en occuper et c'était amusant d'observer leur colère stupide et luisante pendant qu'ils attendaient et attendaient et voyaient tous ses préférés passer avant eux. Cette vieille assiette brune hideuse aux bords écaillés... elle se mettait tellement en colère ! « C'est mon tour maintenant, je suis une vieille assiette de famille ! Il n'est pas question qu'on me traite comme ça ! Je suis à Silver Bush depuis cinquante ans... et cette espèce de chose coincée avec son dessin prétentieux sur le pourtour n'est là que depuis un an. » Mais elle devait toujours attendre la dernière en dépit de ses protestations. Ce soir-là, Pat la lava en premier. La pauvre chose, si elle était laide, ce n'était pas de sa faute.

Elle était contente qu'il soit enfin temps d'aller dormir et elle se faufila dans le crépuscule illuminé par la lune, alors que des ombres mauves se rassemblaient à l'abri des amoncellements de neige derrière le puits et qu'un vent d'ouest dans le bosquet argenté tordait les bouleaux sans merci.

Puis, Judy, qui était sortie traire les vaches, entra dans sa chambre en affichant un air résolu.

— Qu'est-ce qui te chiffonne, Pat ? Sûr que si t'es fatiguée comme t'as eu l'air de toute la journée, c'est qu'y'a quequ'chose qui va pas. T'as traîné comme une âme en peine sans mot dire à personne, pas même à un chien et t'as pas arrêté de t'reluquer dans le miroir comme quelqu'un qui surveille ses rides. Vas-y fort, ma fille, et dis-moi c'qui va pas.

Pat s'assit.

– Oh, Judy, c'est si horrible d'être laide, n'est-ce pas, Judy ? Suis-je vraiment si laide, Judy ?

– Alors c'est ça ? Oh, oh, et qui c'est qui t'as dit que t'étais laide si je peux me permettre une petite question ?

– Personne. Mais à la soirée, Kathie Madison était à côté de moi quand je me suis regardée dans le miroir... et je l'ai constaté moi-même.

– Oh, oh, y'a pas grand fille qu'aurait pas l'air banale et ordinaire à côté de ma chère Kathleen. Je ne dis pas qu'elle n'est pas jolie. Sa mère aussi était jolie avant elle. Mais ça ne lui a pas donné plus de maris que sa sœur qu'était bien moins jolie qu'elle ; un seul mari et c'était pas une réussite, c'est moi qui te l'dis. Avec toute sa beauté c'est quand même elle qui conduisait ses cochons au marché des pauvres. C'est pas la beauté qui fait les beaux mariages, Patsy chérie. Y'avait Cora Davidson aussi à Bay Shore. Elle était tellement jolie que les hommes devenaient fous pour elle. Mais en fait, Patsy chérie, et c'est sa mère qui me l'a dit, y'en a jamais eu qu'un seul pour oser lui demander de l'épouser. Il lui a demandé un mercredi et le jeudi y-s'ont été obligés de l'amener dans un asile pour les fous. Oh, c'est moi qui te l'dis. Et est-ce que t'as déjà entendu parler de ce qui est arrivé au dîner de mariage de sa sœur Annie ? Ils avaient fait faire le gâteau à Charlottetown une semaine avant pour qu'y soye plus beau encore que celui des voisins et quand la mariée elle a décidé de lui faire son affaire et de le couper, ça n'a pas fait l'affaire d'une poignée de souris qui sont sorties pour courir dans tous les sens sur la table ? Oh, oh, ça criait et ça sautait là-dedans ! Ça ressemblait plus à une tornade qu'à un mariage ! Les Davidson n'ont jamais plus eu la tête aussi haute qu'avant et pendant très longtemps, c'est moi qui te l'dis.

C'était inutile. L'attention de Pat ne serait pas détournée par une des histoires de Judy, ce soir.

– Oh, Judy, je déteste cette idée que je suis si laide que ma famille pourrait avoir honte de moi. Les gens diront que je suis « cette pauvre fille Gardiner ». La semaine dernière, à la fête des tartes à Silverbridge, personne ne voulait des tartes de Minnie Fraser parce qu'elle est tellement laide.

La voix de Pat se brisa dans un sanglot. Judy sentit qu'il fallait tenter une approche beaucoup plus subtile. Elle s'assit sur le lit de Pat et la regarda avec amour. Cette chère petite chose, avec son grand sourire si chaleureux, comme s'il était prêt à embrasser la terre entière, et ces grands yeux dorés pleins de larmes ! Et elle pensait qu'elle était laide ! Se préparant avec tant de fierté pour sa première petite soirée et rentrant à la maison avec son cœur à moitié brisé !

– J'te dis pas que t'es belle, Patsy, mais je te dis que t'as l'air pas mal distinguée. T'as pas encore l'air de ce que tu vas avoir l'air. Attends quelques années que les bras et les jambes te poussent un peu. Avec les yeux que tu as et un peu de chance, tu devrais te trouver un mari bien meilleur que la plupart des autres filles.

– Oh, Judy, ce n'est pas à un mari que je pense, sanglota Pat avec impatience. Et je n'ai pas envie d'être si effroyablement belle. La semaine dernière, Bets et moi avons lu l'histoire d'une fille qui était si belle que les foules se précipitaient pour la voir et qu'un roi est mort d'amour pour elle. Je ne voudrais pas que ça m'arrive. Je voudrais seulement être assez jolie pour que les gens n'aient pas peur de me regarder.

– Et qui c'est qui a peur de te regarder, j'aimerais bien le savoir, répondit Judy violemment. Si cette espèce de coincée de Kathie Madison a dit quoi que ce soit pour te faire de la peine...

– Ce n'est pas ce qu'elle a dit, Judy, mais la façon dont elle l'a dit. « Une peau si brune »... comme si j'étais une Indienne. Oh, Judy, je ne peux pas changer de peau, n'est-ce pas ?

— Y'a les ceuses qui pensent qu'une peau plus brune c'est plus joli que la peau de toutes ces Mam'zelles Blanches-et-roses. Elles seront couvertes de taches de rousseur l'été prochain, celles-là.

— Et je ne suis même pas intelligente, Judy. Je n'arrive qu'à aimer les gens... et les choses.

— Oh, oh, tout un cadeau ça... et c'est pas tout le monde qui l'a reçu c'te cadeau, mon trésor. Bon, ben on va regarder ce qui en est pour ton apparence, on va regarder ça calmement, point par point. T'as les plus beaux yeux du monde, comme Jingle te l'as dit...

— Et il a dit que j'avais un nez mignon, Judy. Est-ce que c'est vrai ?

— Sûr que c'est vrai, et les plus jolis sourcils... oh, oh, mais ça n'a pas de fin tout ça... et de jolies petites oreilles comme des coquillages roses. J'te garantis que la Kathie a pas grand-chose à montrer de ses oreilles... en tout cas pas si c'est une Madison.

— Ses cheveux lui couvraient les oreilles mais j'ai pu en voir une. Elle était décollée, confessa Pat.

— C'est moi qui te l'dis ! Ta bouche est p't'ête un peu grande mais t'as pas vu comme ça retrousse joliment dans les coins quand tu ris, mon p'tit pinson. Oh, oh, t'as une façon de rire, Patsy. Et tes chevilles de 'ristocrates ! J'te parie que cette Kathie a un peu trop de viande sur ses mollets.

— Oui, Kathie a de grosses chevilles, se rappela Pat à son grand soulagement. Mais elle a des cheveux magnifiques. Regarde les miens, aussi raides que de la ficelle et de la même couleur que le gingembre.

— Tes cheveux vont foncer avec le temps, mon trésor. Sûr et ce qui compte c'est d'avoir des cheveux et de la peau pour pouvoir courir comme ça dans le vent au soleil, la tête nue, comme tu le fais. Ta mère et toutes mesdames ses sœurs portaient toujours des bonnets, c'est moi qui te l'dis.

— Oh, Judy, ça serait horrible. J'adore le soleil et le vent.

— Oh, oh, alors te plains par parce que ta peau est brune et que tes cheveux sont décolorés. Tu peux pas manger ton gâteau et l'avoir en même temps. De toute façon c'est mieux pour ta santé.

— Winnie a de si jolis cheveux bouclés. Je ne vois pas pourquoi je n'en ai pas du tout.

— Winnie c'est une Selby et toi t'es une Gardiner. Ta mère... oh, oh, mais elle s'est fait faire une vraie de vraie mise en pli, et pour en avoir elle en avait, et ta tante Jessie ne pouvait pas en avoir parce qu'il aurait fallu lui bouillir et lui cuire la tête pendant un an. Mais t'as une tête à toi et une langue aussi douce que la violette quand tu te mets à papoter. Et quand tu souris, tes yeux s'allument comme ceux de ta grand-mère Gardiner, et c'était la plus jolie petite vieille que mes yeux ont pu voir. En plus, t'as une façon de regarder le monde et de fixer avec tes yeux qui va faire un malheur un jour. J'l'ai bien vu sur le visage de Jingle quand c'est que tu le regardes comme tu fais.

— Judy, est-ce que j'ai vraiment fait ça ?

— Oh, oh, y vaudrait p't'ête mieux que j'te dise pas ces choses-là, mais c'est rien que tu sauras pas, tôt ou tard. J'te l'dis, Patsy, chérie, un regard comme celui-là vaut tous les yeux bleus et les petites bouches en cœur sur la terre. Ta mère l'avait. Oh, oh, elle savait tout ce qu'il fallait faire à son époque.

— Papa a dit que maman était très belle quand elle était jeune, Judy.

— Ben ça il peut le dire avec tout le temps que ça lui a pris pour l'avoir ! Tout le monde pensait qu'elle allait choisir Fred Taylor. Oh, oh, mais il avait la langue d'argent. Il pouvait faire fondre les pattes d'un pot en fer. Mais quand est venu le temps des vraies choses, elle a choisi ton père. C'est Minny qu'était malheureuse à son mariage.

— Mais elle était jolie, Judy.

— Sa propre sœur, ta tante Doris, n'était pas jolie, c'est moi qui t'le dis, mais elle avait plus de prétendants que ta mère pouvait en avoir. Sûr et je pense que c'est parce qu'elle avait l'air tellement endormie que les hommes voulaient la réveiller. C'était la plus paresseuse des filles de Bay Shore mais tout le monde l'aimait presque autant que ta mère. Ta tante Evelyn avait les plus beaux bras et les plus belles épaules de la bande, comme ceux que t'auras un jour, ma chérie, quand tu te feras un peu plus de viande sur les os. Et pour ta tante Flora... elle c'était un vrai flirt. Elle faisait la cour à tout le monde quand tout le monde pouvait la voir. Mais il n'y a jamais vraiment de raison raisonnable dans tout ça, Patsy chérie. Y'en a qui préfèrent garder leurs mains dans leurs poches, mais pas tout le monde. Rappelle-toi ça quand viendra le temps de ces choses-là.

— Kathie m'a dit que Jim Madison a grimpé au sommet de l'arbre le plus haut à Silverbridge pour voir s'il pouvait lui cueillir une étoile dans le ciel.

— Oh, oh, mais il l'a pas cueillie, l'étoile, hein chérie ? Y'a toutes sortes de choses qu'on peut faire pour se montrer plus finfinaud que les autres. Alors tu vas dormir le cœur léger, hein. J'ai bien l'impression que t'as une autre opinion de toi-même, non ?

— Et comment ! Bien meilleure, Judy. Je pense que j'ai été un peu folle. Mais c'est vrai que j'avais l'air tellement brune.

— Sûr mais je vais te donner un vieux truc de beauté, Patsy chérie. Quand vient le temps du printemps, tu sors dehors tous les matins et tu te laves le visage dans la rosée. Je ne dis pas que ça te fera un visage tout rose et blanc comme celui de Kathleen, mais ta peau sera comme du satin.

— Vraiment, Judy ?

— Sûr et n'est-ce pas que c'est dans mon livre des Savoirs pratiques ? J'te le montrerai demain.

— Et pourquoi tu ne l'as pas fait, toi, Judy ?

— Oh, oh, y'a rien à faire avec ma vieille peau d'éléphant. 'Faut commencer ces choses-là très jeune. Georgie

207

Shortreed est devenue une vraie beauté avec ce truc, une vraie beauté, et elle a fait un bon mariage dans une famille qui était aussi pleine de vieilles filles que le pudding est plein de prunes. Est-ce que je t'ai déjà raconté comment sa sœur Kitty a raté sa seule chance ? Sûr et puis c'est elle qui a jeté une casserole remplie d'eau à son prétendant un soir, un accident à c'qu'il paraît, alors qu'il était debout à l'entrée de la cuisine à essayer de se donner assez de courage pour frapper... lui qu'était un jeune chauve de cinquante ans qui aimait les laiderons et qui était pas habitué à faire la cour. Alors il est parti et il est jamais revenu, pas étonnant parce qu'il portait son plus bel habit qu'était complètement fini avec toute la graisse. Les Shortreed avaient tous l'habitude étrange d'ouvrir la porte sans regarder et d'envoyer se balader l'eau de vaisselle dehors. Est-ce que je t'ai déjà dit comment leur vieux père, Dick Shortreed, s'est fâché avec son voisin, Ab Bollinger, à propos d'une poule ?

— Non. Pat se recroquevilla sur son oreiller, heureuse et prête à entendre une autre des fameuses histoires de Judy.

— Ils se sont battus pour cette poule pendant trois ans et ils sont même allés devant la loi avec ça – chez l'avocat en tout cas – et c'était la blague dans tout le pays. Après avoir dépensé plus d'argent que c'que coûtent cent poules, la fille du même Ab Bollinger s'est mariée avec le fils du vieux Dick Shortreed et les deux vieux fous se sont réconciliés et ils ont tué la poule pour le grand dîner le jour du mariage. Elle était coriace, maintenant que j'y pense.

Après le départ de Judy, Pat se glissa hors du lit jusqu'à la fenêtre où la lune brillait sur les carreaux givrés. Winnie n'était pas montée encore et la nuit semblait immobile. Pat pouvait voir les champs couverts de neige cristalline, les ombres dans le Sentier qui Murmure, et la frange argentée des glaçons sur la grange de l'église. Une lumière brillait dans la chambre de Bets à la Longue Maison. Elle se sentait de nouveau l'amie du monde. Quelle importance qu'elle ne soit pas une grande beauté ? Elle avait la beauté des prairies étincelantes, des secrets de la lune dans les champs et les bocages, de Silver Bush, ce lieu tant aimé.

Néanmoins, ce fut un soulagement de se glisser dans son lit de nouveau et de se rappeler que Kathie avait les oreilles des Madison.

20

Les rivages de l'amour

— **S**ÛR QU'IL VA PLEUVOIR avant la nuit, dit Judy à midi. Y'a qu'à voir comme le ciel est clair jusqu'à la Colline de la Brume.

Pat espérait qu'il ne pleuvrait pas. Elle et Jingle prévoyaient marcher jusqu'au rivage. C'était une façon de faire plaisir à Pat, bien qu'il fût possible, depuis Silver Bush, de voir l'immense golfe au nord et la courbe bleue chatoyante du port, à l'est, c'était à plus de deux kilomètres de la rive elle-même et les enfants de Silver Bush n'y descendaient pas souvent. Pat sentait qu'elle avait besoin de quelque chose pour lui remonter le moral. Bouton, le plus ravissant petit chaton qu'elle eût hébergé à Silver Bush — assurément, tous les chatons l'étaient — était mort ce matin-là sans raison. Tous ses plaisirs étaient terminés : ses gambades à la tombée du jour, ses courses dans les arbres, ses chasses aux petites souris dans la jungle du Vieux Verger et ses après-midi paresseux sur les pierres tombales. Les larmes aux yeux, Pat avait enterré cette pauvre petite chose morte qui, hier soir encore, était si belle.

De plus, elle en avait plus qu'assez de Sid et de son histoire de grenouille. Pat se sentait toujours si terriblement mal pour les bêtes emprisonnées et Sid traînait la pauvre grenouille dans un seau depuis une semaine. Chaque fois que Pat la regardait, elle semblait la regarder d'un air suppliant. Peut-être avait-elle un père et une mère ou un mari ou une femme dans la mare ? Ou alors un ami très cher qui se languissait de les voir réunis. Alors Pat l'avait emmenée dans le Champ de l'Étang et Sid ne lui adressait plus la parole depuis deux jours.

Durant tout l'après-midi, les vagues de chaleur frémirent au-dessus du Champ de Boutons d'or et le soleil « absorba de l'eau »... comme si un tisserand lointain, quelque part à l'est, envoyait des fils de pluie brillants entre le ciel et la terre. Mais la soirée était encore belle quand Jingle, Pat et McGinty firent route pour le rivage, bien qu'on distinguât plus bas dans les terres quelques nuages épars de brume, transpercés ici et là par des petits sapins fantomatiques.

— N'allez pas vous noyer maintenant, prévint Judy, comme elle le faisait chaque fois que quelqu'un s'aventurait vers la plage. Et puis faites donc attention de ne pas tomber des falaises ou d'être pris par la marée ou de vous faire écraser par une 'tomobile sur la route et..., mais ils étaient trop loin déjà pour que Judy ait le temps de penser à un autre « et ».

Pat adorait cette longue route rouge sinueuse qui conduisait jusqu'à la mer, se tordant par endroits de façon inattendue, tout simplement parce qu'elle en avait envie, à travers des landes couvertes d'épinettes, où le laurier sauvage mauve bordait le chemin, et où les reines-des-prés et les lupins poussaient le long des clôtures. Judy appelait les lupins des « embrasse-moi-vite ». Pat aimait bien ce nom, sauf qu'on ne pouvait pas en parler aux garçons. Ils allaient gaiement leur chemin, mâchonnant du trèfle rouge gorgé de miel, pourchassés par un petit chien fou qui débeula soudain de nulle part, la langue pendante. Parfois ils se parlaient, à d'autres moments ils se taisaient. C'est ce que Pat aimait avec Jingle. On n'avait pas besoin de lui parler à moins d'en avoir envie.

211

À mi-chemin du rivage, ils durent rendre visite à M. Hugues, où Jingle avait une course à faire pour son oncle. La maison des Hughes était plutôt délabrée mais elle avait de jolies fenêtres coquettes que Jingle aimait bien. Jingle avait toujours un regard pour les fenêtres. Elles exerçaient une fascination particulière sur lui. Il affirmait que les fenêtres d'une maison pouvaient faire toute la différence.

— Est-ce que tu me laisseras mettre des fenêtres comme celles-là dans ta maison, Pat ?

Pat gloussa. Jingle avait déjà installé toutes sortes de fenêtres dans sa maison imaginaire.

Elle aurait préféré attendre à l'extérieur pendant que Jingle laissait son message et regarder ces fenêtres, même si bien des carreaux étaient brisés et remplacés par des bouts de tapis, mais il l'entraîna à l'intérieur. Jingle savait qu'il y avait trois filles Hughes dans la maison et il ne voulait pas les affronter seul.

M. Hughes était sorti mais on les invita à s'asseoir et à attendre son retour. Ni Pat ni Jingle ne se sentait bien à l'aise. La cuisine des Hughes était dans ce que Judy aurait appelé un état de « délabrement avancé » et une nuée de mouches s'étaient installées dans la vaisselle sale du dernier repas sur la table. Sally, Bess et Cora Hughes s'assirent en rang derrière la table et sourirent aux visiteurs... un sourire rempli de malice qui n'avait rien pour mettre à l'aise les timides ou les sensibles. Pat les connaissait à peine mais elle avait beaucoup entendu parler d'elles.

— Laquelle de nous trois, dit Bess en s'adressant à Jingle avec un sourire espiègle dans ses yeux verts, vas-tu épouser quand tu seras plus grand ?

Jingle rougit violemment, soudain très mal à l'aise. Il secoua ses pieds nus mais ne répondit rien.

— Oh, c'est toi le timide ? gloussa Sally. Mais regardez-moi donc comme il rougit, les filles.

— Je vais chercher le mètre de maman et on va mesurer sa bouche, dit Cora, en tirant la langue à Jingle.

Jingle avait l'air traqué et désespéré mais refusait toujours de parler ; il ne le pouvait sans doute pas. Pat était furieuse. Ces filles se moquaient de Jingle. Elle se rappela un mot qu'avait prononcé le ministre au cours de son sermon, le dimanche précédent. Pat n'avait aucune idée du sens qu'il pouvait avoir mais elle aimait bien la musique qu'il faisait. C'était un mot digne.

— Ne t'en occupe pas, Jingle. Elles ne sont rien d'autre que des protoplasmes, dit-elle avec suffisance.

Cela marcha pendant un moment. Puis le tempérament des Hughes reprit le dessus.

— Maigrichonne ! cria Bess.

— Crevette ! cria Cora.

— Face de lune ! cria Sally.

Et puis :

— Tu as intérêt à faire attention, Pat Gardiner, crièrent-elles toutes les trois en chœur.

— Oh, je ne suis pas fâchée, si c'est ça que vous voulez dire, rétorqua Pat sur un ton glacial. Je suis seulement très malheureuse pour vous.

La vanité des sœurs Hughes s'en trouva profondément blessée.

— Malheureuse pour nous ? Bess éclata d'un rire mauvais. Vaudrait mieux que tu sois malheureuse pour cette vieille sorcière de Judy. Elle ira directement en enfer quand elle mourra. Toutes les sorcières vont en enfer.

C'était la fin de toute dignité. Pat releva brusquement la tête.

— Judy n'est pas une sorcière. Je pense que votre père est le cousin de Mary Ann McClenahan, n'est-ce pas ?

Elles ne pouvaient pas le nier. Mais Sally ne se laissa pas démonter.

— Et pourquoi ta mère ne vient-elle jamais te voir, demanda-t-elle à Jingle.

— Je ne pense pas que ça te regarde, dit Pat.

— Je ne t'adressais pas la parole, Miss Gardiner, rétorqua Sally. Vaudrait mieux que tu tiennes ta langue au frais.

213

– Voyons, voyons, qu'est-ce que c'est que tout ce grabuge ?

Mme Hughes entra dans la pièce en se dandinant avec un vieux feutre de son mari enfoncé sur ses cheveux crépus. Elle se laissa tomber dans un vieux fauteuil de peluche et lança à la ronde un regard lourd de reproches.

– Qui c'est qui t'as flanqué une gifle, Jingle ? J'imagine que c'est vous les filles qui l'avez taquiné ? Je ne comprends pas pourquoi vous ne vous comportez pas comme si on vous avait bien élevées. Ne t'occupe pas d'elles, Jingle. Elles sont un peu trop fières de leurs manières.

Leurs manières ! Comme si c'étaient des manières d'insulter des visiteurs ! Mais M. Hughes arriva enfin. Jingle lui remit le message de son oncle et ils purent enfin sortir de la maison. McGinty était parti depuis longtemps et les attendait sur la route.

– Oublions tout cela, dit Pat. On ne va pas gâcher notre balade en pensant à elles.

– Ce n'est pas elles, dit Jingle, trop pitoyable pour se demander si c'était grammaticalement correct ou pas. C'est ce qu'elles ont dit à propos... à propos de maman.

C'était si beau au bord de l'eau qu'ils oublièrent rapidement l'aventure chez les Hughes. Ils marchèrent tout près des vieilles épinettes de Tiny Cove fouettées par le vent, et coururent vers cet endroit où se mêlent le vent et la plage. Des bateaux de pêcheurs passèrent, tels des apparitions. Ils pouvaient entendre au loin le grondement des vagues sur la jetée mais ici la mer ronronnait et roulait doucement à leurs pieds. Ils s'élancèrent le long du rivage, le visage picoté par le sable soulevé par le vent. Ils pataugèrent dans les trous d'eau sur les rochers. Ils construisirent des « châteaux de mer » avec des coquillages et des morceaux de bois flotté. Finalement, ils s'assirent sur un rocher rouge dans une petite courbe sous les « falaises » rouges et regardèrent droit devant eux l'horizon mauve du crépuscule, au-delà des frontières du monde.

214

– Tu aimerais ça aller loin, loin jusque là-bas, Pat ?

– Non. Pat frissonna. Ce serait beaucoup trop loin de la maison.

– Je pense que moi, j'aimerais ça, dit Jingle d'un ton rêveur. Il y a tant de choses dans le monde que j'aimerais voir. Les grands palais et les cathédrales que les hommes ont construits, je voudrais apprendre à les construire, moi aussi. Mais... Jingle s'arrêta. Il savait qu'il était inutile d'espérer une telle chose. Il devrait passer le reste de sa vie, aussi loin qu'il pouvait l'imaginer, à ramasser des pierres et à déraciner de jeunes épinettes sur la ferme de son oncle.

– Joe avait l'habitude de dire qu'il voulait être marin comme oncle Horace, dit Pat. Il disait qu'il détestait la ferme, mais il n'en a pas reparlé depuis longtemps. Mon père ne voulait jamais rien entendre.

– L'école recommence la semaine prochaine, dit Jingle. Je déteste aller à l'école. Mlle Chidlaw va demander que je rentre en classe préparatoire... et à quoi bon ? Je ne pourrai jamais aller à Queen's... jamais.

– Tu as envie d'y aller, Jingle ?

– Bien sûr que j'ai envie d'y aller. C'est la première étape. Mais je ne peux pas.

– L'année prochaine, ils vont me demander d'entrer en préparatoire, mais je n'irai pas, dit Pat résolument. Je ne veux pas aller à l'université. Je veux rester à Silver Bush et aider Judy. Oh, tu ne trouves pas que l'odeur du sel dans l'air est extraordinaire, Jingle ? J'aimerais tellement pouvoir venir plus souvent sur le rivage.

– On dirait des fantômes, toute cette brume près du port. Et regarde ce pauvre petit bateau solitaire là-bas... On dirait qu'il flotte à la frontière de la planète. Il y a un brouillard qui vient de la mer. Je crois qu'il serait préférable de rentrer, Pat.

Il n'y avait qu'un problème pour rentrer. Pendant qu'ils étaient assis sur le rocher, la marée avait monté. L'eau arrivait presque à leurs pieds maintenant. Les rochers sur la pointe du cap étaient déjà sous l'eau. Ils se regardèrent avec des visages soudain remplis d'effroi.

– Nous... nous ne pouvons pas contourner les rochers, suffoqua Pat.

Jingle regarda les rochers au-dessus de leurs têtes. Pourraient-ils les escalader ? Non, pas ici. Ils étaient trop élevés.

– Allons-nous... mourir noyés, Jingle ? chuchota Pat en se blottissant contre lui.

Jingle l'entoura avec son bras. Il fallait qu'il soit courageux et brave, pour le bien de Pat.

– Non, bien sûr que non. Tu vois cette petite grotte dans la falaise ? On peut grimper jusque-là. Je suis certain que la marée n'est jamais montée aussi haut.

– Oh, tu ne peux pas en être sûr, dit Pat. Rappelle-toi les histoires de Judy à propos de tous ces gens qui ont été surpris par la marée et qui sont morts noyés.

– Ça, c'était en Irlande. Je n'ai jamais entendu une chose pareille ici. Viens, dépêche-toi.

Jingle attrapa McGinty et ils coururent dans l'eau qui leur montait presque jusqu'aux genoux. Deux enfants extrêmement apeurés se jetèrent dans la petite grotte. En réalité, il n'y avait rien à craindre. La grotte était bien au-dessus du niveau de la mer. Mais ni l'un ni l'autre n'en était sûr. Ils restèrent assis, blottis l'un contre l'autre, avec McGinty entre eux. McGinty au moins n'était pas trop difficile. Les plaines des Indiens et les neiges de Lapland se ressemblaient toutes pour McGinty quand les deux personnes qu'il aimait le plus étaient avec lui.

La peur de Pat mit quelques minutes à disparaître. Elle se sentait toujours en sécurité avec Jingle. Et, vraisemblablement, la marée ne monterait pas jusqu'ici. Mais combien de temps cela prendrait-il avant qu'ils puissent s'échapper. Tout le monde à la maison mourrait d'inquiétude. Si au moins ils s'étaient rappelé les conseils de Judy !

Mais, en dépit de tout, le côté romantique de leur aventure plaisait à Pat. Prisonniers d'une grotte à cause de la marée était très romantique si toutefois il y avait des choses

216

romantiques sur cette terre. Et pour Jingle, s'il avait été assuré d'être en sécurité, il se serait senti parfaitement heureux. Il avait Pat pour lui tout seul. C'était quelque chose qui n'arrivait pas très souvent depuis que Bets s'était installée à la Longue Maison. Non pas qu'il n'aimait pas Bets. Mais Pat était la seule fille qui ne l'intimidait pas.

— Si ces horribles sœurs Hughes nous voyaient en ce moment, elles riraient bien, dit Pat en pouffant de rire. Mais je regrette qu'elles aient réussi à me rendre furieuse. Judy dit qu'on ne doit jamais s'abaisser à se fâcher contre des perfides.

— Moi je n'étais pas fâché, dit Jingle, mais ce qu'elles ont dit à propos de ma mère m'a fait mal. Parce que... c'est vrai.

Pat lui serra la main avec sympathie.

— Je suis certaine qu'elle va venir un de ces jours, Jingle.

— J'ai cessé de l'espérer, dit Jingle avec amertume. Elle... elle ne m'a pas envoyé de carte de souhait à Noël. Rien.

— Est-ce qu'elle répond à tes lettres, Jingle ? Est-ce que ça lui arrive ?

— Je... je n'envoie jamais mes lettres, Pat, répondit Jingle misérablement. Je n'en ai jamais envoyé aucune. J'en écris une tous les dimanches mais je les garde dans une boîte dans une vieille commode. Elle n'a jamais répondu à la première que je lui ai envoyée... alors je n'en ai jamais plus envoyé.

Pat ne pouvait pas s'en empêcher. Elle était malheureuse pour Jingle... écrivant toutes ces lettres, un dimanche après l'autre, et ne les envoyant jamais. Spontanément, elle mit un bras autour de son cou et lui embrassa la joue.

— Il n'y a personne comme toi sur cette terre, Pat, dit Jingle, réconforté.

— Écoute, écoute, fit la queue de McGinty.

Plus loin, les rivages n'étaient plus que des contours gris incertains. Les ombres plus sombres de la nuit qui tombait les entouraient maintenant complètement.

— Essayons d'imaginer des choses pour passer le temps,

suggéra Pat. Essayons d'imaginer des tas de choses au sujet de la vieille maison là-haut, dit Jingle.

La vieille maison surplombait la falaise à droite. Ce n'était pas une de ces maisons de pêcheurs qui tapissaient la rive. Il y avait deux générations de cela, un Anglais excentrique qui avait ramené sa famille d'Angleterre l'avait construite et vivait là entouré de mystère. Il semblait avoir beaucoup d'argent et c'était tous les soirs la fête dans cette maison, jusqu'à la mort de sa femme. Puis il avait quitté l'Île aussi soudainement qu'il était venu. Personne ne voulait acheter une maison construite dans un endroit pareil et elle s'était petit à petit transformée en ruine. Ses vitres étaient cassées... ses cheminées s'étaient effondrées. Le vent et la brume étaient les seuls hôtes de ces pièces qui avaient jadis abrité la musique et les rires et les tourbillons des danseurs. Parmi les ombres environnantes, la vieille maison avait une allure de fatalité que même un immeuble ordinaire arrive à maîtriser à la tombée de la nuit... comme si elle cachait quelques sombres mystères... des exploits sinistres dont l'histoire ne conservait aucune trace.

— Je me demande si quelqu'un a déjà été assassiné dans cette maison, chuchota Pat en frissonnant délicieusement de peur.

Ils peuplèrent la vieille maison avec les ombres de ceux qui l'avaient déjà habitée. Ils inventèrent les choses les plus invraisemblables. Que l'Anglais avait tué sa femme, qu'il avait jeté son corps en bas de la falaise, ou qu'il l'avait enterré sous la maison... et que son fantôme venait hanter les lieux, les soirs comme celui-ci. Les soirs d'orage, la maison résonnait de pleurs et de cris ; les nuits de lune, elle était remplie d'ombres, des ombres difficiles, infatigables. Ils se firent effroyablement peur et McGinty, excité par leurs voix tragiques, hurlait de manière lugubre.

Tout d'un coup ils eurent trop peur pour continuer à se raconter des histoires. Il faisait noir... trop noir pour voir le golfe même s'ils pouvaient l'entendre. La mer mugissait sur la jetée. À l'occasion, des jets de pluie venaient les arroser dans leur grotte. Les petites vagues soupiraient sur le rivage déserté. Le vent lui-même semblait rempli des voix de ces fantômes qu'ils avaient créés. C'était un endroit sinistre... Pat se rapprocha encore de Jingle.

– Oh, je souhaiterais tellement que quelqu'un vienne, chuchota-t-elle.

Les souhaits ne se réalisent pas toujours sur-le-champ, mais ceux de Pat, oui. Ils aperçurent une lumière diffuse sur l'eau ; elle se rapprochait. Il y avait un bateau avec un vieux pêcheur grisonnant. Jingle hurla de toutes ses forces et le bateau s'engagea dans leur direction. Andrew Morgan souleva sa lanterne et les dévisagea d'un air surpris.

– Par tous les dieux, si ce n'est pas le fils Gordon et la fille Gardiner ! Vous voulez bien me dire ce que vous faites là ? Prisonniers de la marée, c'est ça ? Eh bien, c'est une chance qu'il m'a pris l'envie de ramer jusqu'à la Petite Crique pour un sac de sel. J'ai entendu le chien aboyer et je me suis dit qu'il vaudrait mieux que j'aille voir ce qui se passait par là. Allez, montez maintenant... faites attention... ay, c'est ça. Et maintenant, où voulez-vous aller ?

Deux enfants remplis de gratitude furent déposés sur la terre ferme et ne perdirent pas une seconde en courant jusqu'à la maison. Une bonne grosse pluie tombait dru mais cela ne les dérangeait pas. Ils surgirent dans la cuisine de Judy, heureux... quittant la pluie, le vent et la pénombre pour la lumière de la maison. Mais oui, la maison leur tendait les bras !

Judy était scandalisée.

– Frigorifiés jusqu'aux os, qu'vous êtes ! La pneumonie, c'est ça qui vous guette.

– Non, vraiment Judy, on a couru pour avoir chaud. Ne te fâche pas, Judy. Et ne le dis à personne. Maman serait tellement inquiète si nous retournions un jour au bord de l'eau. Je vais enfiler une robe sèche et Jingle peut porter une des chemises de Sid. Et tu nous prépareras un petit quelque chose à manger, tu veux bien Judy ? On a une faim de loup.

— Oh, oh, et vous auriez pu vous noyer avec tout ça. Ou si le vieux Andy Morgan n'était pas passé par chez vous... sûr et pour une 'tite fois dans sa vie le vieux ninny s'est trouvé au bon endroit... z'auriez été obligé de rester dans vot' grotte jusqu'à ce que la marée retourne d'où c'est qu'elle est venue... un beau scandale.

— Les filles Hughes en aurait fait un de toute façon, dit Pat en riant.

— Cette tribu ! ajouta Judy avec mépris quand les enfants lui racontèrent toute l'histoire. Sûr que cette chose Sally a la langue bien affilée depuis qu'ils lui ont arrangé la bouche. Elle a été charmée par un serpent quand elle avait trois ans et qu'a l'a pas pu dire un mot pendant bien des années après ça.

— Charmée par un serpent ?

— C'est moi qui vous l'dis. C'est qu'y avait un serpent sur le perron et Sally qui le regardait droit dans les yeux. Sa mère s'en est allée lui donner un grand coup avec un bout de bois et Sally a crié comme si c'était elle qu'avait reçu le coup. Le vieux Hughes m'a raconté c't'histoire lui-même en personne, alors je vous laisse deviner à quel point que c'était vrai. P'tête ben qu'ils avaient honte d'la façon qu'a retroussait ses lèvres, mais y'a une histoire de serpent en arrière de tout ça et une chose de certaine... Sally avait le sifflement d'la bête dans sa voix jusqu'à l'âge de six ans. Mary Ann McClenahan était pas loin de dire qu'elle était une enfant changée. Oh, oh, t'as bien fait d'les remettre à leur place à propos de Mary Ann. Y sont pas très fiers de leur parenté avec elle, c'est moi qui vous l'dis. Mais... ma mémoire s'en va tout de travers... c'était quoi encore que tu les as apppelées ?

— Protoplasmes, dit fièrement Pat.

— Oh, oh, ça leur ressemble vraiment, quand c'est que j'pense à eux-autres, en secouant la tête. Maintenant, assisez-vous et mangez un p'tit peu. J'ai envoyé ta mère se

220

coucher parce que quand tu pars, faut pas que je la laisse faire, et que j'te vois pas rentrer à la maison avec des histoires aussi abracadabrantes pour t'en vanter.

– Tu sais bien que la vie serait ennuyeuse s'il ne se passait jamais rien d'extraordinaire, Judy. Et si jamais nous n'avions pas des aventures comme celle-là, il ne nous resterait pas grands souvenirs pour nos vieux jours.

– T'es pleine de bon sens, dit Judy avec admiration.

21

Qu'en penserait Judy ?

LORSQUE PAT RETOURNA à Silverbridge en septembre pour y passer quelques jours avec tante Hazel, elle y alla de bon cœur puisqu'un court exil de Silver Bush n'était pas si terrible que cela l'avait déjà été et qu'il était très agréable de séjourner dans la maison de tante Hazel. Mais quand ils eurent vent, peu de temps avant son retour, que Cuddles et Sid étaient cloués au lit avec la rougeole et que Pat ne pouvait pas rentrer à la maison avant que tout danger de l'attraper ne soit passé, ce fut une autre histoire. Pat réussit néanmoins à trouver quelque plaisir à ce séjour forcé et se consola de sa tristesse et de son mal du pays en écrivant des lettres à tout le monde.

La lettre à Bets. Avec une bordure de petits chats noirs dessinés tout autour.

Elizabeth de mon cœur,
Je pense que « de mon cœur » est une expression plus tendre encore que chère, tu ne crois pas ? Aujourd'hui c'est mon anniversaire et c'est aussi le tien et je trouve cela épouvantable que nous ne puissions pas le fêter ensemble. J'ai

pensé à toi toute la journée avec amour. Es-tu contente que ton anniversaire soit en septembre ? Je pense que c'est la plus belle chose qui me soit arrivée parce que septembre est le mois que je préfère dans l'année. C'est un mois tellement sympathique parce qu'on dirait que l'année cesse alors d'être pressée et qu'elle a le temps de penser à nous.

Bets, arrête d'y penser. Nous avons douze ans. Il me semble qu'il n'y a pas si longtemps, nous étions des enfants. Et réfléchis un peu, au prochain anniversaire, nous serons des adolescentes. La tante Vieille Fille d'oncle Robert dit que c'est à partir de l'adolescence seulement que les années se mettent à passer vite et que la première chose que l'on sait, c'est qu'on est vieux. Je ne peux pas croire que nous serons vieilles un jour, Bets... peux-tu ?

Je suis assez heureuse ici. La maison de tante Hazel est adorable mais je serais plus heureuse si tu pouvais partager tout cela avec moi. Les fenêtres de ma chambre donnent sur le verger et, à gauche, il y a une ravissante petite vallée remplie de jeunes sapins et d'ombres. Je veux dire que les sapins sont jeunes, pas les ombres. Je pense que les ombres sont toujours vieilles. Elles sont magnifiques mais j'ai un peu peur d'elles parce qu'elles sont si vieilles, justement. Tante Hazel a ri de moi quand je lui ai raconté ça et elle a dit que des idées pareilles devaient venir de Judy Plum avec ses histoires de fées et de lutins, mais moi je crois que ça n'a rien à voir avec tout ça. C'est parce que les ombres m'ont toujours semblé tellement vivantes, surtout quand la lumière de la lune et le crépuscule se mettent ensemble.

Je vais assez souvent de l'autre côté de la rue chez le frère d'oncle Robert pour jouer avec Sylvia Cyrilla Madison. J'aime beaucoup ce nom. Il a une musique joyeuse, bouillonnante, gazouillante, comme celle d'un ruisseau. C'est une gentille fille mais je ne pourrai jamais aimer quelqu'un autant que toi, Bets. J'aime bien Sylvia Cyrilla, mais je ne l'aime pas. Sylvia Cyrilla trouve Sid bien beau. D'une certaine façon, ça me déplaît de l'entendre parler de lui comme ça. Quand sa grande sœur Mattie a dit la même chose, j'étais fière. Mais je détestais l'entendre de la bouche de Sylvia Cyrilla. Pourquoi ?

Le grand frère de Sylvia Cyrilla, Bert, lui a dit que j'étais un joli petit brin de femme. Mais il a sans doute dit ça pour être poli.

Tante Hazel m'a appris à faire du fondant et des ourlets. J'aime bien faire ces choses-là mais Sylvia Cyrilla dit que c'est vieux jeu. Elle dit que les filles doivent avoir une carrière maintenant. Elle va en avoir une. Mais moi je suis certaine que je n'en veux pas. Il faut bien que quelqu'un fasse du fondant et j'ai remarqué que Sylvia Cyrilla aimait le fondant autant que tout le monde.

Jen Campbell est la meilleure amie de Sylvia Cyrilla. Elle est amusante mais elle n'aime pas qu'on la batte dans rien du tout. Quand je lui ai dit que Sid et Cuddles avaient la rougeole, elle a dit fièrement : « Moi, j'ai eu les oreillons, la rougeole, la scarlatine et une otite dans la même année et maintenant, il faut qu'on m'enlève les amygdales. » Je me suis sentie très inexpérimentée.

Jen a dit qu'elle aurait aimé être un garçon. Pas moi, et toi ? Je pense que c'est très agréable d'être une fille.

Je t'écris du grenier de chez tante Hazel et il pleut. J'adore me retrouver au grenier quand il pleut, pas toi ? J'aime bien quand il fait juste assez sombre dehors et qu'il pleut comme en ce moment. C'est tellement gentil, la pluie, quand elle tombe doucement. Oncle Rob dit que je suis un véritable chat de grenier mais, dans le fond, c'est parce que j'aime bien être là-haut pour voir le port à travers une fenêtre et Silver Bush à travers l'autre. D'ici on dirait que c'est un petit point blanc dans une forêt de bouleaux. Je ne peux pas voir ta maison mais je vois très bien la Colline de la Brume, sauf qu'elle est au nord au lieu d'être à l'est. Ça me fait un drôle d'effet, un peu comme la sensation d'Alice au Pays des Merveilles devant le miroir.

Ce soir, les ombres sont poussées par le vent au-dessus du port, dans la pluie. On dirait de grandes ailes de brume. Je me sens toute drôle quand je les regarde, comme si ça me faisait mal et, en même temps, je les aime. Oh, Bets chérie, c'est tellement extraordinaire d'être vivante et de voir des choses comme ça !

Je vais te dire un secret. Je ne le dirais à personne d'autre que toi sur la terre. Je sais que tu ne vas pas rire et je ne supporte pas d'avoir un secret que je ne partage pas avec toi.

Je pense que je suis tombée amoureuse dimanche soir dernier, à huit heures. J'ai assisté avec tante Hazel à un concert de musique sacrée à Silverbridge, donné par trois hommes aveugles. L'un jouait du piano, l'autre du violon et le troisième chantait. C'était un chant si céleste, Bets, et il était tellement beau. Il avait des cheveux foncés et un nez magnifique et les plus beaux yeux bleus du monde, même s'il est aveugle. Quand il a commencé à chanter, j'ai éprouvé une sensation si étrange dans le creux de mon estomac. J'ai pensé que j'avais attrapé la religion, comme dit Judy, et, dans un éclair, j'ai compris ce qui m'était arrivé parce que mes genoux tremblaient. J'ai demandé à Judy un jour comment on faisait pour savoir qu'on était amoureux et elle m'avait répondu : « Ce s'ra tes jambes qui vont se mettre à trembloter un p'tit peu. »

Oh, j'aurais tellement aimé pouvoir faire des choses splendides pour qu'il me remarque, ou mourir pour lui. J'étais contente que tante Hazel ait parfumé mes mains avec de l'eau de toilette avant d'y aller et de porter ma robe bleue avec le collier bleu, même s'il ne pouvait pas voir tout ça. Ça aurait été terrible de tomber amoureuse avec de vieux vêtements ou un rhume de cerveau comme cette pauvre Sylvia Cyrilla. Pendant toute la soirée, elle n'arrêtait pas de renifler et de se moucher.

Oh, je ne l'oublierai jamais, Bets. Le seul problème, c'est que ça n'a pas duré. Tout avait disparu lundi matin. Ça semble terrible parce que dimanche soir je pensais que ça durerait une éternité comme ils disent dans les livres. Je ne ressens absolument plus rien pour lui, mais ça m'étourdit un peu quand j'y pense. Est-ce que je suis volage ? Je détesterais être volage.

Ça va être merveilleux quand je vais rentrer à la maison et qu'on pourra être ensemble de nouveau. Je raye chaque jour sur le calendrier et je prie tous les soirs pour que personne d'autre n'attrape la rougeole à Silver Bush. S'il te plaît, attends mon retour avant de lire de la poésie sous le Pin observateur. Je n'ose pas penser à ce que ça me ferait de savoir que tu es là sans moi.

Il faut que j'aille me coucher maintenant et que je prenne mon visage de Belle au bois dormant. Essaie d'imaginer qu'on puisse s'endormir laide et qu'on se réveille belle. Ça ne te semble pas si extraordinaire, ma chère amie, parce que toi tu es belle, mais pauvre moi !

Ça serait plutôt bien d'avoir un mari aveugle parce que ça ne le dérangerait pas que sa femme ne soit pas belle. Mais je n'ai pas l'impression que je vais le revoir un jour.

Pense à moi aussi souvent que tu le peux.

Affectueusement,
Patricia.

N.B. Tante Hazel dit que je devrais me faire couper les cheveux à la garçonne. Mais qu'est-ce que Judy dirait ?

Lettre à sa mère

Ma chère maman chérie d'amour,

J'essaie d'imaginer que tu es là, maman, et que je sens tes bras qui m'entourent. Je désespère de vous voir tous. Mes journées ici sont agréables, d'une certaine manière, mais vous me semblez si loin, quand vient la nuit. Est-ce que je te manque ? Est-ce que Silver Bush s'ennuie de moi ? Chère Silver Bush. Quand je suis montée au grenier, ce soir, et que j'ai regardé par la fenêtre dans votre direction, c'était déjà noir et mort. Puis tout s'est allumé et on aurait dit que la vie revenait et j'avais l'impression que je pouvais vous voir tous, ainsi que Judy et Gentleman Tom, et je crois que j'ai pleuré un tout petit peu.

J'ai été tellement heureuse d'apprendre que Sid et Cuddles

226

allaient mieux. J'espère que Cuddles ne m'oubliera pas. Je suis contente que tu aies cuit ta lettre au four pour que je n'attrape pas de microbes, parce que ce serait terrible si, au moment où je peux enfin rentrer à la maison, j'attrapais la rougeole et que je la donnais à tout le monde ici. Ma chère maman, j'espère que tu n'as pas eu d'autres de ces terribles migraines pendant que j'étais ici.

Je lis un chapitre de la Bible tous les soirs, maman, et je récite mes prières. Mlle Martha Madison est ici pour quelque temps. Oncle Robert l'appelle sa tante Vieille Fille quand elle a le dos tourné et on peut seulement voir les majuscules. Tous les soirs elle monte dans ma chambre et me demande si j'ai fait mes prières. Je n'aime pas que les étrangers se mêlent de mes prières. Même si cela fera bientôt un an que papa est rentré de l'Ouest, je remercie Dieu tous les soirs pour cela. Je ne peux pas Le remercier assez. Jen dit qu'elle a des cousins là-bas, dans l'Ouest et que c'est un pays magnifique. Je n'en doute pas, mais ce n'est pas Silver Bush.

Il y a une chose que j'aime bien ici, maman. Le tapis de peau de mouton au pied de mon lit. C'est tellement agréable de sauter de son lit et d'enfoncer ses orteils dans un tapis de peau de mouton, tellement plus agréable qu'une vieille toile cirée ou même un tapis crocheté. Est-ce que je pourrais avoir une peau de mouton, maman ? Évidemment, seulement si ça ne fait pas de peine à Judy.

J'ai reçu une très belle lettre de Bets aujourd'hui. Maman, j'aime vraiment Bets. Je suis tellement heureuse d'avoir une amie aussi belle. Il y a quelque chose dans sa voix qui me rappelle le vent qui souffle à travers Silver Bush. Et ses yeux sont comme les tiens, toujours en train de regarder comme si elle savait quelque chose de merveilleux.

Tu es la plus merveilleuse maman du monde. J'aime bien écrire des lettres parce que c'est plus facile d'écrire certaines choses que de les dire.

Maman, est-ce que ma nouvelle robe pour cet hiver peut être rouge ? J'aime beaucoup les couleurs douces et brillantes à la fois comme le rouge. Sylvia Cyrilla dit qu'elle aimerait bien avoir une nouvelle robe tous les mois, mais pas moi. J'aime bien porter mes vêtements assez longtemps pour les apprécier. Je trouve ça dommage que ma robe brune de l'été dernier soit trop petite pour moi maintenant. J'ai eu tellement de plaisir dans cette vieille robe. Et, s'il te plaît, ne donne pas mes vieilles choses à Judy pour ses projets de crochet avant que je revienne à la maison. Je sais qu'elle a un œil sur ma chemise jaune, mais tu pourrais allonger les manches, n'est-ce pas que tu peux le faire, maman ?

Il y a un très beau lever de lune au-dessus du port ce soir, bien que le vent semble un peu triste autour du grenier. D'après ce que raconte Judy, quand j'ai vu la pleine lune un soir à trois ans, j'ai dit : « Oh, regarde l'homme qui tient une lanterne dans le ciel. » Est-ce que j'ai vraiment dit ça ?

La tante Vieille Fille dit qu'elle aime la lavande dans les draps. Quand je lui ai dit que nous mettions toujours du clou de girofle dans les nôtres, elle a levé le nez. Tante Hazel a dit hier que je pouvais préparer du Brown Betty pour le dîner mais je n'arrivais pas à le faire convenablement avec la tante Vieille Fille qui rôdait dans mon dos en surveillant si je ne faisais pas d'erreur. Alors ce n'était pas bon et je me sentais humiliée, mais, de toute façon, je trouve que le nom Brown Betty fait un peu cannibale.

Je crois que la mère de Sylvia Cyrilla adore son petit salon. Elle garde la porte constamment verrouillée et les stores baissés et seuls les visiteurs très importants ont le droit d'y pénétrer. Je suis heureuse que nous vivions dans toutes les pièces de la maison, maman.

La tante Vieille Fille dit qu'il y aura du gel cette nuit. Oh, j'espère que non. Je ne voudrais pas que les fleurs soient brûlées par le gel quand je vais revenir à la maison. Mais j'ai remarqué aujourd'hui que des feuilles jaunes commençaient à tomber des peupliers, alors ça veut dire que l'été est fini.

Je viens d'envoyer par la fenêtre un baiser que le vent devrait emporter jusqu'à toi. Et je mets tout plein de baisers dans cette lettre, un baiser pour tout le monde et toutes les choses et un baiser très spécial pour père et Cuddles. Je trouve ça heureux que l'amour ne pèse pas lourd dans une lettre. Si c'était le cas, cette lettre serait tellement lourde que je ne pourrais pas payer l'affranchissement.

Le nouveau bébé de tante Hazel est adorable mais pas aussi adorable que Cuddles quand elle était bébé. Oh, maman, il n'y a vraiment personne comme les gens de Silver Bush, n'est-ce pas ? Je pense que nous sommes une famille tellement extraordinaire ! Et tu es la plus extraordinaire de tous.

Ta fille dévouée,

Pat.

N.B. Tante Hazel dit que je devrais me faire couper les cheveux à la garçonne. Penses-tu que ça va déranger Judy maintenant ? Sylvia Cyrilla dit que sa mère a pleuré pendant une semaine quand elle a coupé les siens mais elle aime bien ça maintenant.

Lettre à Sid

Mon cher Sid,

Je suis tellement heureuse d'apprendre que tu te sens mieux et que tu es capable de manger. La tante Vieille Fille dit qu'on ne devrait pas te permettre de trop manger à cause de ta rougeole mais j'ai l'impression que Judy sait un peu mieux que la tante Vieille Fille ce qu'il y a à faire. J'étais très peinée d'apprendre que tu étais malade et moi qui n'étais pas là pour faire du vent sur ton front fiévreux ou n'importe quelle chose qui aurait pu te faire plaisir. Mais je savais que Judy s'occuperait de toi si maman n'en avait pas le temps à cause de Cuddles.

J'aime bien cet endroit. La maison est si accueillante et tante Hazel me permet de veiller jusqu'à neuf heures et demie. Mais je serai heureuse quand je rentrerai à la maison. J'espère que je n'attraperai pas la rougeole mais je pense que ça serait vraiment excitant d'être malade. On s'occuperait de moi pendant ce temps-là. Quand tu seras mieux, on retournera dans le Champ secret et on regardera comment se portent nos épinettes.

Sylvia Cyrilla dit que Fred Davidson et sa sœur Muriel étaient aussi attachés l'un à l'autre que toi et moi mais ils se sont fâchés et maintenant, ils ne se parlent jamais. Oh, Sid, j'espère qu'on ne se fâchera jamais. Je ne pourrais pas le supporter.

Bien sûr, ce ne sont que des Davidson.

Sylvia Cyrilla dit que les Peterson de South Glen ont eu très peur la semaine dernière. Ils croyaient que Myrtle Peterson s'était enfuie. Mais ils ont découvert qu'elle était seulement noyée. Et Sylvia dit que May Binnie est une fille pour toi. Ce n'est pas vrai, n'est-ce pas, Sid ? Tu n'aurais jamais une Binnie comme petite amie. Elles ne sont pas dans notre classe.

J'aimerais bien que tu épouses Bets quand tu seras plus grand. Ça ne me dérangerait pas qu'elle vienne habiter à Silver Bush. Elle aimerait tellement ça et je suis certaine qu'elle serait une épouse adorable pour toi. Et je sais que ça ne la dérangerait pas que je vive avec vous.

Si le chat gris et blanc de la grange a des chatons, dis à Joe d'en garder un pour moi.

Ce sera bientôt le temps des labours. Je serai à la maison à temps pour donner un coup de main dans le verger pour les pommes. Bert Madison m'apprend à faire un nœud marin et je te montrerai à condition que tu ne le montres pas à May Binnie, d'accord, Sid ?

Ta chère sœur,
Pat.

N.B. Tante Hazel dit que je devrais me faire couper les cheveux à la garçonne. Penses-tu que ça m'améliorerait ? Mais qu'est-ce que Judy dirait ?

Lettre à Jingle

Cher Jingle,

C'était vraiment très gentil de ta part de m'écrire si souvent. Je suis contente que tu te sois ennuyé de moi. Il n'y a personne à Silver Bush qui a dit s'être ennuyé de moi. J'imagine que Sid et Cuddles étaient trop malades et que Winnie et Joe sont si grands maintenant que je ne compte pas beaucoup pour eux.

Je suis dans le grenier. J'aime bien m'asseoir là et regarder les arbres dans la vallée d'épinettes devenir noirs et écouter le vent mugir autour des cheminées. Ce soir, c'est le genre de vent que Judy appelle un vent de fantôme. Ça me rappelle ces vers que tu m'as lus le dernier jour quand nous étions au Bonheur.

> *Le vent de minuit est venu violent et fort*
> *Nourri par les voix de la mort.*

Ces lignes me font chaque fois frissonner de façon si agréable, Jingle, et je suis heureuse que tu l'aies senti, toi aussi. Sid pense que tout ça c'est de la foutaise. Il rit de moi quand je me demande ce que les arbres peuvent bien dire et pourquoi le vent a parfois l'air si triste. Mais toi tu ne ris jamais de moi, Jingle. Ici, tous les soirs avant de m'endormir je reste allongée sur mon lit, immobile, et je me dis que je peux entendre l'eau couler sur le rocher plein de mousse dans notre cher Bonheur.

Comment va McGinty ? Fais-lui une caresse de ma part. La tante Vieille Fille a un chien mais il fait vraiment pitié. Elle ne le laisse jamais sortir hors de sa vue et la pauvre bête n'a pas d'autre jouet qu'un rat de caoutchouc. Il y a plusieurs chiens chez Sylvia Cyrilla, le chien de Bert, le chien de Myrtle et le chien de la famille, mais personne n'a un chien aussi gentil que McGinty. Le père d'oncle Rob, qui habite plus bas sur la route, a un chien, mais ce n'est pas un chien très emballant. Oncle Rob dit qu'il est toujours si fatigué qu'il doit s'appuyer contre une clôture pour aboyer. Parlant de chiens, j'ai déniché un très joli poème dans le cahier de tante Hazel qui s'appelle *Un ange de petit chien*. J'ai pleuré quand je l'ai lu parce que ça m'a fait penser à toi et à McGinty. Je pouvais vois McGinty se glisser à l'extérieur des portes du ciel entre les jambes de saint Pierre pour « t'aboyer le bonjour dans le frémissement de la nuit ». Oh, Jingle, je suis certaine que des chiens aussi gentils que McGinty ont une âme. Ils doivent en avoir une.

Je me demande bien ce que tu penserais de la maison de tante Hazel. J'ai l'impression que tu dirais qu'elle est trop haute. Mais elle est vraiment jolie à l'intérieur. Sauf qu'il n'y a pas de marches à l'arrière de la maison sur lesquelles on peut s'asseoir et pas de fenêtre ronde et d'horloge qui ne sonne plus.

Qu'est-ce que tu en penses, Jingle ? Le vieux M. Peter Morgan du port m'a dit qu'il avait été pirate dans sa jeunesse et qu'il avait enterré un trésor valant des millions sur une des îles des Caraïbes mais qu'il n'était jamais arrivé à se rappeler où. S'il m'avait raconté ça il y a quatre ans, je l'aurais cru, mais il a attendu trop longtemps. J'aimerais tellement pouvoir croire aussi facilement certaines choses, comme avant.

La clôture derrière la maison d'oncle Robert marque la frontière entre le comté de Queen's et le comté de Prince. C'est tout à fait excitant, Jingle, de penser que tu peux passer d'un comté à un autre en enjambant tout simplement la clôture. D'une certaine façon, on s'imagine que toutes les choses sont différentes. Je grimpe sur cette clôture tous les jours rien que pour la sensation de l'aventure. Tante Hazel dit que ça ne me prend pas grand-chose pour avoir des sensations mais moi je pense que c'est une chance. Que serait la vie sans quelques sensations comme celles-là ? Et que serait la vie sans Bets et Jingle et Sid et Judy et Silver Bush ?

Ton amie Pat.

Tante Hazel dit qu'elle pense que je devrais me faire couper les cheveux à la garçonne. M'aimerais-tu avec les cheveux coupés à la garçonne, Jingle ? »

Lettre à Judy avec les commentaires de Judy

Ma chère, mon unique Judy,

Il me semble que ça fait des siècles que j'ai quitté la maison et je me suis tellement ennuyée de vous tous et de cette chère vieille cuisine. La cuisine de tante Hazel est très moderne mais elle n'est pas aussi confortable que la nôtre, Judy. Quand je m'ennuie vraiment trop le soir, je me lève et je monte au grenier pour voir les lumières de Silver Bush et essayer de m'imaginer ce que vous faites tous et je peux te voir en train de préparer le pain dans la cuisine et te parler toute seule. *(Eh ben voyez-vous ça !)* Et Gentleman Tom qui pense tout seul sur son banc. *(Sûr et c'est un d'ces grands penseurs, mon Tom. Ça fait assez longtemps que je leur dis à tous qu'il pense plus fort dans une journée que la plupart d'eux- autres dans une semaine.)* Il n'y a pas de chats ici parce que la tante Vieille Fille d'oncle Robert vient tellement souvent et si longtemps et qu'elle n'aime pas les chats. Moi je n'aime pas beaucoup la tante Vieille Fille. *(Oh, oh, c'est pas moi qui te le reprocherais, Patsy.)* Elle est très ordinaire. Je sais que je n'ai pas grand-chose à dire de ce côté-là, mais au moins je n'ai pas un nez comme le sien. On dirait que tout, même ses cheveux, a peur de son nez et essaie le plus possible de s'en éloigner. *(Sûr et y'a de quoi observer pour toi.)* Et en même temps, elle me fait pitié, Judy, *(oh, oh, le p'tit cœur tendre qui se met à parler)*, parce qu'elle est vraiment très seule. Elle n'a personne ni de lieux qu'elle pourrait aimer. Ça doit être affreux.

Tante Hazel a la plus jolie courtepointe bleue, cousue en éventail, sur le lit des invités. Et elle a installé le tapis rose que tu lui as crocheté sur le plancher de la salle de séjour. Elle en est très fière et elle le montre à tout le monde. *(Oh, oh, c'est que j'me fais un nom par la même occasion.)* Il n'y a pas de petit salon dans la maison où elle aurait pu le mettre. Ce n'est pas très à la mode d'avoir un salon, d'après Sylvia Cyrilla. Je ne sais pas ce qu'elle aurait dit si elle avait su que nous en avons deux. *(Sûr et qui c'est qui s'en fiche de ce qu'elle dit ? Un salon ça fait toujours bien mieux qu'une salle de séjour et ça tous les jours ma fille.)*

Maman dit que je peux avoir une nouvelle robe rouge cet hiver, Judy. Et j'espère qu'elle me trouvera un petit chapeau rouge que je pourrai porter avec. *(Oh, oh, mais tu serais d'un chic !)* Jen Davidson dit qu'elle aura deux nouveaux chapeaux. Elle dit que les Davidson en ont toujours deux. Eh bien, on ne peut pas porter plus d'un chapeau à la fois, n'est-ce pas, Judy ? *(Quelle philosophe.)* La tante Vieille Fille lève le nez quand je parle de vêtements mais tante Hazel dit que c'est parce qu'elle ne peut pas se les offrir et si oncle Robert ne l'aidait pas tous les ans, elle n'aurait pas un fil sur le corps. *(Sûr et d'nos jours les gens veulent pas grand fil sur le corps, d'après c'que j'peux voir dans les livres de mode que je reçois.)*

Oh, chère Judy, la tante Vieille Fille dit qu'il ne faut pas raconter des histoires de fées et de lutins, elle dit même qu'il n'y a pas de Père Noël. *(Ben alors raconte-lui.)* Mais je vais toujours continuer à croire aux ronds de fées, aux fers à cheval au-dessus des portes et aux sorcières sur des balais. Ça rend la vie si excitante de croire en ces choses-là. Si tu crois en quelque chose, ça ne fait rien de savoir qu'elle existe ou pas. *(Sûr et qu'a pourrait convaincre un avocat de Philadelphy là-d'sus, la p'tite chérie.)*

On n'a pas de collation entre les repas ici, Judy. J'imagine que c'est plus sain mais quand vient l'heure de me coucher, je me rappelle tes œufs au beurre. Je pense qu'un petit goûter avant de se coucher c'est bon pour la santé. *(Sûr et toute personne qu'à d'la tête pense la même chose.)* Mais tante Hazel est une bonne cuisinière. Elle fait les meilleurs gâteaux éponge. J'aimerais tellement que tu apprennes à faire des gâteaux éponge, Judy. *(Oh, oh, gâteau éponge qu't'as dit ? J'suis bien trop vieille pour apprendre des choses de c'nouveau millé-*

234

naire.) Mais ses tartes aux airelles ne sont pas aussi bonnes que les tiennes, Judy. Elles sont trop sucrées. (*Oh, oh, la p'tite v'nimeuse de coquine ! C'est-y pas qu'a veut m'mettre de bonne humeur.*) La mère de Sylvia Cyrilla fait une excellente crème Devonshire. (*D'la crème Devonshire qu'a dit ? J'pouvais faire d'la crème Devonshire bien avant qu'a soye née ou même qu'on ait pensé à elle. Mais que m'diras-t-y d'où c'est qu'a vient c'te crème depuis qu'ils ont échappé du mauvais lait dans la fabrique de fromage ?*) Mais sinon, ce n'est pas une bonne cuisinière pour le reste. Ce qu'elle fait a toujours l'air bien mais il y a toujours quelque chose qui goûte de travers. Il n'y a pas assez ou trop de sel, ou ça n'a pas de goût ou quelque chose comme ça. (*Pas de jugeote, mon trésor, c'est ça le problème. Pas de jugeote.*)

Le cousin du père de Sylvia Cyrilla à Charlottetown a essayé de se trancher la gorge la semaine dernière mais Sylvia Cyrilla dit que ça n'a pas marché et qu'ils l'ont amené à l'hôpital pour le recoudre. (*Ça d'vait être Alvin Sutton. Sûr et y'a pas un des Sutton qu'a jamais réussi à faire du bon travail, quoiqu'ils fassent.*)

Le beau-père et la belle-mère de tante Hazel habitent plus haut sur la route, M. et Mme James Madison. J'y vais souvent quand j'ai une course à faire. D'après M. James, je ne vaux rien parce que je refuse de manger une bouchée de porridge. Il dit que c'est un plat de roi. Mais je ne suis pas un roi. (*Du porridge que c'est ? Sûr et même si j'ai pas grand-chose à dire contre le porridge, ce vieux maigrichon de Jim Madison est pas une publicité pour la convaincre.*) Ils sont très fiers de leur fille aînée, Mary. Elle a une maîtrise et elle a gagné des tas de prix à l'école. Maintenant elle enseigne à l'université. J'imagine que c'est très agréable d'être aussi intelligent, Judy. (*Oh, oh, mais j'ai pas entendu parler qu'a s'était trouvé un homme par contre.*) M. James aime bien taquiner sa femme. Quand le père de Sylvia Cyrilla lui a demandé s'il se marierait encore, il a ri et il a répondu oui, mais pas avec la même femme. Mme James n'a pas ri, elle. (*Oh, oh, p't'ête ben qu'a savait que c'était à moitié une farce et pas mal la vérité.*) Il paraît que M. James était très aventurier dans sa jeunesse mais il dit que s'il n'avait pas fait tout ce qu'il a fait, il n'aurait pas d'histoires à raconter à son entourage et qu'il ne serait rien d'autre qu'un vieux grand-père ennuyeux.

J'ai retenu toutes les histoires qu'on m'a racontées depuis que je suis arrivée ici, Judy, alors j'aurai des tas de choses à raconter quand je serai vieille comme toi. Il y en a une à propos d'un fantôme dans une ferme qui appartient à l'oncle de Sylvia Cyrilla, celui qui a des favoris. Je veux dire que c'est le fantôme qui a des favoris. N'est-ce pas que c'est drôle ? Peux-tu imaginer un fantôme avec des favoris. (*Sûr et j'ai connu un fantôme dans mon Irlande qu'était chauve. Y'a rien là, des favoris pour ta créature.*) Et Jen Davidson avait un cousin qui pleurait tout le temps quand il était saoul. Je pensais que c'était parce qu'il s'en voulait d'être saoul mais Jen dit que c'est parce qu'il ne peut pas se saouler plus souvent. Le vieux M. McAllister du pont est venu voir M. James lundi dernier et il a dit qu'il serait bien venu dimanche sauf qu'il se battait contre Satan ce jour-là. Penses-tu qu'il se battait vraiment contre Satan, Judy, ou est-ce qu'il faisait de la poésie ? (*Oh, oh, ça me fait plutôt l'impression qu'il essayait de rester en bons termes avec sa femme. Elle se fâche avec un lit de plumes, celle-là. Sûr et il l'a seulement mariée par erreur. Quand il l'a demandée en mariage, y s'attendait à c'qu'a dise non et quand elle a dit oui, le pauvre Johnny McAllister y'a eu la surprise de sa vie.*) Son frère était affreux et il est mort en brandissant le poing à Dieu. (*Peut pas s'attendre d'un McAllister qu'il ait des manières, même sur son lit de mort, Patsy chérie.*) Les frères Matby se sont finalement réconciliés après avoir refusé de s'adresser la parole pendant plus de trente ans. Je ne pense pas qu'ils sont aussi intéressants qu'avant. Oncle Rob dit qu'ils se sont réconciliés parce qu'ils ont oublié pourquoi ils étaient fâchés et si quelqu'un pouvait se le rappeler, ils recommenceraient demain. Et M. Gordon Keys tout près du pont a mis sa femme au pas depuis qu'il se met à crocheter de la dentelle quand elle ne fait pas ce qu'il dit. Elle déteste le voir faire ça, alors elle se rend à chaque fois.

L'histoire la plus drôle que j'aie entendue c'est celle-ci : il y a plusieurs années, le vieux Sam McKenzie était très malade à Charlottetown et tout le monde pensait qu'il allait mourir. Comme il était très riche et très important, M. Trotter, l'entrepreneur des pompes funèbres, savait que la famille voudrait un très beau cercueil pour lui. Il en importa donc un de grande qualité pour l'avoir sous la main parce que l'hiver était très dur cette année-là et il avait peur que le détroit gèle d'un jour à l'autre. Finalement le vieux Sam a guéri et le pauvre M. Trotter est resté pris avec un cercueil très coûteux sur les bras, et pas de client en perspective. Il n'en parla à personne et un jour, quelques mois plus tard, le vieux Tom Ramsay, qui était riche et important lui aussi, tomba raide mort alors que personne ne s'y attendait. Et M. Trotter a dit à la famille qu'il n'avait qu'un cercueil sous la main qui pourrait faire l'affaire et ils l'ont pris. Alors le vieux Tom Ramsay a été enterré dans le cercueil de Sam McKenzie. Le secret s'est ébruité après un moment et les Ramsay étaient furieux sauf qu'ils ne pouvaient pas déterrer leur mort.

Ça c'était mon histoire la plus drôle, mais la plus jolie c'est celle du vieux M. George McFadyen qui est mort il y a quatre ans et qui est allé au ciel. Au début, il n'a rencontré personne de l'Île mais après un moment il a découvert qu'il y en avait beaucoup, sauf qu'ils avaient été enfermés, de peur qu'ils essaient de retourner sur l'Île-du-Prince-Édouard. C'est M. James Madison qui me l'a racontée mais il n'a jamais pu m'expliquer comment il avait su pour l'expérience de M. McFadyen. De toute façon, je suis sûre que je me sentirais comme ça, Judy. Si j'allais au ciel, j'aurais envie de retourner à Silver Bush.

J'ai eu peur, quand il ventait si fort la nuit dernière, que certains de nos vieux arbres ne soient déracinés. Si Joe me garde un chaton, je suis certaine que tu vas lui donner de la crème, Judy. Jen Davidson a une tante qui s'est mariée quatre fois. (Oh, oh, tous les mensonges qu'a l'a dû raconter aux

237

hommes, celle-là !) Jen semble très fière d'elle mais oncle Rob dit qu'elle devrait faire des économies de maris parce qu'il n'y en a pas tant que ça dans les environs. Je pense qu'il a dit ça pour taquiner la tante Vieille Fille. Madge Davidson va se marier avec Crofter Carter. (*Sûr et elle est un peu défraîchie sinon a'r'garderait pas de son côté. J'ai connu l'époque où un Davidson changeait de trottoir quand il rencontrait un Carter.*) Ross Halliday et Marinda Bailey de Silverbridge sont enfin mariés. Ils étaient fiancés depuis quinze ans. J'imagine qu'ils se sont fatigués d'être fiancés. (*Sûr et Marinda Bailey disait toujours qu'a se marierait pas tant qu'a s'rait pas habituée à l'idée. Elle a toujours eu un grain dans la tête, celle-là. Mais le gars y semblait aimer ce genre-là, c'est moi qui l'dis. Elle a jamais eu l'air de rien mais l'embrassade c'est plus important, alors si Ross est enfin heureux, c'est pas Judy Plum qui va se mettre à faire des histoires.*) Mme Samuel Carter est morte et les funérailles auront lieu vendredi prochain. Il y a vraiment beaucoup de funérailles par ici, d'après Sylvia Cyrilla, mais M. Carter dit que les funérailles ne coûtent pas aussi cher que les mariages quand tout ce qui est dit est fait. (*Et c'est pas un drame quand y faut se farcir le beau-fils de Sam Carter. C'est moi qui l'dis.*)

J'espère que tu n'es pas fatiguée de lire cette longue lettre, Judy. J'en ai écrit un peu tous les jours depuis une semaine et j'ai mis tout ce qui me passait par la tête. Je serai bientôt rentrée et on pourra parler de tout ça encore. Ne laisse personne déplacer un seul meuble pendant mon absence. Si cette lettre est un peu lourde c'est parce que j'y mets beaucoup de baisers pour toi.

Avec amour,
Patsy.

N.B. Tante Hazel dit qu'elle pense que mes cheveux seraient plus foncés s'ils étaient coupés à la garçonne. Crois-tu que c'est vrai, Judy ?

P.

(Sûr et c'est une bonne affaire qu'elle écrive si long. C'est tellement ennuyeux ici depuis qu'la p'tite est plus là avec son destin pis ses rires à elle. C'est ben sa façon de sourire au monde comme si elle avait toujours une bonne farce qu'on peut lui raconter. Mais l'an prochain elle aura plus assez de temps pour parler de ses cheveux courts. Sûr et que j'vas mettre sa lettre dans ma boîte aux trésors.)

22

Trois filles d'une même race

SI LES ANNÉES après la douzième ne filèrent pas aussi rapidement que l'avait prédit de façon si lugubre la tante Vieille Fille, elles semblèrent néanmoins aller vraiment plus vite. Pat et Bets avaient de la difficulté à croire que leur treizième anniversaire approchait à grands pas quand la mère de Pat lui dit que Joan et Dorothy viendraient passer quelques jours de Saint-John et que ce serait bien d'organiser une petite fête pour elles.

– On peut l'organiser le jour de ton anniversaire. C'est aussi l'anniversaire de Bets et tu feras d'une pierre trois coups, dit sa mère gaiement.

Pat n'était pas très fanatique de fêtes... en tout cas pas aussi fanatique que Judy aurait aimé qu'elle le soit. La visite de Joan et de Dorothy ne l'enthousiasmait pas non plus tant que ça, bien qu'elle excitât sa curiosité. Elle avait beaucoup entendu parler de la beauté de Dorothy. La photographie de Joan et Dorothy était parue dans un journal mondain qui avait parlé des « adorables petites filles de M. et Mme Albert Selby de Linden Lodge ». Elle avait bien envie de voir si Dorothy était aussi jolie que la rumeur familiale le voulait.

– Je ne crois pas qu'elle soit plus jolie que Winnie.

– Oh, oh, probablement pas, si Winnie s'habillait comme elle... sûr et c'est des fois les plus belles plumes qui font les plus beaux oiseaux. Mais ton oncle Albert était très beau garçon et y disent que la Dorothy a pris de lui. Y'a jamais été là bien souvent. Sa femme est bien gaie et elle trouvait ça ennuyeux là-bas, des fois.

– Joan et Dorothy sont pensionnaires dans un couvent, dit Pat. J'imagine qu'elles sont effroyablement intelligentes.

Judy renifla.

– Oh, oh, l'intelligence peut pas se mettre dans une grande cuiller, même au couvent. Y'a quelques cervelles à Silver Bush. Ne te laisse pas impressionner, Pat, avec leurs histoires de couvent et de grande ville. De toute façon, j'les attends ces jolies petites filles et c'est seulement du côté que c'est tes cousines que j'espère que tu vas t'en occuper.

Joan et Dorothy étaient arrivées à Silver Bush depuis moins de vingt-quatre heures et Pat avait secrètement décidé qu'elle n'allait pas trop leur en montrer. Peut-être était-elle un peu jalouse de Dorothy – bien qu'elle ne l'aurait jamais admis – qui était certainement aussi belle que la rumeur le voulait. Elle était plus jolie que Winnie... mais Pat n'aurait jamais reconnu qu'elle était plus jolie que Bets aussi. Elle avait des cheveux foncés, d'un brun acajou, qui tombaient gracieusement sur son front, et Pat à côté d'elle avait l'air encore plus folle et pétillante. Elle avait des yeux marron comme du velours qui donnaient aux yeux dorés de Pat une teinte presque jaune. Elle avait des mains splendides qu'elle ramenait souvent à son visage, ce qui faisait que tout le monde autour d'elle avait l'air maigre et brûlé par le soleil. Joan, la plus intelligente des deux et qui n'était pas très jolie, était très fière de l'apparence de sa sœur Dorothy et s'en vantait quelque peu.

– Dorothy est la plus jolie fille de Saint-John, dit-elle à Pat.

– Elle est très jolie, admit Pat. Presque aussi jolie que Winnie et Bets Wilcox.

– Oh, Winnie ! Joan avait l'air amusée. Winnie est assez jolie, bien sûr. Toi aussi, tu pourrais être jolie, si tes cheveux n'étaient pas si longs et si terriblement raides. Ça fait tellement victorien.

Joan ne savait sans doute pas très bien ce que victorien voulait dire mais elle avait déjà entendu ce mot quelque part et croyait que cela ferait très bonne impression d'y avoir recours auprès de cette cousine de la campagne apparemment si indépendante.

– Judy ne veut pas que je me fasse couper les cheveux, rétorqua Pat froidement.

– Judy ? Oh, cette vieille servante bizarre qui travaille pour vous. Tu la laisses vraiment tout décider comme ça ?

– Judy n'est pas une servante, s'écria Pat avec chaleur.

– Pas une servante ? Mais alors elle est quoi ?

– C'est un membre de la famille.

– Il me semblait que vous lui versiez des gages ?

Pat n'y avait jamais vraiment pensé.

– Je... j'imagine que oui.

– Alors, c'est une servante. Évidemment, c'est extrêmement gentil de ta part de l'aimer comme tu l'aimes mais maman dit qu'il ne faut pas être trop près des servantes. Sinon, elles oublient quelle est leur place dans la famille. Judy n'est pas très respectueuse, d'après ce que j'ai pu voir. Mais bien sûr, c'est toujours autre chose à la campagne. Oh, regarde Dorothy là-bas, tout près des lilas. Tu ne trouves pas qu'elle a l'air d'un ange ?

Pat s'autorisa une impertinence.

– J'ai entendu dire que les jolies filles ne font jamais de très beaux mariages. Penses-tu que c'est vrai, Joan ?

– Maman était très jolie quand elle était plus jeune et c'est une belle femme aujourd'hui. Maman était une Hilton de Charlottetown, dit Joan avec condescendance.

Pat ne connaissait rien des Hilton de Charlottetown mais elle comprit que Joan se donnait des airs, comme aurait dit Judy.

Cela se passait quelques jours après leur arrivée à Silver

Bush. Elles avaient été très polies le premier jour. Silver Bush était un coin si charmant... le jardin était si « pittoresque »... la grange de l'église était si « pittoresque »... le cimetière était si « impayable ». Que se passait-il ? Pat le comprit d'un seul coup. Elles regardaient le jardin et le puits et la grange avec condescendance. Et le cimetière !

— J'imagine que vous buvez l'eau du robinet ? dit-elle avec mépris.

— Oh, tu es vraiment un petit brin de fille amusant, dit Dorothy en la serrant dans ses bras.

Mais après cela, elles cessèrent d'être condescendantes. Elles avaient pris le temps de faire connaissance et les opinions qu'elles s'étaient faites les unes des autres ne changeraient pas. Pat aimait bien Dorothy mais Joan était une véritable peste.

— J'aurais aimé que tu voies nos cyclamens, dit-elle quand Pat lui montra le jardin. Papa rafle toujours tous les prix au Salon de l'horticulture avec ces fleurs. Pourquoi est-ce qu'oncle Alec ne coupe pas cette vieille épinette ? Ça fait beaucoup trop d'ombre dans les coins.

— Cet arbre est un ami de la famille, dit Pat.

— Je n'aurais jamais mis des violettes dans ce coin-là, suggéra Dorothy. Je les aurais plutôt mises du côté est.

— Mais on a toujours eu des violettes dans ce coin, dit Pat.

— C'est incroyable comme cette barrière grince, dit Joan en frissonnant. Pourquoi est-ce que vous ne la huilez pas ?

— Elle a toujours grincé, dit Pat.

— Ton jardin est pittoresque mais plutôt chargé. Il faudrait l'éclaircir un peu, dit Dorothy en tournant les talons.

Pat avait appris certaines choses depuis le jour où elle avait giflé Norma. En l'honneur de Silver Bush, il ne fallait jamais insulter un invité. Autrement, c'est certainement ce qu'elle aurait fait à Dorothy.

Ce fut presque aussi désagréable à l'intérieur de la maison. Joan voulait changer tous les meubles de place comme si cela avait été sa maison.

— Tu sais ce que je ferais ? Je mettrais le piano dans ce coin-là...

— Mais il appartient à ce coin-ci, dit Pat.

— Cette pièce serait tellement plus jolie, ma chérie, si seulement vous vous donniez la peine de changer certaines choses, dit Joan.

— La pièce détesterait qu'on change quoi que ce soit, s'exclama Pat.

Joan et Dorothy échangèrent des regards amusés derrière son dos. Pat en était consciente. Mais elle leur pardonna parce qu'elles aimaient bien Bets. Bets, disaient-elles, était si adorable et avait de si bonnes manières.

— Oh, oh, elle a bon cœur et c'est sûr qu'elle a les bonnes manières, disait Judy.

Pat se rapprocha de Joan lorsque celle-ci admira la cabane à oiseaux que Jingle lui avait offerte. Jingle avait le don de faire de ravissantes cabanes à oiseaux. Mais quand les filles rencontrèrent Jingle, Joan perdit toute l'estime de Pat. Dorothy fut si gentille avec lui... peut-être un peu trop gentille... mais Joan ne vit que sa mauvaise coupe de cheveux et ses vêtements rapiécés. Et Dorothy fit enrager Pat en disant après coup :

— C'est extraordinairement gentil de ta part d'être si bonne avec ce pauvre garçon.

De la condescendance ! C'était bien le mot pour décrire son attitude. Elle avait été condescendante avec Jingle, aussi. Et malgré cela, Jingle aimait bien écouter Dorothy jouer du piano. On ne pouvait pas nier qu'elle savait jouer. Les prouesses de Winnie n'étaient rien à côté des siennes. Les deux sœurs Selby étaient musiciennes... Joan pratiquait nuit et jour sa guitare et Dorothy « montrait » ses jolies petites menottes sur le clavier du piano.

— On penserait qu'a va déchirer les clefs à force de piocher dessus, murmura Judy, qui n'aimait pas voir Winnie éclipsée de la sorte.

Le séjour n'avait donc pas le succès escompté, bien que les autres membres de la famille, les plus âgés... tous à l'exception de Judy... pensaient que les filles s'entendaient à merveille. Pat avait de la difficulté à trouver des activités amusantes pour Joan et Dorothy... et ses cousines avaient sans cesse besoin d'activités amusantes. Elles n'arrivaient pas à s'amuser toutes seules alors que Bets et elle y arrivaient sans peine. Pat leur montra le cimetière et leur présenta les champs par leur nom, de la Vieille Partie au Sentier qui Murmure. Elle essaya même de ne pas s'en faire quand Sid emmena Dorothy dans leur Champ secret. Mais cela lui fit horriblement mal.

Elle savait que la famille pensait que Sid était « charmant » avec Dorothy. C'était sans doute mieux que d'être charmant avec May Binnie. Mais Pat ne voulait pas que Sid soit charmant avec personne.

— Tu es tout simplement jalouse de Dorothy parce que Cuddles lui fait trente-six manières, railla Sid.

— Non... non... je ne suis pas jalouse, s'écria Pat. Sauf... que c'était notre secret.

— On est trop vieux pour avoir des champs secrets et, de toute façon, tout ça c'est de la foutaise, dit Sid avec des manières de grande personne.

— Je déteste devenir une grande personne, dit Pat en sanglotant. Oh, Sid, ça ne me fait rien que tu aimes bien Dorothy ; je suis contente qu'elle te plaise. Mais elle se fichait complètement de notre champ.

— C'est vrai qu'elle s'en fichait, admit Sid. Elle m'a demandé ce qu'on pouvait bien lui trouver pour que ce soit un secret. Et qu'est-ce qu'on lui trouvait, Pat, si tu veux que je pose les vraies questions ?

— Oh ! Pat se sentait complètement impuissante. Si Sid ne pouvait plus voir ce qu'ils lui avaient trouvé, elle n'y pouvait rien.

Joan et Dorothy ne firent aucun cas de la maison de jeu dans le bosquet de bouleaux ; elles n'eurent pas envie de partir à la chasse aux chatons dans la grange : les deux petites merveilles orange à la queue tout ébouriffée les laissèrent complètement indifférentes, bien que Dorothy s'y intéressât quand les garçons commencèrent à rôder dans les environs. Elle les caressa sous leur adorable menton et embrassa même leurs petites têtes de velours chauffées par le soleil... « Seulement, comme Judy le murmura pour elle-même, pour donner envie à ces garçons d'être des p'tits chatons. »

Elles ne savaient absolument pas comment « inventer des aventures ». Elles n'aimaient pas pêcher dans le Jordan avec de gros vers gras ; elles ne pouvaient pas rester assises pendant des heures sur une clôture ou un rocher ou une branche de pommier et parler de tout ce qu'elles voyaient, comme Pat et Bets savaient le faire. Elles ne trouvaient rien de charmant à rester assises sur la tombe de Willy le Pleureur et regarder le ciel pour voir la première étoile. Joe les emmenait en voiture tous les soirs et la fête fut amusante. Elles portèrent des robes comme on n'en avait jamais vues à North Glen avant cela et dont toutes celles qui eurent la chance de les voir se rappelèrent pendant des années. Mais elles s'ennuyaient, même si elles faisaient des efforts polis pour le cacher.

Il y a une chose, cependant, qu'elles aimèrent : rester assises dans la cuisine ou sur les escaliers de la porte à l'arrière de la maison, dans la lumière de septembre quand le ciel était rempli des doux chatoiements du soleil qui venait de se coucher derrière les montagnes et que les bouleaux dans l'immense boisé agitaient leurs branches comme pour envoyer des baisers à l'univers, tout en écoutant les histoires de Judy pendant qu'elles mangeaient des pommes rouges et sucrées au goût de noix. Ce fut l'unique fois où Pat et ses cousines s'aimèrent vraiment. Et, bien que Dorothy trouvait cela « pittoresque » de manger à la cuisine, elles ne dédaignèrent pas les « p'tites bouchées » que leur offrit Judy après leur avoir raconté des histoires. Pat surprit quelques regards amusés devant les œufs frits de Judy et ses gâteaux à la morue, mais elles s'exclamèrent devant son pain de campagne et ses beignets avec tant de chaleur que le cœur de Judy se radoucit à ces compliments. Judy s'en voulait de ne pas aimer ces filles plus qu'elle-même après avoir tant espéré que Pat les aime. Gentleman Tom, qui n'avait d'attention que pour Judy, semblait bien aimer Joan et la suivait partout. Pat craignait que Judy n'en soit jalouse mais, en apparence, elle ne l'était pas le moins du monde.

— Y sait qu'elle a besoin qu'on la regarde, celle-là, dit Judy en reniflant.

— C'est beau ici, l'été, reconnut Joan au cour de l'une de ces soirées, mais ça doit être effroyablement ennuyeux l'hiver.

— Ça ne l'est pas. Les hivers ici sont merveilleux. On peut être très bien, l'hiver, rétorqua Pat.

— Vous n'avez même pas de fournaise, dit Joan. Comment diable faites-vous pour ne pas geler à mort ?

— On a des poêles dans toutes les pièces, dit Pat fière-ment. Et des tonnes de bon bois de chauffage ; regarde le tas, là-bas. Au moins on peut voir nos feux, on n'a pas besoin de s'asseoir sur un trou dans le plancher pour se réchauffer.

Joan éclata de rire.

— Nous avons des radiateurs à vapeur, espèce de folle, et des foyers ouverts. Tu es vraiment drôle, Pat. Tu es si touchante quand tu parles de Silver Bush. On pourrait croire que c'est le seul endroit qui existe sur la terre.

— C'est le seul endroit... pour moi, dit Pat.

— Joe n'est pas de ton avis, dit Joan. On s'est parlé, Joe et moi, pendant nos balades en voiture. Il n'est pas heureux ici, Pat.

Pat la dévisagea.

— Est-ce que Joe t'a vraiment dit ça ?

— Oh, pas dans ces termes, mais c'est ce que ça voulait dire. Je ne pense pas qu'aucun de vous ne comprenne vraiment Joe. Il n'aime pas travailler à la ferme. Il a envie d'être marin. Joe est très sensible, très profond, Pat, mais il n'aime pas le montrer.

— Oh, rien que le fait qu'elle m'ait parlé de Joe comme ça, à moi, sanglota Pat à Judy, après que les filles se furent mises au lit dans la Chambre du Poète. Je sais que Joe a des idées bizarres à propos des marins, aussi bizarres que les miennes, mais papa dit qu'il sera bientôt plus raisonnable. Je suis certaine que Joe n'aura jamais envie de quitter Silver Bush.

— Vous ne pouvez pas tous rester ici toute votre vie, ma chérie, prévint Judy.

— Mais on n'a pas besoin de penser à ça avant des années, Judy. Joe a seulement dix-neuf ans. Et Joan qui prend des airs parce que, supposément, elle le « comprend ».

— Oh, oh, c'est là que le bât blesse, dit Judy en gloussant.

— Et Joan m'a demandé aujourd'hui si je trouvais que Dorothy a un rire charmant. Elle a dit qu'on remarquait Dorothy à cause de son rire. J'ai dit oui, seulement pour être polie, Judy...

— Oh, oh, si tout le monde devait être poli ! Mais au moins y'en a une qui l'est.

— Mais je ne pense pas que le rire de Dorothy soit à moitié aussi charmant que celui de Winnie, Judy.

— Sûr et c'est toutes les deux qu'ont le rire Selby, alors on peut jamais distinguer c'est laquelle des deux qui rit si on les a pas devant les yeux. Mais j'sais bien que j'pourrais pas convaincre ni toi, ni Joan, de ça. Le problème, mon trésor, c'est que toi et Joan vous êtes trop pareilles pour beaucoup de choses pour que ça marche un jour très bien entre vous deux.

Pat ne raconta pas à Judy tout ce qui l'avait blessée. Joan avait dit :

— Après tout, ton Jingle a un très charmant sourire.

— Ce n'est pas mon Jingle, avait répondu Pat sèchement. Et quelle différence cela pouvait lui faire que Jingle ait un sourire charmant ou pas ? Ne s'était-elle pas moquée de ses cheveux et de ses lunettes et de ses pantalons rapiécés ?

Elle avait également ri de la barbe d'oncle Tom et du livre du Savoir pratique de Judy. L'un était « victorien » et l'autre était « démodé ». Elles furent condescendantes avec tante Edith et tante Barbara, aussi... c'étaient des « vieilles dames si pittoresques ». Pat n'avait jamais été si consciente de la tache qu'avait fait une fuite d'eau au plafond de la salle à manger et de l'usure du tapis dans le petit salon avant que Joan ne les remarque, et elle n'avait jamais constaté à quel point les bardeaux du toit de la cuisine étaient couverts de mousse avant que Joan dise d'un ton aimable qu'elle aimait bien les vieilles maisons.

— Notre maison est un peu trop neuve. Les murs sont en stuc blanc et le toit en ardoises rouges... un peu brillantes. Papa dit que ça devrait s'arranger avec le temps.

— Je n'ai jamais aimé les maisons neuves, dit Pat. Elles n'ont pas de fantômes.

— Des fantômes ? Tu ne crois pas aux fantômes, dis-moi, Pat ?

— Je n'ai pas... vraiment... voulu dire des fantômes.

— Mais alors, qu'est-ce que tu voulais dire ?

— Oh... seulement que... quand une maison est habitée pendant des années et des années, il y a quelque chose qui reste des gens qui l'ont habitée.

— Tu es vraiment « pittoresque », ma chérie ! dit Dorothy.

Pat jubilait de retrouver enfin, après leur départ, le silence et la liberté dans la maison. C'était absolument délicieux de pouvoir être seule de nouveau. Les livres étaient tous retournés à leur place ; la Chambre du Poète n'était plus encombrée de robes étrangères, de souliers, de brosses et de colliers.

— Tu ne trouves pas cela agréable d'être seul chez soi, sans étranger ? demanda-t-elle à Judy quand elles s'assirent toutes les deux sur les marches. Une nuit de brume argentée s'élevait au-dessus du bosquet et l'or pâle et pur des feuilles du tremble frissonnant s'était évanoui dans l'ombre.

L'air immobile était empli du grondement lointain et sourd de la mer. Gentleman Tom s'était fait beau sur la margelle du puits et les deux chatons orange clignaient de leurs yeux d'ambre et ronronnaient à pleine vapeur sur les genoux de Pat.

— Maman dit qu'elle regrette que je n'aie pas adoré mes cousines. Je les adore, Judy, mais je ne les aime pas.

— Oh, oh, mais trois c'est du monde, dit Judy. Deux filles peuvent très bien s'entendre, mais quand y'en a trois et que les trois ont toutes les trois un fort caractère, y risque d'y avoir des étincelles, d'une façon ou d'une autre. Je l'ai souvent dit, ça.

— J'aimais bien Joan, parfois... mais j'avais l'impression d'être tellement insignifiante, Judy. Elle me snobait.

— Sûr et elle snoberait la lune, celle-là. Mais elle est intelligente pour deux.

— Et elle n'arrêtait pas de se vanter... je te le dis.

— Les Hilton ont toujours aimé faire du flon-flon avec rien. Pis toi, tu t'es pas un peu vantée aussi, tu ne les as pas un peu snobées, Patsy chérie ? J'te dis pas que t'avais pas de bonnes raisons. Y'a pas beaucoup de familles qu'y ont pas leurs p'tits rois. Même les Selby, si c'est pas pour parler des Gardiner. Faut que tu le reconnaisses. J'pense que t'aurais plus aimé les filles si t'avais pas été un p'tit brin jalouse, hein Patsy...

— Je n'étais pas jalouse, Judy !

— Oh, oh, sois honnête, mon trésor. Oui t'étais jalouse de Joan parce que Joe l'aimait bien et t'étais jalouse de Dorothy parce que Sid et Cuddles l'aimaient bien aussi. T'as tes p'tits travers, Patsy, autant qu'elles ont les leurs.

— Je ne raconte pas d'histoires, au moins. Avant de partir, elles ont dit à maman qu'elles avaient bien apprécié leur séjour. Ce n'est pas vrai. Ça c'était un mensonge, Judy.

— Oh, oh... un mensonge poli, peut-être... et peut-être pas un mensonge après tout. Ça leur arrivait d'aimer ça, de temps en temps, comme t'as dit, je pense.

– De toute façon il y a un mot que je ne veux plus jamais entendre de ma vie, Judy et c'est « pittoresque ».

– Pittoresque, tu dis ? Sûr et quand Joan a dit de Gentleman Tom qu'il était pittoresque, je te jure que la bête m'a fait un clin d'œil. J'aurais bien pu dire à Mlle Joan que son propre grand-père était pittoresque le soir où il s'est levé pour faire un discours à l'assemblée Torie et que sa femme, qu'était née Tolman et de la même engeance qu'une Grit, s'est penchée de son siège en arrière et qu'a lui a tiré la queue de la veste pour qu'il se rassoye. On a pu entendre le bruit que ça a fait dans toute la salle. Elle l'aurait pas laissé dire un mot de plus. Oh, oh, pittoresque !

– Parfois, Judy, elle me mettait terriblement en colère... à l'intérieur.

– Mais tu l'as laissé à l'intérieur. Ça montre que t'apprends des choses. C'est ça qu'on doit apprendre, mon trésor, si on veut vivre avec le monde en paix. En colère à l'intérieur, c'est ça ? Sûr et moi j'étais en colère à l'intérieur tous les jours quand elles étaient là et qu'elles ont commencé à faire des manières dans ma propre cuisine. Et cette Joan qui parlait toujours de « marcher avec son temps ». Sûr que j'me suis dit à moi-même, si courir en rond après sa propre queue c'est marcher avec le temps et t'es bien la fille pour ça. Et après j'me disais que ses tantes à Bay Shore elles étaient pareilles quand elles étaient p'tites filles et j'pensais, les familles devraient se tenir les unes les autres, comme ça la vie nous guérirait d'un paquet de folleries. Ça m'étonnerait pas que tu rencontres les filles un de ces jours quand vous serez toutes les trois un peu plus mûres et que vous trouviez que vous vous entendez très bien.

Pat prit note de la prédiction de Judy dans un silence plein de scepticisme. Elle regarda en direction de la Longue Maison où la lumière à la fenêtre de la chambre de Bets brillait comme une étoile amicale sur la colline sombre.

— De toute façon, je suis contente que Bets et moi soyons de nouveau seules. Je veux que Bets soit ma seule amie.

— Qu'est-ce tu f'ras quand a s'ra plus grande pis qu'a partira ?

— Oh, mais elle ne partira jamais, Judy. Même si elle se marie, elle ira vivre à la Longue Maison parce qu'elle est enfant unique. Et je serai toujours là et on sera toujours ensemble. On a déjà tout arrangé.

Judy poussa un soupir et donna un petit coup de coude.

— Vaut mieux que tu l'dises pas trop fort, Patsy... pas trop fort, ma chérie. Sûr et on sait jamais qui c'est qui pourrait t'entendre.

23

Un faux rayon de soleil

— **P**AT, peux-tu venir me retrouver dans le Bonheur immédiatement ? demanda Jingle au téléphone.

Les Gordon s'étaient enfin fait installer le téléphone et, règle générale, Jingle et Pat s'arrangeaient pour empêcher les fils de rouiller.

À la voix de Jingle, Pat compris que quelque chose d'excitant était arrivé... d'excitant et d'agréable. Qu'est-ce que cela pouvait bien être ? Les choses excitantes et agréables étaient si rares dans la vie de Jingle, pauvre Jingle. Elle se rendit au Bonheur si rapidement qu'elle fut là avant lui, l'attendant dans une dénivellation pleine de fougères au pied de la colline. Jingle traîna un moment derrière l'écran des jeunes épinettes pour l'observer... ses extraordinaires yeux mordorés fixaient rêveusement le ciel, son sourire provocant cachait des pensées secrètes qui venaient s'attarder sur ses lèvres... juste assez pour lui donner cette adorable courbure aux commissures des lèvres qu'on avait envie d'embrasser et qui commençait à faire battre le cœur de Jingle de manière étrange, dès qu'il la voyait. À quoi donc pensait-elle ? À quoi donc pensent les filles ? Jingle se surprit à espérer en savoir plus sur les filles en général.

Le regard de Pat quitta enfin les nuages pour découvrir

Jingle comme elle ne l'avait jamais vu auparavant, avec des yeux si lumineux qu'ils brillaient même à travers l'épaisseur de ses lunettes.

— Jingle, tu as l'air de... on dirait que tous tes rêves vont se réaliser.

— C'est vrai... pour moi. Jingle se jeta dans l'herbe et cacha son visage derrière ses mains brûlées par le soleil. Pat... maman arrive... demain.

Pat en eut le souffle coupé.

— Oh, Jingle ! Enfin ! C'est merveilleux !

— Le télégramme est arrivé hier soir. J'ai immédiatement appelé à Silver Bush, mais Judy m'a dit que tu étais partie. Puis ce matin, j'ai dû partir à cinq heures pour livrer du fromage en ville. Je viens de rentrer... Je voulais que tu sois la première à le savoir.

— Jingle... je suis tellement heureuse !

— Moi aussi, je suis heureux... mais, Pat... j'aurais préféré qu'elle me prévienne de son arrivée dans une lettre plutôt que de me télégraphier.

— Elle n'a vraisemblablement pas eu le temps. Où était-elle ?

— À Saint-John. Oh, Pat, penses-y un instant... j'ai quinze ans et je n'ai jamais vu ma mère... je ne me la rappelle pas. Même pas une photographie... je ne sais absolument pas à quoi elle ressemble. Il y a longtemps... tu te rappelles, Pat... le jour où on a découvert le Bonheur ? Je t'ai dit qu'elle avait les yeux bleus et des cheveux blonds. Mais j'avais seulement imaginé tout cela parce que j'avais entendu tante Maria dire un jour qu'elle était « claire ». Elle n'est peut-être pas comme ça du tout.

— Je suis certaine qu'elle est très belle, quelle que soit la couleur de ses yeux et de ses cheveux, dit Pat sur un ton rassurant.

— Depuis que j'ai vu cette Madone des Nuages dans ton petit salon, j'ai imaginé ma mère comme ça. Bien sûr, elle est sans doute plus vieille... maman a trente-cinq ans. Je n'arrivais pas à dormir la nuit dernière en pensant à son arrivée. Je ne sais pas comment je vais faire pour attendre jusqu'à demain. Hier soir, j'ai cru que je ne pourrais jamais attendre demain.

Le visage fin aux traits si délicats de Jingle était rêveur et distant. Pat le contempla, palpitante de sympathie. Elle savait ce que cela voulait dire pour lui.

— Je le sais. Judy m'a dit que lorsque j'étais petite et qu'on me promettait quelque chose pour demain, je n'arrêtais pas de lui demander : « Il est où demain en ce moment, Judy ? » Ton demain est quelque part, Jingle... en ce moment même, il faut qu'il soit quelque part. Tu ne trouves pas que c'est amusant de penser ça ?

— Toute la journée d'aujourd'hui, je l'ai passée comme dans un rêve, Pat. Ça me semblait irréel. J'ai sorti le télégramme et je l'ai lu une centaine de fois pour être sûr. Si seulement cela avait été une lettre, Pat... une lettre qu'elle aurait écrite... touchée.

— Mais tu l'auras elle en personne, demain, et ce sera mieux que toutes les lettres du monde. Combien de temps restera-t-elle ?

— Je ne sais pas. Elle ne dit rien à part qu'elle sera là. J'espère qu'elle restera des semaines.

— Peut-être... peut-être partira-t-elle avec toi, Jingle.

Pat retenait son souffle. L'idée lui avait traversé l'esprit comme un éclair. C'était une idée vraiment très malvenue. Jingle parti ? Le Jordan et pas de Jingle ! Le Bonheur et pas de Jingle ! Un frisson étrange sembla émerger quelque part de l'intérieur et se répandit sur tout son corps.

Jingle secoua la tête.

— Je ne pense pas... d'une certaine façon je... je ne pense même pas que j'aurais envie de partir. Mais de la voir... de sentir ses bras autour de moi, une fois seulement ! De tout lui raconter. Je vais lui remettre toutes les lettres, Pat. Je les ai sorties de la boîte hier soir et je les ai relues. Les premières, alors que je ne savais écrire qu'en lettres carrées, étaient tellement drôles. Mais une mère ne les trouverait

255

pas drôles, tu ne penses pas ? Une mère les aimerait bien, tu ne crois pas ?

— Je suis certaine qu'elle va les adorer. Elle ne pourra pas faire autrement.

Jingle soupira d'aise.

— Tu en sais tellement plus sur les mères que moi, Pat. Tu en as eu une toute ta vie.

Pat battit des paupières sauvagement. Ce serait absurde de pleurer. Mais elle était envahie d'une soudaine et ardente pitié pour Jingle... que sa mère n'était jamais venue voir... qui avait des années de lettres jamais envoyées. Elle avait de la peine pour la mère qui ne les avait jamais reçues.

Mais tout irait très bien après cela.

— Tu dois venir rencontrer ma mère, Pat.

— Oh, mais Jingle, je ne veux pas. Tu auras envie d'être seul avec elle.

— J'imagine que la plupart du temps, oui. Mais je veux que tu la voies... et je veux qu'elle te voie. Et nous l'emmènerons ici et nous lui montrerons le Bonheur, n'est-ce pas que nous le ferons, Pat ? Ça ne te dérangera pas ?

— Bien sûr que non. Et, évidemment, elle voudra le voir parce que c'est un endroit que tu aimes.

— Je n'ai eu le temps de rien faire pour elle...

— Tu pourrais cueillir un joli bouquet, Jingle. Elle serait tellement contente.

— Mais on n'a pas de jolies fleurs chez nous.

— Viens très tôt demain matin et prends des fleurs de notre jardin. Je ferai le bouquet pour toi... il y a de jolies anémones en ce moment. Tu pourras choisir les fleurs et je les arrangerai. Judy dit que j'ai un don pour les fleurs. Jingle, comment s'appelle ta mère ?

— Mme Garrison, dit Jingle avec amertume. Il lui était insupportable de penser que sa mère ne portait pas le même nom que lui. Son prénom, c'est Doreen. C'est un joli prénom, n'est-ce pas ?

— Alors la mariée de Jim s'en vient voir son fiston,

256

enfin ? dit Judy lorsqu'elle entendit la nouvelle. Eh bien, c'est pas trop tôt. J'ai bien l'impression que le Larry Gordon il lui a écrit une de ces lettres. Je l'ai entendu dire qu'il était à peu près temps qu'y sache si elle avait des plans pour le p'tit, si toutefois elle en a. Y'a le professeur de South Glen qu'arrête pas de l'encourager pour qu'y fasse les grandes écoles mais Larry dit qu'y voit pas à quoi ça pourrait servir. Ils s'imaginent tout de même pas que c'est lui qui va payer la note pour l'Université Queen's, alors qu'y est à peine capable d'arriver dans ses finances tous les ans.

— Alors... tu penses... tu ne penses pas que la mère de Jingle vient le voir tout simplement parce qu'elle avait envie de le voir ? dit Pat lentement.

— C'est pas ça que j'dis. Mais 'faut qu'tu saches qu'elle a jamais voulu le voir pendant plus de douze ans. Quoi qu'il en soit, p'tête que son cœur a changé et je l'espère fort, Patsy, parce que j'ai bien l'impression que ce pauvre Jingle est fin prêt pour la recevoir.

— Il l'est... oh, Judy, c'est tellement important pour lui. Peut-être... quand elle le verra...

— Peut-être, approuva Judy qui en doutait fort.

Jingle vint très tôt et bien éveillé cueillir les fleurs pour le bouquet de sa mère. Il avait mis ses plus beaux pauvres vêtements, trop courts pour lui depuis au moins un an. Sa tante lui avait coupé les cheveux et c'était pire encore que d'habitude. Mais son visage rayonnait de bonheur et, pour la première fois, Pat fut frappée par le fait que Jingle n'était pas si vilain que ça. Si cela n'avait été de ses affreuses lunettes !

— Jingle, enlève-les avant que ta mère arrive. Ça ne pourra pas te faire mal aux yeux si tu ne les portes pas pendant quelque temps.

— Tante Maria n'aimerait pas ça. C'est elle qui a payé mes lunettes, tu sais, et elle dit qu'il faut les porter tout le temps, sinon ce serait de l'argent jeté par les fenêtres. Elle...

257

elle sait que je les déteste, je pense... et c'est pour ça qu'elle se met tellement en colère quand je ne les porte pas. Quand on aura ma mère pour nous tout seul, je les enlèverai. Quand on aura ma mère pour nous.. quand on ira au Bonheur... je les enlèverai. Pat, pense à ma mère... ma propre mère... au Bonheur !

Ils mirent beaucoup de temps à faire le bouquet. Il était difficile de trouver quelque chose qui plaise à Jingle. Il ne voulait que des fleurs parfaites... pas des pieds-d'alouettes.

— Les pieds-d'alouettes sont tellement arrogants, dit Jingles. Et ils ne sont pas parfumés. Je veux seulement des fleurs qui sentent bon, Pat. Et un peu de myosotis. Tu sais, c'est ce que Judy appelle de « l'herbe d'amour ». Alors il faut qu'il y en ait dans le bouquet de ma mère.

Jingle rit de bon cœur. Mais ça ne le dérangeait pas que Pat pense qu'il était sentimental.

— On mettra quelques feuilles du vieil églantier odorant... elles sentent si bon la pomme. J'aurais aimé qu'il y ait plus de roses. C'est un peu tôt pour les roses... mais ces petits boutons roses sont adorables... et les blancs, là-bas, avec le cœur rose. Il y avait une rose cuivrée d'éclose hier soir... seulement une dans le nouveau massif de père. Il m'a dit qu'on pouvait la cueillir. Mais il a plu la nuit dernière et elle était toute chiffonnée ce matin. J'en ai presque pleuré. Mais en voilà une belle rouge dans celui de Winnie et je vais la mettre sous ton manteau, Jingle.

— Plus que deux heures, dit Jingle. Pat, je veux que tu viennes immédiatement après le déjeuner, juste avant son arrivée. Tu viendras ?

— Oh, Jingle... tu n'auras pas envie d'être seul avec elle au début ?

— Si je pouvais être seul avec elle... mais oncle Lawrence et tante Maria seront là... et, d'une certaine façon... je ne sais pas... je sens seulement que j'ai envie que tu sois là aussi, Pat.

Pat s'y rendit finalement, tremblante de la tête aux pieds d'excitation... et d'une immense curiosité. Elle s'était mis des rouleaux dans les cheveux la nuit précédente, pour être plus présentable devant la mère de Jingle, mais le résultat était assez décevant.

— Ç'aurait été préférable qu'ils soient courts, Judy, murmura-t-elle de façon rebelle.

— Se promener comme ça avec la tête comme un bonjour, dit Judy sur un ton sarcastique.

Pat se fit une tresse serrée et enfila le nouveau pull-over bleu que Judy lui avait tricoté, sur sa jupe bleu vif. La mère de Jingle penserait-elle qu'elle n'était qu'une petite fille de la campagne un peu rustre avec sa tête comme un buisson crépu ?

— Je n'ai même pas l'impression qu'elle pensera quoi que ce soit de moi, dit Pat pour se rassurer. Elle sera tellement emballée par Jingle.

Jingle attendait avec son bouquet, les lèvres bien serrées pour cacher son émotion. La vieille voiture de Larry Gordon s'arrêta bruyamment à la barrière.

— La voilà qui arrive, dit Pat... des mots magiques, lancés dans un souffle.

Elle arriva. Ils la virent sortir de la voiture et remonter l'allée de pierre. Jingle aurait voulu courir à sa rencontre. Mais il fut incapable de bouger. Il restait planté là, bêtement, haletant, le bouquet tremblant dans ses mains. Est-ce que sa mère c'était... ça ?

Pat la vit beaucoup mieux que Jingle ne la vit. Grande, mince, aussi gracieuse qu'une fleur, dans une robe de mousseline légère et flottante comme un nuage bleu ; des cheveux blond cendré, pâles et brillants sur sa tête et qui lui faisaient comme un bonnet sous un petit chapeau incliné de plumes bleu pastel ; des yeux turquoise qui avaient l'air de ne jamais vous voir, même quand ils vous regardaient, sous des sourcils aussi fins qu'un trait de crayon ; une bouche qui gâchait tout, tant elle était rouge vif et trop bien dessinée. Elle aurait pu sortir de la page couverture d'un magazine. Belle... oh, oui, très belle ! Mais pas... d'une certaine façon... pas comme une vraie mère !

— Je préfère une mère qui a l'air d'une mère, fut la pensée qui traversa l'esprit de Pat. Cette femme avait l'air... au premier coup d'œil... d'une fille.

Doreen Garrison remonta l'allée en regardant avec curiosité les deux enfants debout près de la porte. Jingle parla le premier.

— Maman ! dit-il. C'était la première fois qu'il prononçait ce mot. On aurait dit une prière.

Un éclair de stupéfaction traversa le regard agité de Doreen Garrison... et un petit rire gazouillant trouva un passage à travers ses lèvres carmin.

— Tu ne veux pas dire que c'est toi mon petit bébé Jingle. Mais... mais... tu es presque un homme maintenant, mon chéri.

Elle s'arrêta et déposa un léger baiser, aussi glacial que la neige, sur sa joue.

Comme elle le connaissait mal ! Pat, en regardant Jingle, se dit que c'était affreux de voir le bonheur disparaître complètement d'un visage.

— Ça c'est pour toi... maman. Jingle lui tendit le bouquet d'une façon un peu raide. Elle le regarda... le prit dans ses mains... encore ce petit rire qui sonnait si faux... un rire qui n'en était pas un, pensa Pat... et s'avança. Jingle tressaillit comme si elle venait de lui frapper les oreilles.

— Mon ange chéri, que veux-tu que je fasse d'une chose aussi énorme. Comment as-tu réussi à mettre autant de fleurs dans ce bouquet ? Ça doit peser une tonne. Mets-le quelque part, mon trésor, et j'en prendrai une tige quand je partirai. Je n'ai pas beaucoup de temps... Il faut que je reprenne le bateau ce soir et je dois avoir une longue conversation avec ton oncle Lawrence. Je ne me doutais pas un instant que tu avais autant grandi.

Elle posa sur son épaule une main très longue et très fine, d'un blanc ivoire, aux ongles vernis de rouge et le regarda comme si elle cherchait à le juger.

— Tu es un peu maigrichon, tu ne trouves pas, mon ange ? Est-ce que tu manges à ta faim ? Mais j'ai l'impression que c'est l'âge. Tu devrais enlever ces affreuses lunettes. En as-tu vraiment besoin ? As-tu subi un examen de la vue récemment.

— Non, dit Jingle. Il ne lui dit pas « maman » cette fois. Je te présente Pat Gardiner, finit-il par dire d'une façon étrange.

Mme Garrison lança un coup d'œil à Pat, qui fut instantanément persuadée que ses collants étaient mal mis et qu'elle avait l'air d'un habitant des îles Fiji avec ses cheveux. Malgré tout, ils se retrouvèrent tous assis dans le salon des Gordon. Personne ne savait quoi dire, mais Mme Garrison parlait avec légèreté, affirmant de sa voix argentée des choses gentilles et pas sincères à M. et Mme Gordon, faisant tant de gestes avec ses mains qu'on ne pouvait éviter de les voir et de les admirer. Pat pensa aux mains de sa propre mère... un peu petites... un peu noueuses, les paumes abîmées et durcies par des années de travail. Mais des mains qui donnaient envie qu'elles vous touchent. Elle ne pouvait imaginer personne aimant le toucher des mains de Mme Garrison.

Jingle fixait le tapis mais Pat, une fois sa timidité disparue, observa Mme Garrison très froidement. Adorable... très adorable... mais il y avait quelque chose qui n'allait pas avec son visage. Après des années, Pat trouva enfin le mot décrivant bien ce qui n'allait pas avec ce visage... c'était un visage *triché*. Après des années, Pat découvrit que cette femme avait travaillé si fort pour rester jeune et belle pour un mari qui faisait la cour à toutes les belles femmes qu'il rencontrait qu'elle s'était usée. Elle était comme une ombre... très belle... insaisissable... irréelle. Et c'était la mère de Jingle... qui appelait tout le monde, même Larry Gordon, « chéri » et qui, çà et là, balançait un mot à son fils comme on jette un os à un chien affamé. Pat ne pouvait absolument pas comprendre l'immensité de la gêne que Doreen Garrison éprouvait en présence de cet enfant oublié, mal aimé. Mais elle savait que la mère de Jingle ne resterait pas ici un instant de plus qu'il ne le fallait.

— Quel affreux petit chien ! s'esclaffa Doreen en voyant McGinty bondir en direction de Jingle. McGinty avait été enfermé dans l'étable mais avait réussi à sortir. Il savait qu'on avait besoin de lui.

— Est-ce que tu aimes vraiment les chiens, Jingle chéri ? Je t'en enverrai un autre, plus gentil.

— McGinty est un gentil chien, merci. Je ne veux pas un autre chien, dit Jingle, son visage tournant au rouge foncé.

Pat se leva et rentra à la maison. Jingle la suivit jusqu'à la porte.

— Elle... elle est jolie, n'est-ce pas ? demanda-t-il avec mélancolie.

— C'est la plus jolie femme que j'aie jamais vue, approuva Pat chaleureusement.

En regardant le visage de Jingle, elle ne pouvait pas s'empêcher de penser à la rose cuivrée, si belle la nuit précédente et si défaite et froissée le lendemain matin. Elle détesta Doreen Garrison... elle la détesta pendant des années... jusqu'à ce qu'elle apprenne à avoir pitié d'elle.

— Tu reviendras le plus vite possible, Pat ? Tu sais... je voudrais lui montrer le Bonheur. Et c'est autant le tien que le mien.

Pat promit de revenir. Elle savait que Jingle savait que sa mère s'en ficherait bien de voir le Bonheur, et elle savait qu'il ne voulait pas rester seul avec sa mère. Mais Pat apprit ce jour-là qu'on pouvait savoir bien des choses qu'il ne fallait pas mettre en mots.

Elle revint vers le milieu de l'après-midi et constata que Doreen Garrison était sur le point de partir.

— Mais... maman, Jingle semblait se forcer pour prononcer ce mot... Pat et moi aimerions te montrer notre Bonheur. C'est si joli.

— Le Bonheur ? Mais pourquoi donc l'avez-vous appelé comme ça, mes chéris ? vous êtes vraiment drôles.

— Parce que cet endroit est si beau qu'on s'est dit un

jour que personne ne pouvait être malheureux là-bas, répondit Pat.

Une lueur amusée brilla dans les yeux de Doreen Garrison... des yeux que Jingle avait un jour imaginés aussi bleus qu'un ciel allumé par les étoiles.

— Comme c'est merveilleux de ne rien savoir de la vie et de pouvoir tout imaginer, dit-elle avec légèreté. Je ne peux pas visiter ton Bonheur, Jingle chéri... comment veux-tu que je traverse les champs et les obstacles avec des talons pareils ? De plus, je ne peux pas risquer de manquer le bateau. Si c'était le cas, cela voudrait dire que je manque le vapeur à San Francisco. Jingle chéri, tu ne te tiens pas bien... voilà... c'est beaucoup mieux. Et tu es beaucoup mieux sans tes lunettes. Ne les remets plus jamais, mon trésor. J'ai demandé à ton oncle de t'emmener chez un bon oculiste et si tu as vraiment besoin de lunettes, il t'en procurera de plus jolies. Il t'achètera des vêtements convenables, aussi, et il t'emmènera chez le coiffeur à Silverbridge... tiens, voilà la voiture... eh bien...

Elle regarda Jingle d'un air incertain, comme si elle se disait qu'elle devrait l'embrasser de nouveau. Mais il y eut quelque chose chez Jingle, juste à ce moment-là, qui ne l'encouragea pas à l'embrasser. Doreen Garrison était soulagée. Cela avait vraiment été une journée affreuse... elle se sentait tellement bizarre... tellement mal à l'aise avec cette espèce de grand dadais aux cheveux mal coupés et aux vêtements mal taillés et qui ne pouvait même pas parler. Comment était-ce possible que son petit Jingle chéri soit devenu une telle créature ? Mais elle avait fait son devoir... elle avait organisé son avenir... Lawrence y verrait.

Elle lui tapota légèrement la tête.

— Au revoir, mon trésor. Désolée de ne pas pouvoir rester plus longtemps. Ne grandis pas autant durant les douze prochaines années, s'il te plaît, mon ange. Au revoir... Nora, n'est-ce pas ?

— Au revoir, dit Pat avec arrogance, avec la conviction

263

déconcertante que Doreen Garrison n'avait même pas remarqué son arrogance.

Elle voleta sur l'allée de pierres comme un oiseau heureux de s'échapper de sa cage, laissant dans son sillage les effluves d'un parfum exotique. Jingle resta figé sur les marches et la regarda partir... cette reine déchue et sans couronne qui avait si longtemps régné sur le trône secret de son cœur. Se retournerait-elle pour le saluer ? Non, elle n'était plus là. Son bouquet reposait sur la table dans l'entrée. Elle avait même oublié de prendre une tige. Le myosotis était affaissé et flétri.

— Eh bien, comment as-tu aimé ta mère ? lui demanda tante Maria.

Jingle grimaça. La voix désagréable et dure de sa tante grinça horriblement sur ses nerfs sensibles.

— Je... je l'ai trouvée très gentille, dit-il. C'était affreux de devoir mentir au sujet de sa mère.

Tante Maria secoua ses épaules osseuses.

— Eh bien, elle a tout arrangé pour toi. Tu iras en classe préparatoire l'année prochaine, et ensuite à l'université. Elle dit que tu peux faire ce que tu veux et elle va payer la note. Pour les vêtements... elle a trouvé autant de choses à redire que si c'était elle qui les avait payés. Tu auras deux nouveaux costumes... de chez le tailleur. Pas de chichis pour son fils ! Humph !

Tante Maria disparut, indignée, dans la cuisine.

Jingle regarda Pat avec des yeux qui ne semblaient plus voir. Elle sentit sa gorge se resserrer.

— Viendrais-tu au Bonheur après le dîner ? demanda-t-il doucement. Je voudrais que tu fasses quelque chose pour moi.

24

Cendres à cendres

JINGLE ÉTAIT ALLONGÉ face contre terre dans les fougères lorsque Pat vint le retrouver au Bonheur. Un petit chien avec un grand cœur était assis à côté de lui, montant apparemment la garde d'un colis enveloppé de papier brun déposé sur l'herbe.

Pat s'installa à côté de lui en silence. Elle commençait à apprendre que la vie était remplie de petites tragédies silencieuses. Elle espérait très fort pouvoir aider Jingle de quelque manière que ce soit. Judy aimait bien raconter des histoires d'une autre époque quand Pat avait quatre ans et qu'elle avait l'habitude de dire « S'il te plaît ». Un jour, elle ne se rappelait pas très bien quand, elle avait demandé : « Qu'est-ce qui fait que les choses arrivent, Judy ? » Oh, des mots tellement magiques, aujourd'hui... des mots qui feraient toute la différence pour Jingle.

C'était magnifique au Bonheur, ce soir-là. Le ciel était bleu argenté, clair et pâle, moucheté de petits nuages duveteux comme des fleurs sur le point d'éclore au-dessus de leur tête. L'odeur du trèfle parfumait l'air ambiant. Un coin du Bonheur reposait à l'ombre des bois alors que le reste baignait dans la lumière du coucher de soleil rouge vin. Il y avait le rire de lutin du ruisseau caché et la beauté des herbes étoilées sur le bord. La seule chose qui n'était pas magnifique dans ce paysage était l'immense cicatrice dans les bois sur la colline où Larry Gordon avait stocké ses réserves d'huile pour l'hiver. C'était affreux de voir ces espaces vides là où les arbres avaient été coupés. Il fallait couper les arbres – les gens avaient besoin de bois de chauffage – mais Pat ne supportait pas la laideur de ces blessures sans éprouver un serrement au cœur. Bien sûr, le temps se chargerait de lui rendre sa beauté. Des tapis de fougères pousseraient autour des tronc mutilés... les crosses des fougères étireraient leurs bras le long de ces sentiers saccagés... des petits bouleaux et des jeunes peupliers grandiraient avec le temps. Les blessures et les cicatrices des êtres humains étaient peut-être semblables à cela, aussi.

– J'aurais aimé, dit soudain Jingle en se retournant jusqu'à ce que sa tête repose sur les genoux de Pat, j'aurais aimé que mon rêve ne se réalise pas, Pat. C'était tellement plus beau avant qu'il ne se réalise.

– Je sais, dit Pat doucement. Elle caressa la tête broussailleuse avec ses mains brunes, tendres, douces et compréhensives. Les flots de l'amertume de Jingle se libérèrent à leur contact.

– Elle... elle m'a donné dix dollars, Pat. Ils m'ont brûlé les doigts quand je les ai pris. Et je vais aller à l'université. Mais elle ne s'intéresse même pas à mes projets. Je lui ai montré la maison que j'avais dessinée pour elle... elle n'a fait qu'en rire.

– Jingle, je pense que ta mère était tellement... tellement surprise de voir que tu avais autant grandi qu'elle s'est sentie... elle n'a pas senti... elle a eu l'impression que tu étais un étranger. La prochaine fois qu'elle viendra ce sera certainement très différent.

– À qui la faute si je suis un étranger pour elle ? Et il n'y aura jamais de prochaine fois... Je l'ai compris quand elle est partie. Elle ne m'aime pas... elle ne m'a jamais aimé. Je le sais, maintenant. Je l'aurais peut-être su depuis longtemps si je n'avais pas été stupide.

Pat ne supportait pas le désespoir dans sa voix. Elle lui caressa la tête de nouveau.

— Moi je t'aime, de toute façon, Jingle... presque... autant que j'aime Sid.

Jingle saisit la main qui lui caressait la tête et la tint serrée contre sa joue mouillée de larmes.

— Merci, Pat. Et... Pat, veux-tu me rendre un service ? Pourrais-tu m'appeler « Hilary » à compter d'aujourd'hui ? Je... je... d'une certaine façon, je trouve que Jingle est un surnom un peu ridicule pour un grand garçon.

Pat savait que la mère de Jingle avait gâché son nom. C'était le petit nom qu'elle lui avait donné un jour. Elle l'avait sûrement aimé à cette époque.

— Je vais essayer, mais tu ne dois pas t'offusquer si je t'appelle Jingle de temps en temps, en attendant que je m'y habitue.

Dans son cœur elle se disait : « Je l'appellerai Hilary en sa présence mais il restera toujours Jingle dans mes pensées. »

— Je t'ai dit que je voulais que tu fasses quelque chose pour moi, Pat, poursuivit Jingle avec cette étrange et nouvelle amertume dans la voix, je... je ne lui ai pas remis les lettres. Je vais allumer un feu, là-bas, sur ce rocher... pourrais-tu les brûler pour moi ?

Pat consentit. Elle savait qu'il n'y avait rien d'autre à faire avec ces lettres, désormais. Jingle prépara le feu et Pat défit le paquet et nourrit les petites flammes affamées de chacune des lettres... une offrande de feu pour l'amour, la confiance et l'espoir déçus d'un garçon. Pat détesta brûler ces lettres. Il lui semblait que c'était une chose affreuse. Il était difficile de brûler ces petits bouts de phrases écrites lorsqu'il n'était qu'un enfant... sur une feuille volante déchirée d'un vieux livre de classe, ou l'endos d'une circulaire... parfois même sur un morceau de papier-cadeau soigneusement découpé et plié. Une mère les aurait chéris comme des trésors. Mais Doreen Garrison ne les lirait jamais. Quel malheur ! Ici et là, une ligne blanche s'échappait des cendres noires frémissantes... Pat ne pouvait pas s'empêcher de les voir... « *Ma chère maman chérie* »... « *peut-être viendras-tu bientôt me voir, maman d'amour* »... « *J'ai été premier de classe toute la semaine, maman chérie. Es-tu fière de moi ?* »... Pat fit grincer ses petites dents blanches dans un élan futile de rage contre le destin.

Quand la dernière lettre eut brûlé, Pat prit le petit tas de cendres et le jeta dans le ruisseau.

— Voilà, c'est fait.

Hilary se leva ; il avait l'air plus vieux : une expression sévère semblait s'être installée sur sa mâchoire, sa voix n'était plus la même, comme si elle avait mis de côté toutes ces choses de l'enfance.

— Bon, eh bien maintenant, j'irai à l'université, je serai architecte et je réussirai.

Ils marchèrent en silence pendant le retour le long des méandres de fougères du Jordan. La lune se levait et les chauves-souris avaient fait leur apparition. Une chouette lança un cri strident sur la colline d'épinettes, au-delà du Bonheur. Une immense étoile dorée était suspendue au-dessus de Silver Bush. Ils se quittèrent sur le pont. Pat leva les yeux.

— Bonne nuit, cher Jingle... je veux dire Hilary.

— Bonne nuit, Pat. Tu as été formidable. Pat... tes yeux sont si beaux... si beaux.

— Oh, c'est seulement le clair de lune, dit Pat.

Pat aida Judy à laver les seaux de lait et à rentrer tous les petits poussins dorés et duveteux dans le poulailler pendant qu'elle lui racontait ce qui s'était passé avec Doreen Garrison.

— Oh, Judy, elle était... elle était...

— Un p'tit peu dans le genre hautain, suggéra Judy.

— Non, non, ce n'est pas ça... elle était aussi polie avec nous que si nous avions été des étrangers... mais... comme si elle ne s'était même pas rendu compte que nous étions là. Je n'aurais jamais pu m'imaginer qu'il puisse exister une mère pareille sur la terre, Judy.

— Oh, oh, 'faudrait p'tête que tu saches qu'y a des mères qui sont de même, et c'est une honte. Et que tu peux pas leur donner dans les bras des choses que le Bon Homme d'en Haut nous a laissées, alors pourquoi s'en inquiéter ? T'as qu'à faire une prière pour tous les p'tits orphelins et remercier Celui qui t'a donné une mère qui a les deux pieds bien enracinés dans la terre.

— Enracinés ?

— Sûr et c'est ça qu'il y a avec la Doreen Garrison. Elle a pas de racines à elle. Rien pour l'ancrer quelque part et l'empêcher de partir au vent. Sûr que ça doit être une de ces femmes qu'on dit qui sont des mères modernes. J'en ai bien entendu parler de ça.

— On aurait dit, Judy, qu'elle s'était rappelé l'existence de son fils contre sa volonté et qu'elle l'oublierait de nouveau, aussitôt qu'elle serait partie.

— J'te l'dis. Maria Gordon a bien dit un jour que la mariée à Jim était la meilleure personne pour oublier les choses qu'a voulait pas se rappeler qu'elle avait jamais rencontrées. J'ai vraiment d'la peine pour Jingle. Tu devrais l'inviter à manger demain midi et tu pourras lui donner un peu de roulé à la confiture de mûres. Sûr et je vais en préparer un spécialement pour lui.

— Il veut qu'on l'appelle Hilary, maintenant, Judy. Et... c'est une drôle de coïncidence... la semaine dernière, Bets et moi, on a décidé qu'on s'appellerait Elizabeth et Patricia. Mais, évidemment, s'empressa d'ajouter Pat, on ne s'attend pas à ce que les autres nous appellent comme ça.

— Oh, oh, c'est aussi bien comme ça, mon trésor, parce que tu es ma Pat à moi et tu pourras jamais être rien d'autre que Pat pour moi.

— Pat de Silver Bush, dit Pat gaiement. C'était merveilleux d'avoir une maison, de l'amour et une famille. Intrépide, le chaton de l'été, traversa le jardin pour venir la retrouver. Pat le prit dans ses bras et réussit à lui arracher quelques ronrons. Quelles que soient les choses horribles qui vous tombaient dessus, il y avait au moins toujours des chats dans le monde.

Sous le clair de lune elle se promena sur le Sentier qui Murmure, se retrouva dans le champ, puis sur la colline. Elle avait rendez-vous avec Bets pour lui raconter ce qui s'était passé avec la mère de Jingle... pas plus que ce que Jingle aurait voulu qu'elle raconte. Il fallait que Bets soit mise au courant de l'essentiel pour éviter qu'elle ne blesse la sensibilité de Jingle par ignorance.

Pat rejoignit le Pin observateur et attendit sous les branches, le visage appuyé contre le vieux tronc rugueux. Au début, la lune était voilée par un nuage de brume et Pat éprouva une merveilleuse sensation de mystère et de magie avec l'apparition de la lune entourée de nuages à travers le pin. C'était une nuit merveilleuse, une nuit où l'on pourrait peut-être voir les petits gnomes. Elle y avait cru, il y avait si longtemps, et c'était un de ces moments où elle y croyait encore. N'était-ce pas ces minuscules créatures du clair de lune avec des chapeaux pointus et des petites clochettes, assises sur la clôture ? Non, c'était seulement un morceau d'écorce séchée vibrant dans l'immobilité. Une brise douce et sucrée venant des prairies secrètes derrières les fermes, l'enveloppa. Puis la lune sortit de derrière son nuage et des petits sapins surgirent le long des clôtures comme autant de taches d'ombre noires comme de l'encre se découpant de façon mystérieuse contre l'horizon. Plus bas, les maisons dormaient au milieu de jardins illuminés par le clair de lune. Au loin, la lune déployait sa traîne sur l'océan comme une robe de soie. Pat avait l'impression d'être la sœur de toutes ces merveilles sur la terre. Si seulement tout le monde pouvait sentir ce ravissement secret, si satisfaisant ! Le pauvre Jingle devait être recroquevillé sur une meule de foin avec McGinty, essayant d'oublier son cœur brisé. Il semblait cruel d'être heureux en le sachant si malheureux mais il était inutile d'essayer de ne pas l'être, **quan**d la nuit se

remplissait ainsi de mystère et que Silver Bush s'étendait
à vos pieds avec son amour, et qu'on pouvait entendre au
loin le délicieux sifflement de Joe et les aboiements de
Snicklefritz. Et quand vous attendiez la meilleure amie que
vous puissiez avoir. Là, se balançant dans le sentier, arrivait
Bets, un élément essentiel à la beauté de cette nuit.

— Nous devons l'aimer plus encore pour l'aider à traverser tout cela, dit Bets après avoir entendu toute l'histoire...
toute à l'exception des lettres brûlées, dont Pat savait
qu'elle devrait toujours garder secret entre elle et... Hilary.

25

Son chemin est sur la mer

IL Y EUT un conseil de famille à Silver Bush à la rentrée
des classes en septembre. Il fut décidé que Pat entrerait en
classe préparatoire pour se préparer à l'examen d'entrée de
l'Académie Queen's, l'année suivante. Pat protesta, mais
père était inflexible. Il avait laissé faire Winnie, sachant
que sous les boucles blondes de Winnie se cachait un cerveau qui ne saurait jamais faire la différence entre un in-
finitif et un participe passé. Mais les notes de Pat à l'école,
quoiqu'elles ne fussent jamais brillantes, étaient toujours
au-dessus de la moyenne ; alors elle irait à Queen's et elle
étudierait pour obtenir son brevet d'enseignement.

— Tu iras à l'école de North Glen et tu dormiras à la
maison, lui dit son père... et ce fut la seule lueur d'espoir
que Pat entrevit dans ce sombre projet. Elle se précipita à
la cuisine et déversa son trop plein de révolte et de fureur
sur Judy.

— Oh, oh, tu veux pas être une personne éduquée, Patsy
chérie ?

Recevoir une bonne instruction, soit... mais quitter la
maison, ça c'était terrible.

— Je n'ai pas l'impression d'être comme les autres filles,
Judy. Elles veulent toutes aller à l'université et avoir une

carrière. Pas moi, je voudrais seulement pouvoir rester à Silver Bush pour t'aider et aider maman. Il y a beaucoup de travail pour moi ici, Judy... tu sais bien qu'il y en a. Maman n'est pas très forte. Et pour ce qui est de mon instruction, je serai bien instruite... l'amour instruit, Judy.

— Oh, oh, et t'es pas très loin de ça, ma fille. Mais y'a bien des choses à voir aussi à part ça. L'argent, ça pousse pas dans les arbres, ma chérie.

— Ça serait si bien si ça poussait dans les arbres !

Pendant un moment, l'attention de Pat fut détournée par la vision de petites pièces d'or dansant au bout des branches comme autant de fleurs dorées.

— Ton père n'est pas très riche et une famille comme la tienne c'est bien cher quand ça grandit et que ça demande des beaux vêtements. Va bien falloir que tu l'aides un peu en attendant que tu te maries ou que tu t'en ailles.

— Je ne veux pas que quiconque se marie ou s'en aille d'ici.

— T'es complètement déraisonnable, chérie.

Pat commença à se douter en effet, qu'elle n'était pas très raisonnable... qu'il faudrait faire face un jour à toutes ces choses. Winnie, par exemple, avait un prétendant. Pas « des prétendants » – elle en avait eu pendant une bonne année et Pat s'était habituée à ces allées et venues et aux confidences de Winnie qui suivaient – mais « un » prétendant. Frank Russell, des Russell de Bay Shore semblait avoir effacé tous les autres et Winnie avait commencé à rougir douloureusement quand Joe l'agaçait à ce sujet. Pat détestait Frank si amèrement qu'elle arrivait à peine à être polie avec lui. Judy faillit sortir de ses gonds à cause de cela.

— 'Faut qu'tu soyes un peu raisonnable, Pat. Le jeune Frank c'est une très bonne affaire, tu sais. Les Russell y savent bien comment une main lave l'autre. Un fils unique et sa mère qu'est morte et y'a toutes les filles de Bay Shore qui sont après lui pour l'avoir. Winnie est p'tête en train de rentrer dans c'te grande maison Russell à Bay Shore

273

pour être la reine, sans la belle-mère pour lui faire des misères si jamais elle a envie de déplacer un canapé. Et ça tout près de la maison et de nous autres.

— Winnie est trop jeune pour même songer à se marier, protesta Pat.

— Sûr et la chérie a dix-huit ans. Il n'est pas question de se marier pour l'instant avant longtemps... 'faut bien qu'il lui fasse la cour comme c'est d'usage. Mais un Russell ça veut toujours dire une bonne affaire et le jeune Frank a la lueur dans le regard. C'est moi qui te l'dis. Y sait où y faut chercher pour une bonne p'tite femme.

— Il n'est pas très intelligent, dit Pat méchamment.

— L'entendez-vous ? Y'est pas très porté sur la lecture des poèmes ou la construction des belles maisons, comme ton Jingle, j'imagine, mais y'a le tour en politique et il aime ça, comme Long Alec l'a vu tout de suite, et je mettrais ma main au feu qu'y va rentrer au Parlement avant que d'être chauve. T'as pas besoin de grand intelligence pour ça. Winnie non plus, la p'tite chérie, c'est pas très cultivé son affaire, mais y'a personne comme elle sur l'Île pour faire les biscuits à la cuiller. Ce s'ra une très bonne femme de maison pour c'te grande maison. C'est moi qui te l'dis.

Pat ne voulait pas qu'on le lui dise. La perspective de Winnie quittant la maison, quelle que soit la durée de la cour de Frank Russell, était insupportable. Elle continua à détester Frank mais se résigna à son entrée en classe préparatoire et entreprit même de travailler avec une certaine détermination pour bien faire, pour le bien de Silver Bush. Elle savait que les gens s'imaginaient que la famille de Silver Bush manquait d'ambition. Joe avait obstinément refusé d'aller à l'école après l'âge de quinze ans ; Winnie avait toujours été considérée comme une « idiote » quand venait le temps des leçons ; Sid ne voulait pas entendre parler d'autre chose que de la ferme. Alors il lui appartenait désormais de rétablir la réputation des Gardiner dans les antres du savoir.

274

– Je suis tellement contente que Bets soit en classe préparatoire aussi, Judy. J'ai eu peur très longtemps qu'elle ne puisse pas y entrer... son père pensait qu'elle n'était pas assez forte. Mais Bets, à force de le cajoler, a réussi à le convaincre. Si Bets vient avec moi à Queen's, ce ne sera pas si mal... en supposant que je m'y rende un jour.

– Supposant, t'as dit ? Sûr et y'a pas de doute que tu vas y arriver, brillante et avec tout ce que t'es capable de faire quand tu le veux bien. Quand j'te r'garde travailler à tes affaires bizarres d'algèbre, ça me fait penser que j'ai des roues dedans ma tête. Pis pour ce qui est d'l'affaire d'la géométrie, même Gentleman Tom y pourrait pas comprendre de quoi c'est qu'y retourne.

– La géométrie, c'est ma matière préférée, Judy. Bets n'aime pas ça... mais elle aime toutes les autre choses que j'aime. On a planifié d'étudier ensemble tous les soirs cet hiver. On étudiera très fort pendant deux heures ensuite on parlera.

– J'te crois. Les p'tites langues sont toujours faites pour jacasser.

– Oui, mais Judy, il y a des moments où on ne parle pas du tout. On reste assises et on pense. Parfois on ne pense même pas... on reste seulement assises. Ça nous suffit de nous retrouver ensemble. Et oh, Judy, Bets et moi...

– Y'm'semblait que j'avais entendu que vous deviez vous appeler Elizabeth et Patricia.

Pat éclata de rire.

– On a bien essayé. Mais ça n'a pas marché. Elizabeth et Patricia, ça sonnait comme des noms étrangers... on ne se reconnaissait plus. Comme je le disais, Bets et moi avons commencé à lire la Bible d'un bout à l'autre. On ne va pas sauter un seul chapitre, même pas ces affreux noms dans les Chroniques. Tu n'as pas idée à quel point c'est intéressant, la Bible, Judy, quand tu la lis comme une histoire.

– Oh, oh, je n'ai pas idée ? Sûr et qui c'est qui lisait la Bible bien avant que tu sois née ou même qu'on pense à toi ? Mais j'ai sauté les noms. Y'avait trop de sermon là-dedans à mon goût. J'me demande si y'avait pas des p'tits noms à c't'époque-là. Penses-tu, Patsy chérie, qu'à chaque fois que la mère de Jehosaphat l'appelait pour ses p'tits repas, qu'a prononçait son nom au complet ?

L'automne passa doucement : les érables s'enflammaient autour du Champ secret ; les fougères se rembrunirent dans le Bonheur ; le Jordan coula jusqu'à la mer entre des rangées d'asters mauves ; des lunes dorées comme des champs de blés s'accrochaient au-dessus de la Colline de la Brume. Un septembre gracieux et un octobre moelleux furent suivis par un novembre triste et doux quand de longues rigoles de pluie satinée commencèrent à se déverser sur les collines brûlées.

Et puis un jour, de façon tout à fait inattendue, survint la première cassure dans la famille à Silver Bush.

Ils avaient tous, à l'exception de Joe, passé l'après-midi et la soirée du samedi à la ferme de Bay Shore, où rien n'avait changé des souvenirs que Pat pouvait en avoir. C'était « un univers où toutes les choses semblaient immuables ». Elle commençait à aimer Bay Shore pour cette immuabilité... c'était peut-être le seul endroit sur lequel on pouvait compter dans un monde où tout changeait sans arrêt. Tantes Frances et tante Honor étaient aussi « immuables » que jamais, bien qu'elles aient renoncé à lui demander de réciter les versets de la Bible et à lui tapoter sur la tête lorsqu'elles désapprouvaient ses jeux ou ses paroles. Elles continuaient à ne pas être d'accord avec un tas de choses mais Pat aimait bien qu'elles ne soient pas toujours d'accord, sinon tout aurait changé. Cousin Danny affichait toujours son sourire de lutin. L'arrière-arrière était toujours en vie... à quatre-vingt-dix-huit ans... ne semblant apparemment pas avoir vieilli d'un jour, et toujours aussi peu flatteuse. Chaque fois qu'elle voyait Pat elle disait : « Pas une beauté », sur le même ton grincheux, comme si c'était la faute de Pat. Le vase qui avait fait une grimace à Sarah Jenkins était toujours à la même place, sur le même rayon et les poignées de portes luisantes reflétaient toujours son visage. Les éléphants d'ivoire blanc n'avaient pas encore fini de marcher sur la cheminée et la poule de porcelaine rouge et jaune n'avait vraisemblablement jamais réussi à pondre un œuf.

Bets les avait accompagnés et cela ajoutait au plaisir de la journée. C'était si amusant de pouvoir tout montrer à Bets. Les tantes l'aimaient beaucoup... mais qui pouvait s'empêcher d'aimer Bets ? Même l'arrière-arrière regarda attentivement de ses deux vieux yeux brillants avec un air plein d'admiration et, pour une fois, oublia de dire à Pat qu'elle n'était pas une beauté.

Lorsqu'ils rentrèrent à Silver Bush, Pat remonta la colline avec Bets. Il faisait plus froid et la première neige commençait à déposer son duvet blanc sur le crépuscule quand Pat fit irruption dans la cuisine. Elle vit tout de suite que quelque chose n'allait pas... que quelque chose n'allait pas du tout. Sa mère était aussi blanche que si elle venait d'être frappée par la foudre... Winnie pleurait... et Judy, à son grand étonnement, avait pleuré. Sid avait l'air de quelqu'un qui retenait ses larmes. Père était debout, appuyé contre la table, tenant entre ses doigts une lettre. Snicklefritz était assis près de lui, le regardant avec des yeux muets et implorants. Gentleman Tom avait son air des mauvais jours. Même Intrépide, qui restait habituellement indifférent à tout, était écrasé sous le poêle avec l'air de s'excuser.

Pat regarda autour d'elle. Tout le monde était là... à l'exception... à l'exception...

— Où est Joe ? cria-t-elle.

Pendant un instant, personne ne sut quoi lui répondre. Puis Winnie sanglota :

— Il est parti.

— Parti ! Où ça ?

— En mer. Il s'est rendu au port ce soir et il a fait voile pour les Caraïbes sur le bateau de Pierce Morgan.

— Et moi qui m'en suis jamais doutée, la vieille folle que

je suis, gémit Judy. Pas même quand y est rentré, avec son air bizarre, et qu'y m'a dit qu'il ferait un saut à Silverbridge. Sûr et si j'l'avais su c'qu'il avait dans la tête, j'me s'rais accrochée à lui jusqu'à ce que la marée soit descendue...

— Cela n'aurait rien changé, dit Long Alec, émergeant de son silence. Il fallait bien qu'il le fasse un jour ou l'autre. Je le savais depuis quelque temps. Mais il est si jeune... et de partir comme ça sans en avoir parlé à personne ici... c'est cruel de sa part. Voyons, voyons, Mary.

Sa femme venait de se retourner pour pleurer, brisée de larmes sur son épaule. Père la conduisit à l'extérieur de la cuisine. Winnie et Cuddles les suivirent. Sid sortit et Pat pleura à chaudes larmes dans les bras de Judy.

— Judy, je ne peux pas le croire... je ne peux pas le croire ! Joe, parti... et parti comme ça.

— Sûr et c'est que c'est cruel comme Long Alec il l'a dit. Les jeunes oiseaux sont parfois cruels comme ça... y savent pas... y savent pas c'qu'ils font. Bon, c'est pas le temps d'avoir ton p'tit cœur tout brisé, ma chérie. Rappelle-toi que c'est plus difficile pour ta mère que pour tout le reste du monde. Joe reviendra un jour...

— Mais jamais pour rester, Judy... jamais pour rester. Oh, toute ma vie je détesterai cette journée... toute ma vie.

— Oh, oh, ne sois pas cynique, dit Judy, qui cueillait des mots ici et là, au hasard des leçons des enfants, mais qui n'en connaissait pas toujours le sens exact. À quoi bon la détester c'te pauvre journée ? 'Faut voir les choses bien en face. C'est Dick le Sauvage et ton oncle Horace qui refont surface de nouveau... Sûr, et Joe, y'a toujours plus ressemblé à Horace qu'à son propre père. Y savait bien que s'il essayait de dire au revoir, Long Alec aurait essayé de l'empêcher de partir. Non, te laisse pas démonter, Patsy, rien que pour ta mère. Siddy est là pour faire son travail et c'est un bon garçon. Son cœur est dans la ferme alors que celui de Joe l'a jamais été, et tu peux pas conduire l'automobile que le Bon Homme d'en Haut a décidé qu'y voulait pas que tu conduises. Joe est parti, mais il est pas parti en emportant

Silver Bush avec lui. Est-ce que t'as vu le p'tit mot qu'il a laissé sur le bureau de Long Alec... non ? Y'avait un message pour toi là-dedans... « dites à Pat d'être gentille avec Snicklefritz »... pis y'en avait un pour moi, aussi, une blague. Joe faisait toujours des blagues, le p'tit chou. « Dites à Judy de s'arranger pour que ces fameux petits chats sur la photo grandissent en attendant mon retour. » Sûr et c'est pas lui qui riait tout le temps à cause de ces fameux chatons ?

Mais Pat mit beaucoup de temps à retrouver son rire. Elle fut la dernière à Silver Bush à se résigner. À un moment donné, elle le ferait, avec le sentiment terrible qu'il fallait qu'il en soit ainsi. Mais l'hiver pluvieux et humide avait déjà parcouru la moitié de son long chemin lorsqu'elle retrouva enfin le sommeil pendant les nuits de tempête et elle commença à attendre avec plaisir les lettres de Joe, des lettres couvertes de timbres d'autres pays que Cuddles collectionnait fièrement. Elles étaient remplies de l'éclat de ces ports étranges et de ces contrées lointaines et du charme de l'aventure sur des vaisseaux aux ailes blanches, qui transportaient Pat de joie, en dépit d'elle-même. Pour une raison qu'elle ne s'expliquait pas, et bien qu'elle ne l'avait jamais cru possible, Silver Bush arrivait à se passer de Joe. Sid avait vaillamment repris son rôle... en vérité, Sid était heureux d'avoir une bonne excuse pour quitter l'école... sa mère avait retrouvé le sourire, Frank Russell consola Winnie, et tout le monde cessa d'être à l'écoute du sifflement joyeux qui avait si souvent rebondi en écho à travers les crépuscules autour des vieilles granges. Même Snicklefritz laissa tomber son air attristé et décontenancé et se mit à guetter avec mélancolie chaque pas sur l'allée de pierre.

Les temps changeaient... et, pire que ces changements, on pardonnait ! Pour Pat, cela semblait affreux que l'on puisse oublier ces choses. Finalement, ils n'étaient pas différents de la famille de Silverbridge qui avait un fils en Californie, un autre en Australie, le troisième aux Indes et le dernier à Petrograd, et ils n'avaient pas l'air plus malheureux pour autant.

— Oh, oh, comment voudrais-tu qu'on vive si on n'était pas capable d'oublier, mon trésor ? dit Judy.

— Mais c'était si affreux à Noël, soupira Pat. La première fois que nous n'étions pas tous ensemble. Je ne pouvais pas m'empêcher de penser à une chose que tu as dite, une fois... qu'à partir du jour où l'un des membres de la famille ne serait pas là à Noël, que les choses ne seraient vraisemblablement plus jamais comme avant. Je n'ai rien pu avaler... et je ne comprenais pas comment les autres faisaient pour avaler quoi que ce soit...

— Mais te rappelles-tu que t'es venue dans la cuisine sur la pointe des pieds avant de te coucher et que t'as fait une fête avec c'qui restait de viande sur les os ? dit Judy d'un air sournois.

Tout passe. L'hiver fut printemps avant qu'ils n'aient le temps de s'en rendre compte. Tout le monde attendait avec impatience le retour de Joe. Ils reçurent une lettre attristante en mars. Il ne reviendrait pas sur le bateau de Pierce Morgan. Il s'était embarqué pour un long voyage en Chine. Quelle déception... mais, en attendant, mars avait cédé le pas à avril avec la montée de la sève et les grenouilles qui ajustaient leurs cordes dans le Champ de l'Étang. Toutes les branches des pommiers qui s'étaient cassées pendant les tempêtes durant l'hiver furent ramassées et brûlées. Sid et Pat s'en chargèrent et, avec Bets et Hilary, ils allumèrent un immense feu le soir : après cette journée de travail, Pat ne put accompagner Bets chez elle parce que c'était Sid qui l'accompagnait. Cela ne la dérangeait pas... elle était très heureuse parce que Sid semblait vraiment attiré par Bets ce printemps.

— C'est complètement fini avec May Binnie, Judy. N'est-ce pas que ça serait merveilleux s'il épousait Bets un jour ?

– Oh, oh, tu nous organises ça facile, les mariages, répondit Judy sur un ton sarcastique.

De plus, c'était agréable de pouvoir s'asseoir avec Hilary sur la tombe de Willy le Pleureur, devant la lueur des braises dans le verger, et de parler de tout et de rien. Pat avait appris à l'appeler Hilary... même en pensée, bien que, dans les moments d'excitation, le vieux nom resurgissait. Judy n'arrivait jamais à l'appeler autrement. Pour elle, il serait toujours Jingle.

– Chers enfants, dit-elle à Gentleman Tom en les regardant par la fenêtre de la cuisine. Je m'demande bien ce qui les attend dans la vie, ces deux-là. Et combien de temps qu'il leur reste à être jeunes et insouciants comme ils sont.

Gentleman Tom ne voulut pas répondre.

Avril fut mai avec un feu blanc de merisiers dans le Bonheur et de jeunes jonquilles dansant dans le jardin et de petits cônes verts s'élançant vers le ciel dans les tapis d'iris. Pat faisait chaque jour une nouvelle découverte.

– On oublie toujours pendant l'année combien le printemps est merveilleux et c'est chaque fois une surprise, dit-elle.

Et enfin, mai céda sa place à juin, avec un prunier sauvage enchanté qui poussait dans le Sentier qui Murmure, des vagues mauves de lilas s'épanouissant sur la clôture du jardin et les lits de pensées blanches de Judy tout autour... de grosses pensées blanches, tout en velours... et partout sur les collines, une gamme de vert dans les jeunes forêts printanières.

– Le printemps est plus beau à Silver Bush que n'importe où ailleurs, Judy. Regarde ces adorables iris... blancs givrés avec une petite vague de bleu à l'extrémité de chaque pétale. Ce sont les iris de Joe... il les a plantés au printemps dernier... et maintenant, où est-il ?

– De l'autre côté du monde, à c'qu'il semble. Dis-moi, Patsy chérie, est-ce que tu comprends, toi, pourquoi c'est qu'y tombent pas, eux, de l'autre côté de la planète ? J'ai jamais vraiment compris c'qui s'passait pour que ça arrive pas.

Pat essaya de lui expliquer jusqu'à ce que Judy secoue sa tête grise avec l'air de n'y rien comprendre.

— Oh, oh, t'occupe. J'me rends compte que j'suis trop stupide pour ces choses-là.

— Non, Judy, c'est de ma faute. J'ai mal à la tête ce soir.

— Sûr et c'est que t'étudies trop fort. L'affaire de l'algèbre, m'est d'avis que c'est pas fait pour que les filles l'apprennent, ça. Matin, midi et soir au point où on en est.

— Je dois étudier, Judy... le concours d'entrée a lieu le mois prochain et il faut que je le passe. Papa et maman seraient épouvantablement malheureux si j'échouais. Je n'ai pas peur des mathématiques. J'ai toujours bien aimé l'arithmétique, en particulier. Seulement... te rappelles-tu à quel point je me sentais affreusement mal pour ces pauvres A et B et C parce qu'ils devaient travailler si fort ? On aurait dit que le D avait la vie plus facile.

— Sûr que j'me rappelle d'la façon que tu relevais la tête et qu'tu m'demandais : « Est-ce qu'il arrive jamais au A d'avoir congé, Judy ? » C'est des notes archi-fortes que j'attends de toi dans toutes tes matières.

— Non, je suis tellement bouchée en histoire, Judy. Je n'arrive pas à me rappeler les dates.

— Les dates qui sont ton problème ? Qui s'en fiche des dates ? Quelle différence ça fait quand on sait que les choses sont arrivées il y a tellement longtemps ?

— Les examinateurs trouvent que ça fait toute une différence, Judy. Les deux seules dates dont je suis absolument certaine c'est le débarquement de Jules César en Angleterre en 55 avant Jésus Christ et la bataille de Waterloo en 1815. En dehors de cela, je nage littéralement dans le brouillard.

— Mon propre arrière-grand-père est tombé à la bataille à Waterloo, dit Judy. Et y'a laissé mon arrière-grand-mère veuve avec neuf p'tits enfants sur les bras. Mais d'nos jours, c'est quoi d'être veuve après la Grande Guerre ? Est-ce que tu te rappelles un peu, Pat ?

– J'avais cinq ans quand ils ont signé l'armistice. Je me rappelle les feux d'artifices sur le pont et, vaguement, les gens qui en parlaient, avant ça. On dirait un rêve. Toi, tu n'en parles jamais, Judy.

– Sûr, et j'avais honte tout le temps de la guerre parce que j'avais pas un des miens qui y allait... et encore heureux que Siddy et Joe étaient des enfants. Ta mère pis ta tante Hazel pis moi-mêmes, on tricotait des chaussettes pour les soldats et on se serrait les coudes. C'est pas une époque que j'aime à penser, avec tous ces gens qui criaient cont' le Kaiser et ton oncle Tom et ton père qui chialaient parce qu'ils étaient trop vieux pour y aller, et pis nous qu'on restait debout toute la nuit à s'inquiéter qu'il se trouve une lacune dans la Bible de la famille. Et pis nous tous un peu honteux dans nos cœurs qu'on n'ait pas de p'tites feuilles d'érable à nous de l'autre côté de l'océan. Non, sauf qu'y avait une chose qui était pas si pire, c'est que toutes les filles étaient fières de s'promener avec les garçons en kaki et que ton oncle Tom chantait des hymnes de haine dans la cour arrière à Swallyfield tous les matins après le p'tit déjeuner. Sûr et si j'l'ai pas entendu crier : « J'préférerais mourir dans les tranchées que de vivre sous les Allemands », pendant que je trayais les vaches j'courais pour voir si y'avait pas attrapé le lumbago. Y'était tellement excité pendant les élections du gouvernement de l'Union... sûr et qu'j'ai un peur que ça lui éclate un vaisseau de sang que'qu'part. Quant y'a trouvé ta tante Edith qui priait pour qu'y gagnent, il s'est mis tout indigné. « Les élections, ça se gagne pas avec des prières », qu'il lui dit, et il l'a emmenée de force pour voter pendant qu'a protestait tout le long du chemin que c'était pas féminin de voter. T'as jamais vu autant de folie. Sandy Taylor de Bay Shore, y'a appelé son premier garçon John Jellico Douglas Haig Lloyd George Bonar Law Kitchener. T'aurais dû voir la tête des ministres quand qu'ils l'ont baptisé. Pis après tout ça, l'enfant s'est appelé Slats seulement pendant toute sa vie, tellement qu'y'était maigre. Ils ont dit que Ralph Morgan avait marié Jane Fisher pour se sauver de la conscription. Sûr que j'vas pas juger personne pour des affaires matrimoniales, Patsy, et que j'l'ai jamais fait, mais y m'a semblé que j'aurais préféré courir après le Kaiser plutôt que d'marier une Fisher. P'tête ben qu'Ralph il en est arrivé aux mêmes conclusions que moi. Quand qu'on a eu le service à la mémoire des garçons qu'étaient morts, y m'a poussé un grand soupir et y m'a dit : « Ah, Judy, ils sont en paix ». Oh, oh, et j'espère que le monde s'ra un p'tit brin plus sensé que d'habitude pour pas s'trouver dans les mêmes histoires comme ça. Heureusement qu'y a les femmes qui peuvent voter maintenant.

— Le vieux Billy Smithson de Silverbridge n'est pas d'accord avec toi, Judy. Il dit que les femmes sont folles et que les choses seront bientôt pires qu'avant.

— Oh, oh, et penses-tu que c'est possible maintenant ? demanda Judy sur un ton sarcastique. Le vieux Billy devrait pas juger les femmes comme il fait. Si j'm'en souviens d'la première fois que j'ai voté. J'avais mis ma robe de soie bleue et mes bottes à talons hauts quand que j'suis allée au bureau d'vote et j'étais tellement excitée que j'pourrais pas dire où c'est que j'ai fait ma croix sur le bulletin. Pour c'que j'ai pu lui expliquer, ton père y'a toujours pensé que j'l'avais pas mis au bon endroit. Mais, de toute façon, c'est mon homme qu'a gagné, alors c'est pas bien important où c'est que j'lai mise, la croix. J'suis jamais retournée voter parce que c'est toujours arrivé pendant que j'cannais les tomates ou qu'j'avais queq'travaux du genre à faire pendant les élections.

— Oncle Tom dit que tout le monde devrait exercer son droit de vote... que c'est un devoir sacré.

— Entendez-vous ça. Ça a t'y l'air fin de dire ça ? Est-ce que j'aurais laissé pourrir mes tomates ou mes prunes de

284

Damas à cause qu'il faut que j'me traîne jusqu'à Silver-bridge pour voter ? Sûr, Patsy chérie, les gouvernements y peuvent bien rentrer ou y peuvent bien sortir, mais faut bien que quelqu'un remplisse les pots de confiture à Silver Bush.

26

Gentleman Tom s'assoit
sur les marches

Pat n'aurait pas dû s'en faire pour son examen d'histoire. Il était dit qu'elle ne le passerait pas cette année. Le mal de tête dont elle se plaignait ne disparut pas le lendemain matin et se compliqua ultérieurement d'un mal de gorge. Sa mère jugea qu'elle devait rester au lit et Pat acquiesça si doucement que Judy s'en inquiéta. Tôt le lendemain matin, elle entra sur la pointe des pieds dans sa chambre, anxieuse de la voir.

– Comment ça va ton réveil mon trésor ?

Pat leva des yeux brûlants sur un visage rouge de fièvre.

– La pendule morte dans le couloir a recommencé à fonctionner, Judy. S'il te plaît, arrête-la. Chaque tic-tac me fait éclater la tête.

Judy sortit de la chambre en courant, réveilla Madame Gardiner et appela le Dr Bentley.

Pat avait la scarlatine.

Au début, personne ne s'en inquiéta vraiment. Joe et Winnie avaient déjà eu la scarlatine quand ils étaient plus petits et n'en avaient pas particulièrement souffert. Mais, à mesure que les jours passaient, l'angoisse s'installait à Silver Bush comme un nuage qui ne cessait de s'obscurcir. Le Dr Bentley avait l'air inquiet et parlait de « complications ». Parce qu'elle n'avait jamais eu la scarlatine, on interdit à sa mère l'accès de la chambre de la malade. Judy et Winnie veillèrent sur Pat. Judy ne voulait rien savoir d'une infirmière. Elle ne s'était jamais remise de Mlle Martin et de sa « Greta ». Personne ne sut jamais quand elle dormait ou même si elle dormait. Toute la nuit, elle restait au chevet de Pat dans le fauteuil bancal Reine Anne, avec son vieux siège en soie damassée rouge que Pat avait sauvé d'une fin malheureuse au grenier parce qu'elle l'aimait. Judy n'était jamais fatiguée ou mécontente, toujours prête à vous accueillir avec une boisson fraîche ou une attention particulière. Plus tard, le Dr Bentley parla d'elle comme d'une de ces « infirmières-nées qui semblent savoir d'instinct ce qui prend habituellement plusieurs années de formation aux autres ».

Lorsque Pat commença à délirer elle ne voulut rien faire ou rien avaler qui ne venait pas de Judy.

Et Pat délira beaucoup. Les hallucinations se succédaient dans ce pauvre cerveau enfiévré. Willy le Pleureur avait enlevé la poignée en bois de la porte du garde-manger. « *Je suis sûre que Dieu va trouver tout ça très amusant* », dit Pat qui la cherchait en vain avant que Dieu ne s'en rende compte. Les fissures au plafond n'arrêtaient pas de bouger et rampaient dans tous les sens. Elle se trouvait sur une route solitaire où la noirceur l'attendait pour se jeter sur elle, appelant Jingle qui s'éloignait indifféremment avec la pierre tombale d'Emily et Lilian sous le bras. Elle était au fond du puits où Dick le Sauvage l'avait précipitée. Elle cherchait le Champ secret que Dorothy avait enlevé. Elle entendait le sifflement de Joe mais n'arrivait jamais à voir Joe. Quelqu'un avait déplacé tous les meubles à Silver Bush et Pat essayait en vain de les remettre à leur place. Le ministre avait dit pendant son sermon le dimanche précédent que Dieu tenait le monde dans le creux de ses mains. *Et s'il se fatiguait de le tenir et qu'il le laissait tomber, Judy ?*

— Sûr et ça c't'une chose qu'Il n'f'ra jamais, Patsy, ne t'inquiète pas.

Le vent soufflait et ne voulait jamais s'arrêter... *il doit être si fatigué, Judy. S'il te plaît, arrête-le.* Elle était sur une route, à la tête d'une longue procession de fromages roulants... tous les fromages qui avaient été fabriqués à Silver Bush... il *fallait* qu'elle marche devant. Des visages l'observaient à sa fenêtre... appuyés contre la vitre... ou ils passaient en rang au pied du lit comme les fantômes de Bay Shore. Des visages hideux, cruels, rusés, terrifiants. *S'il te plaît, Judy, chasse-les... s'il te plaît... s'il te plaît.* Il y avait d'interminables discussions entre Pat et Patricia. Le temps filait pour elle comme la rivière sombre du cantique. Elle n'arrivait pas à le rattraper. *Si on arrêtait toutes les pendules, Judy, est-ce qu'on pourrait arrêter le temps ? S'il te plaît !* Et qui, oh, qui donne ses repas à ce pauvre Intrépide ?

— Sûr, et c'est moi, Patsy chérie. T'as pas besoin d'avoir peur pour Intrépide. Il est à la hauteur de son nom à chaque minute de la journée, il dort sur le lit du Poète et il s'enroule dans mes rouleaux de papier-à-mouches. Sûr et que t'as jamais vu de chat plus fou. C'est Gentleman Tom qui me fait des inquiétudes. En plus qu'il est tout le temps assis sur la marche sauf quand y peut vraiment pas faire autrement.

Puis il y eut deux ou trois journées affreuses durant lesquelles la vie de Pat oscillait sur la balance. Le Dr Bentley secouait la tête. La famille la crut condamnée. Mais Judy n'abandonna jamais. Elle n'avait pas reçu le « signe » et quant à Gentleman Tom, il n'avait jamais bougé de sa marche et il lui arrivait même de se hérisser et de cracher.

— Sûr et quoi c'est qui s'acharne après Pat va avoir bien d'la misère à passer par-dessus c'te bête, dit Judy sur le ton de la confidence.

Mais la troisième nuit, aux petites heures du matin, pendant que tout Silver Bush retenait son souffle, se demandant désespérément ce que leur réserverait le lendemain, Gentleman Tom se leva, se secoua, et descendit gravement les escaliers pour retrouver son propre coussin dans la cuisine.

— Il savait qu'il avait plus besoin d'être assis là, dit Judy à l'aube. Pat a pris le virage. Je l'ai croisé quand y descendait pendant que moi-même j'montais et y m'a lancé un d'ces regards. Quand c'est que j'suis allée dans la chambre de la p'tite chérie, j'm'attendais bien à voir une différence et que je l'ai vue. Regardez-là, a dort aussi paisiblement qu'un agneau. Sûr que c'est jour de réjouissance à Silver Bush. Tu peux la surveiller, Winnie, pendant c'est que j'me prépare un pot de thé. J'ai bien besoin d'un p'tit remontant avec mes genoux qui ont la tremblote et ma pauvre tête qui tourne en rond.

La convalescence de Pat fut longue. Cinq semaines passèrent avant qu'elle puisse même s'asseoir dans son lit et boire son bouillon dans son cher petit bol jaune à l'intérieur tapissé de roses bleues... un souvenir de Bay Shore que tante Honor lui avait fait parvenir. Elle avait un petit coussin doré qui lui faisait comme un soleil derrière la tête (c'est tante Hazel qui l'avait envoyé) et portait une ravissante chemise de soie jaune primevère que tante Edith avait apportée avec elle. Tout le monde était si gentil avec la pauvre malade. Bets, qui avait été tenue en quarantaine, lui envoya des feuilles remplies de fraises sauvages et Hilary pêcha une truite de ruisseau pour elle. Lorsque Hilary se foula la cheville si gravement qu'il dut rester à la maison pendant une semaine, Judy elle-même, armée d'une boîte remplie de vers, de la canne à pêche et de l'hameçon de Sid, arpenta les rives du Jordan de haut en bas pour alimenter l'appétit lentement renaissant de Pat. Sa mère vint à la porte et la regarda avec des yeux heureux. Parfois, le petit visage inquiet et si charmant de Cuddles apparaissait à travers les barreaux de l'escalier, elle n'avait pas la permission d'aller plus loin.

En dépit de ses supplications, il fallut sept semaines en tout avant que Pat ne soit autorisée à sortir du lit.

— J'en ai vraiment assez du lit, Judy. Je suis certaine que ça ne me ferait pas de mal de me lever et de m'asseoir sur une chaise près de la fenêtre. J'ai tellement envie de voir dehors. Tu ne sais pas à quel point je suis fatiguée de voir les jacinthes des bois sur le papier peint. Cette espèce de bouquet près du lavabo ressemble à un lutin obèse avec un bonnet qui me fait la grimace. Mais non, ne sois pas effrayée, Judy. Je ne suis pas en train de perdre la tête de nouveau. Tu n'as qu'à regarder toi-même.

— Je ne dis pas qu'y a pas une ressemblance. Mais tu seras pas en dehors du lit avant deux jours encore. Ça, c'est les ordres du docteur et puis crois-moi que je vais les suivre.

— Bon, très bien, alors relève-moi sur les coussins, Judy, que je puisse au moins voir quelque chose par la fenêtre.

Ça, c'était bien. Elle pouvait voir les faîtes élancés de sapins se découpant contre le ciel bleu dans le jardin, les châteaux de nuages qui venaient et qui partaient, les pignons de la grange envahis par les hirondelles, la fumée sortant de la cheminée de l'oncle Tom, qui faisait de la magie dans les collines. Pat vécut avec ces images encore deux autres journées, puis Judy lui permit de s'asseoir sur une chaise près de la fenêtre pendant une demi-heure. Pat réussit à marcher jusqu'à la chaise, bien qu'elle admit par la suite qu'elle s'était sentie comme un bol de gélatine qui se serait liquéfié si on l'avait trop secoué. Mais ses yeux et ses oreilles profitèrent au maximum de cette demi-heure. Ce fut d'abord un choc de voir à quel point l'été avait fui pendant sa maladie. Mais quelles couleurs extraordinaires, dans ce monde qui s'offrait à son regard ! Quelle merveille de contempler de nouveau les silhouettes bleues des collines, de l'autre côté du port, et la véritable symphonie des adieux de l'été, dans le champ... les vagues soyeuses sur l'herbe et tous ses arbres, ses propres arbres tant aimés. La brise chuchotait de collines en collines et lui apportait le parfum des fleurs. Le chèvrefeuille pâlissait dans le cimetière et les canards de Judy se rassemblaient autour du puits. Elle voyait Intrépide sur l'appui de la fenêtre de la grange de l'église et un chien noir frisé, avec un cœur blanc sur la poitrine, sur les marches de la remise à grain.

Et... était-ce possible ?... Bets ! Une jeune fille mince dans une robe couleur lilas, les bras chargés de pivoines, la saluant de la main, sur le Sentier qui Murmure. Bets avait grandi.

— Judy m'a fait prévenir que je pouvais te regarder d'ici si je me trouvais exactement au bon endroit. Oh, Pat chérie, quel bonheur de te revoir. Si tu savais ce que j'ai traversé ! Je voulais envoyer un mot à Hilary... il devient fou... mais Judy pense que tous les deux, c'est trop d'émotion pour toi. Il sera là demain.

Tous les jours, Pat avait le droit de rester assise un peu plus longtemps, jusqu'à ce qu'elle puisse passer tout l'après-midi à la fenêtre. Hilary et Bets avaient maintenant droit au jardin et pouvaient lui crier des choses, bien que Judy ne l'autorisât pas à trop parler en retour. Mais cela lui suffisait d'être là, de regarder les humeurs splendides des champs qui brillaient parfois sous la pluie de l'été et qui, à d'autres moments, se doraient au soleil. Un soir, Judy l'autorisa à rester debout après le dîner. C'était merveilleux de voir le crépuscule envahir le jardin de nouveau. Elle se rappela la dernière histoire que bets et elle avaient lue ensemble, une histoire de jardin enchanté et de fleurs qui pouvaient se parler. Elle essaya d'imaginer ses propres fleurs se parlant durant la nuit. Cette rose rouge dans le coin se transforma en amant passionné qui chuchotait des compliments à une rose blanche. Ce lys tigré fanfaron racontait les légendes d'extraordinaires aventures. Les coquelicots qui se balançaient révélaient tous leurs secrets. Mais les lys de la Madone ne firent que dire leurs prières.

Elle n'avait pas vu les étoiles depuis si longtemps. Et regarder la lune se lever ! Bets et elle avaient un jour lu un poème sur le lever de la lune sur Hymettus. Mais cela ne pouvait pas être plus beau que le lever de la lune sur la Colline de la Brume avec le port en arrière-plan. Les ombres des arbres étaient ravissantes. Les immenses lilas ressemblaient à des saints blancs dans le clair de lune.

En rentrant, Judy fut horrifiée de constater que Pat n'était pas encore au lit.

— T'as pas encore dormi, toi, si j'comprends bien ? lui demanda-t-elle, inquiète. Tu dors au clair de lune, ma fille chérie ?

— Non. Mais j'aimerais bien. Pourquoi est-ce que je ne pourrais pas le faire ?

— Non mais entendez-vous ça ? Que j'te prenne à dormir au clair de lune. Paraît que ça peut rendre fou. Sûr et j'ai connu un homme un jour... qui a dormi au clair de lune une nuit et qui a jamais plus été le même après ça.

Pat soupira. Elle détestait abandonner ce délicieux bain argenté du clair de lune mais elle était fatiguée. C'était agréable de se sentir de nouveau fatiguée et emportée par un sommeil facile.

Dix semaines après le premier jour de sa maladie, Pat descendit au rez-de-chaussée, éprouvant une bienheureuse liberté. Quelle journée en perspective ! Et quel triomphe pour Judy ! Tous les coquelicots dansaient en son honneur ! Elle était de nouveau agréablement affamée au déjeuner. Ce fut un repas si charmant avec tous les membres de la famille qui échangeaient des regards heureux. Même Gentleman Tom lui fit des manières.

— Sûr et que la maison elle est bien contente de te revoir de nouveau, exulta Judy.

— C'est tellement bien de revoir toutes les choses à la même place.

Elle avait craint de découvrir des changements. Le jardin avait beaucoup changé. Et même Bets et Jingle semblaient transformés... plus mûrs en quelque sorte. Jingle avait certainement grandi. Oh, pourquoi les choses devaient-elles changer ? Toujours l'éternelle question attristante.

— P't'être bien qu'y a un peu de changement pour toi

aussi, ma chérie, dit Judy attristée. Pat était différente, elle avait l'air indiscutablement plus âgée.

— Sûr et que tu peux pas t'être promenée si près de la porte de la mort sans changer un p'tit peu, chuchota Judy comme pour se parler à elle-même. À l'est plus ma p'tite fille encore. À s'ra jamais plus la même qu'avant.

Les autres mirent cela sur le compte de son teint pâle et de sa maigreur. Oncle Tom lui dit qu'elle avait un bel habit d'os.

— Je reprendrai du poids bientôt avec tout ce que tu me prépares, Judy. La vie a bon goût, aujourd'hui.

— Sûr et 'faut bien que la vie elle aye un goût, n'est-ce pas, Patsy ? Moi, j'suis rien qu'une pauv' vieille femme qu'a trimé dur toute sa vie pour gagner sa croûte et malgré ça, je déclare que la vie a du goût. Sûr et j'm'embrasse les lèvres à ça.

— Hilary m'a apporté un très beau livre et Bets est plus gentille que jamais. Finalement, la vie est bien belle en dépit de tous les changements et je suis bien contente de m'y retrouver enfin.

— C'est moi qui te l'dis. Mais, Patsy chérie, va falloir que tu fasses attention. Faudra pas que tu coures dans tous les sens pendant un p'tit temps encore. Reste assise et écoute tes cheveux pousser.

Pat aurait trouvé plus vraisemblable d'écouter ses cheveux tomber. Ils commencèrent à tomber de façon alarmante. Judy la rassura en lui disant que c'était parfaitement normal, mais même Judy avait peur. Pat pleurait. Elle était inconsolable.

— Je suis chauve, Judy, vraiment chauve. J'imagine que c'est une punition pour avoir détesté mes cheveux de gingembre. Judy, et s'ils ne repoussaient jamais ?

— Mais bien sûr que ça va repousser, dit Judy, qui n'en était absolument pas aussi convaincue qu'elle l'aurait souhaité. Elle lui confectionna un bonnet de soie et de dentelle qu'elle put porter, mais il y eut quelques mauvaises semaines. Des histoires affreuses de prophéties. Tante Edith avait connu une fille dont les cheveux étaient tombés comme ça.

— Ils repoussèrent tout blancs, dit tante Edith.

Puis les cheveux se mirent à pousser de nouveau... d'abord un duvet foncé. Pat était soulagée de voir qu'ils n'étaient absolument pas blancs. Puis plus longs, plus épais...

— C'est que j'ai bien l'impression qu'y vont être bouclés, chuchota Judy, dans une espèce de respect mêlé d'admiration.

Pour la première fois depuis des semaines, Pat demanda un miroir. Ses cheveux étaient bouclés. Pas trop bouclés, mais seulement doucement ondulés. Et foncés... brun foncé. Pat se dit qu'elle allait mourir de bonheur. Ses cheveux étaient « bouclés » maintenant et sans que cela n'ait rien coûté à Judy qui était tout simplement heureuse de voir que sa chérie avait des cheveux.

— Alors tu as finalement décidé d'être belle, dit oncle Tom, dès qu'il la vit la première fois sans son bonnet.

— Ce n'est pas encore ça, décréta Pat en se regardant dans le miroir ce soir-là. Mais c'est une amélioration.

— De toute façon, t'auras jamais besoin d'une mise en plis, dit Judy, et c'est parce que t'es vraiment une fille bien. Sûr et la femme du Dr Bentley, a s'en est fait faire, une mise en plis à c'qu'on m'a dit, et que son crâne il a tellement brûlé que ses cheveux y tombent tous en plaques. J'me dis qu'a doit s'dire qu'a l'aurait dû laisser tranquille l'ouvrage du Bon Homme.

Finalement, Pat était très satisfaite de son attaque de scarlatine. Elle avait maintenant de beaux cheveux foncés, ondulés, et, pour cette année encore, elle avait réussi à échapper à Queen's.

27

L'éclat de la jeunesse

BETS AVAIT RÉUSSI les cours de Préparatoire mais refusa d'aller à Queen's avant Pat. Cette dernière n'ayant pu passer les examens, devait attendre l'année suivante.

Il s'était produit une chose agréable. Hilary avait raté ses examens – ce n'était pas ça la chose agréable – à cause d'un mauvais professeur à l'école de South Glen. Larry Gordon retira Hilary de cette école et l'inscrivit à North Glen. En conséquence, tous les matins, Hilary, Bets et Pat marchaient gaiement sur le chemin de l'école et trouvaient la vie belle. Sid n'y retourna pas. Il agissait désormais sur la ferme comme le bras droit de père. Mais Cuddles les accompagnait. Elle commença joyeusement un matin de septembre et Pat, se rappelant qu'elle aussi avait « commencé l'école », se découvrit très maternelle, protectrice et sentimentale en regardant cette chère Cuddles trottiner avec eux, la main dans la main d'un autre joyeux débutant de la famille Robinson. Ils savaient si peu de choses de la vie, ces pauvres petits choux ! Elle avait vieilli et acquis une si grande expérience, songea Pat en pensant à elle-même !

– Peux-tu imaginer que nous avons déjà été aussi jeunes qu'eux ? demanda-t-elle à Bets, incrédule.

Bets n'arrivait pas à le croire et elle poussa un soupir. Elles marchèrent néanmoins toutes les deux le long de la route comme si elles étaient nées, comme Béatrice, sous une étoile de la danse. C'était merveilleux d'être assez âgée pour se rappeler ainsi son enfance. C'était merveilleux de voir la route couverte d'un léger brouillard améthyste. C'était merveilleux de voir les jeunes sapins noirs surgir des prairies moissonnées. C'était merveilleux de pouvoir prendre un raccourci à travers le petit chemin des bois dans la forêt de Herbert Taylor. C'était merveilleux d'être ensemble. Parce que, finalement, tout se ramenait à cela. La vie n'avait pas de charme si on ne pouvait pas le partager.

Joe n'était jamais revenu à la maison. Ils recevaient des lettres des tropiques épicées, du fin fond de l'Arctique et des ports de la Méditerranée ; et c'était chaque fois un grand événement à Silver Bush. Quand tout le monde les avait lues, elles étaient envoyées à Swallowfield et de là à Bay Shore, puis retournées à maman qui les mettait dans sa « boîte magique », comme ils appelaient cette imitation de la boîte magique de Judy. Pat avait sa propre boîte magique à l'intérieur de laquelle elle conservait toutes sortes de « souvenirs », étiquetés de façon systématique : « fleur du jardin de Bets », « nouveau plan pour "ma maison", dessiné par Hilary Gordon, « lettres de mon frère, Joseph A. Gardiner », « photo de Bets et moi sous le Pin observateur », « messages de mon amie adorée, Elizabeth Gertrude Wilcox », « crayon avec lequel j'ai écrit ma première lettre à H.H. ».

Parce que H.H. voulait dire Harris J. Hynes, et Pat était éperdument amoureuse de lui ! Absolument décourageant, avait dit Winnie. C'était arrivé à l'église, un de ces jours ennuyeux de novembre, alors que la plainte lugubre du vent tournoyait près de la tour et que Pat se sentait triste sans raison apparente et que cela lui plaisait qu'il en soit ainsi. Elle ne s'était pas sentie triste quand elle avait quitté Silver Bush parce qu'elle portait son nouveau chapeau écarlate sous lequel ses yeux d'ambre brillaient comme des bijoux. Sa peau, qui avait déjà eu l'air cireuse avec ses cheveux jaunes, avait pris une teinte crème avec ses cheveux brun foncé. Ses lèvres étaient aussi rouges que son chapeau.

— Oh, oh, et si c'est pas chic tout ça ! dit Judy admirative. J'ai jamais rien vu de plus chic. Oh, oh, Patsy chérie... Judy soupira... les prétendants y vont bientôt venir.

Pat rejeta la tête en arrière.

— Je ne veux pas de prétendants, Judy.

— Oh, oh, toutes les filles doivent avoir quelques prétendants, Patsy. Sûr et que c'est ton droit et c'est c'que j'ai été dire à la vieille Tillie Taylor la s'maine dernière quand c'est qu'a disait qu'a voulait rien savoir des prétendants. « Ou c'est que ça veut rien dire ou bien que ça veut dire trop », qu'a disait, mais c'qu'a voulait vraiment dire, y'a seulement le Bon Homme d'en Haut qui le sait et p'têtre bien qu'a l'est un peu mêlée dans sa tête.

— De toute façon, on ne les appelle plus des prétendants de nos jours, Judy. Ça fait vieux jeu. Maintenant on dit des petits amis.

— Des p'tits amis qu'y disent ? Oh, oh, Patsy mon bijou, un jour tu verras c'que c'est la différence entre un ami et un prétendant.

Pat et Bets étaient toutes deux contentes de se sentir un peu tristes pendant cette promenade jusqu'à l'église. Elles avouèrent qu'elles se sentaient vieilles. Novembre avait été un mois si lugubre.

— Oh, Bets, les années vont toutes passer comme ça et il y aura toutes sortes de changements. Tu vas te marier et partir loin de moi. Bets, quand j'y pense, je ne pourrais pas être plus malheureuse que si j'étais en train de mourir. Bets, je ne pourrai tout simplement pas le supporter.

— Moi non plus, dit Bets d'une voix brisée. Puis elles se sentirent toutes les deux beaucoup mieux. C'était tellement merveilleux d'êtres jeunes et malheureuses ensemble.

Pat se sentit morose jusqu'au second hymne. Puis tout changea en un battement de paupière.

Il était entré avec d'autres garçons. Il se tenait debout, juste de l'autre côté de l'allée. Il la regardait au-dessus de son livre de prières. Il la regardait avec admiration. C'était la première fois que Pat constatait qu'un garçon la regardait avec admiration. Elle eut soudain l'impression qu'elle était belle. Et... pour la première fois aussi, elle rougit jusqu'à la racine des cheveux et baissa les yeux. Il ne lui était jamais arrivé de ne pas pouvoir regarder un garçon dans le blanc des yeux.

Elle se doutait bien de ce qui venait d'arriver. Il s'était produit exactement la même chose quelques années auparavant au concert des hommes aveugles... et de la même façon. Ses jambes tremblaient.

Mais ça, c'était vrai.

— Je me demande si je vais oser le regarder, se dit-elle, et elle osa.

L'hymne était terminé. Ils étaient tous assis. Il semblait trouver ses bottes très intéressantes. Pat en profita pour l'observer pendant un moment.

Il était séduisant. Il avait de beaux cheveux bruns aux reflets dorés, des traits bien dessinés (tous les héros dans les histoires avaient les traits bien dessinés) et d'immenses yeux bruns. Parce qu'il releva les yeux juste à ce moment-là et il la regarda de nouveau. Des milliers de décharges électriques parcoururent le corps de Pat.

Elle n'entendit pas un mot du sermon, pas même le texte, ce dont Long Alec s'indigna plus tard, puisqu'il était de règle que chacun des membres de la famille récite le texte autour de la table le dimanche. Mais si Pat ne se rappelait pas le texte, elle se rappellerait toujours le motet « *Joie sur la terre* », chanté par le chœur. Rien ne pouvait être plus approprié. Elle ne tourna plus la tête dans sa direction pendant le service mais, lorsqu'ils quittèrent l'église, elle le croisa sous le porche et leurs yeux se ren-

298

contrèrent de nouveau. C'était assez terrible et Pat avait le souffle coupé en descendant les marches.

Tout avait changé. Même novembre retrouvait ses faveurs. Le ciel était sans nuage. Le sentier dans les bois était tapissé de taches de lumière. Des arbres gris, silencieux, le long du chemin, semblaient porter le secret de la beauté.

— As-tu vu Harris Hynes ? demanda Bets.

— Qui est-ce, Harris Hynes ? demanda Pat, sachant très bien de qui il s'agissait, même si elle n'avait jamais entendu son nom avant.

— Le nouveau garçon. Sa famille a acheté la maison des Calder. Il était assis sur la même rangée que nous, de l'autre côté de l'allée.

— Oh, celui-là ? Oui, je l'ai remarqué, dit Pat avec désinvolture. Elle se sentait terriblement déloyale. C'était la première fois qu'elle ne disait pas tout à Bets.

— Il serait assez beau s'il n'avait pas ce nez, dit Bets.

— Son nez ? Je n'ai rien remarqué de spécial avec son nez, dit Pat, assez froidement.

— Oh, il est crochu. Oh, bien sûr, ça ne se voyait que de profil. Mais il a des cheveux magnifiques. Il paraît qu'il sort avec Myra Lockley de Silverbridge.

Pat fut envahie par l'affreux sentiment qu'elle se noyait. Joie sur la terre, en effet ! Où donc était passée la lumière du soleil ? Novembre était vraiment un mois horrible.

Mais ce regard dans ses yeux.

L'invitation à la fête chez Edna Robinson arriva le lendemain. Viendrait-il ? Elle ne pensa à rien d'autre pendant deux jours. Le mercredi soir était une exquise soirée de clair de lune et de givre mais, parce que Harris Hynes se trouverait peut-être à cette soirée dansante organisée par Edna, Pat était aveugle à sa beauté. Ce fut délicieusement difficile de choisir laquelle de ses deux robes elle allait porter. La rouge était la plus jolie mais la bleue et argent lui donnait un air plus mûr ; c'était une fine robe vaporeuse faite de clair de lune et de crépuscule. Elle l'enfila, jeta quelques gouttes de parfum dans ses cheveux et son cou... elle emprunta même une paire de boucles d'oreilles à Winnie, de ravissantes perles laiteuses. C'était merveilleux de s'habiller pour lui et de se demander s'il remarquerait ce qu'elle portait. Pour la première fois de sa vie elle fit un petit rituel de cette séance d'habillage.

Puis elle descendit voir Judy qui préparait de la chair à saucisse dans la cuisine. Judy se doutait bien qu'il y avait quelque chose dans l'air lorsqu'elle sentit les effluves du parfum, mais elle dit seulement :

– T'as l'air adorable, ma chérie.

Est-ce que lui la trouverait adorable ? C'était là la question. Mais elle fit semblant de s'intéresser seulement à la chair à saucisse. Judy ne devait surtout pas oublier d'ajouter de la muscade. Son père aimait bien la muscade. Judy fut secouée d'un bon rire lorsque la porte se referma sur Pat.

– C'est pas d'la chair à saucisse que la p'tite chérie a dans la tête. Oh, oh, mais je r'connais bien les signes.

C'était affreux de penser qu'il ne serait peut-être pas là ! Quel bonheur de contempler la colline sombre dans le coucher du soleil, derrière ce qui avait été la maison des Calder et qui était désormais la maison des Hynes. Il habitait là. S'il était à la soirée et qu'elle le rencontrait, que lui dirait-elle ? Et si elle parlait trop ? Ou pas assez ? Est-ce que sa famille... sa mère... l'aimerait ? Elle n'entendit rien de la conversation entre Sid et Bets. Mais quand May Binnie, voyant sa robe bleu argenté pour la première fois dans la chambre d'amis des Robinson, lui dit :

– C'est la nouvelle couleur qu'on appelle crépuscule, n'est-ce pas ? Ça serait vraiment très joli sur certaines personnes. Mais tu ne penses pas que tu as le teint trop cireux pour un bleu aussi soutenu, Pat ? Elle s'en inquiéta. Non pas qu'elle craignait les paroles de May Binnie, mais lui, trouverait-il qu'elle a le teint cireux ? Elle se rappela que Myra Lockly avait un teint magnifique.

Elle sut tout de suite qu'il venait d'arriver... son cœur battit à tout rompre lorsqu'elle entendit son rire dans l'entrée. Elle ne l'avait jamais entendu avant, mais il était la seule personne au monde qui pouvait rire de cette manière. C'était merveilleux de le voir entrer dans la pièce avec les autres garçons... avec eux mais différent d'eux... très différent... un jeune dieu grec.

Oh, Pat était vraiment très amoureuse.

Elle dansait avec Paul Robinson quand Harris vint prendre sa place. Puis elle dansa avec lui. C'était un miracle. On ne les avait même pas présentés. Mais en fait, ils n'avaient pas besoin de présentations. Ils se connaissaient très bien, ils se connaissaient depuis toujours. On aurait dit qu'ils dansaient ensemble en silence depuis une éternité. Puis...

— Tu ne me regarderas pas, fille de rêve ? demanda-t-il doucement.

Pat leva les yeux et le regarda. Puis le monde bascula autour d'elle. Mais elle n'était pas Pat Gardiner pour rien. Les leçons de Judy vinrent à sa rescousse. Elle lui lança un regard plein de malice, provocateur. Il ne le saurait pas tout de suite... pas maintenant. Maintenant qu'elle savait ce que ses yeux disaient. La connaissance, c'était le pouvoir.

— Alors c'est toi, Patricia ? dit-il. Il prononça son nom d'une façon enchanteresse. Jamais, disait cette voix, n'y avait-il eu de plus beau nom. As-tu pensé à moi ?

— Eh bien, et pourquoi donc aurais-je pensé à toi ? demanda Pat avec désinvolture. Personne n'aurait pu croire qu'elle n'avait fait que penser à lui. Personne n'aurait pu croire qu'elle exultait littéralement de bonheur devant la preuve que ce dimanche avait signifié la même chose pour lui que pour elle.

— En effet, je ne vois pas pourquoi, approuva-t-il en soupirant de manière très contrôlée. Je sais seulement que j'aimerais que tu sois très, très gentille avec moi.

Il la raccompagna chez elle. Sid et Bets disparurent dans le cristal bleu de la nuit et ils se retrouvèrent seuls. Elle ne devait jamais oublier cette balade avec Harris sur les collines au-delà des forêts sombres, sous un ciel étoilé avec les bouleaux blancs au bord des prés, près de clôtures. Pat craignait que tout ce qu'elle dirait ne soit stupide. Mais Harris ne semblait pas le croire. Non pas qu'elle parlât beaucoup. C'était Harris qui parlait. Elle écoutait, retenant son souffle, pendant qu'il décrivait son récent voyage en aéroplane. Il voulait être pilote. Pas de carrière insipide pour lui.

— Quelle soirée ennuyeuse, se plaignit Winnie en se jetant sous les couvertures. Frank n'était pas venu.

Pour Pat, cela avait été une soirée cataclysmique. Elle serra sa jolie robe en la caressant contre son visage avant de la suspendre dans son armoire. Il l'avait aimée. Elle garderait cette robe toute sa vie. Judy ne l'aurait jamais pour ses tapis crochetés. Elle rangea la serviette de table fleurie qu'il avait déposée sur ses genoux pendant le repas, dans sa boîte magique, la lissant et la pliant avec des doigts respectueux. Elle resta éveillée dans son lit jusqu'à ce que l'aube dorée la surprenne, se remémorant tout ce qu'il avait dit et le répétant inlassablement. Elle avait horriblement peur d'avoir été trop rigide. Peut-être ne comprendrait-il pas. Judy disait toujours qu'il fallait leur donner le plaisir de la chasse, mais Judy était de la vieille école. Lorsqu'elle se réveilla en constatant que le soleil rentrait à flots dans sa chambre, elle se demanda s'il était possible de ne pas être heureux sur cette terre. Elle ne serait plus jamais triste.

Elle traversa cette journée comme dans un rêve, hantée par l'écho des violons, par sa voix, et par quelques vers romantiques qui allaient et venaient, au fil de sa mémoire, tels de magnifiques apparitions. *Lire la vie dans le regard de l'autre*. Bets avait ce poème dans sa boîte magique et Pat l'avait déjà trouvé ridicule. Oh, c'était ça la vie. Elle comprenait maintenant ce que cela voulait dire.

— Montre-moi donc ta langue un p'tit peu, dit Judy avec anxiété ce soir-là. J'ai bien l'impression que tu t'as attrapé un rhume à c'te danse. Après ça, ou... est-ce que c'est un prétendant, Patsy chérie ? Tu veux pas dire à ta vieille Judy que c'est un prétendant ?

— Judy, tu es trop ridicule.

En dépit de tous ses efforts, Pat n'arrivait pas à cacher quoi que ce soit à la famille. Ils surent bientôt que Pat « avait le béguin » pour Harris Hynes et ils n'eurent cesse de la taquiner avec ça. Personne, à la grande indignation de Pat, ne prenait cette histoire très au sérieux... à l'exception de Judy et de Bets. Elle en parla à Bets la première nuit qu'elle passa à la Longue Maison. Une fois de temps en temps, elle et Bets avaient tout simplement besoin de dormir ensemble et de parler. Bets était très fière d'être la confidente d'une véritable histoire d'amour. Elle en tira presque autant de plaisir que Pat elle-même.

28

Même quand toi et moi

LA VIE DE PAT s'était transformée en une succession d'événements excitants. Les courbes des routes les plus ennuyeuses devenaient fascinantes parce qu'elle pouvait rencontrer Harris J. Hynes au tournant. Les sermons les plus verbeux que prêchait ce bon vieux M. Paxton, s'emplissaient d'éloquence quand ses yeux échangeaient des messages avec Harris de l'autre côté de l'allée. Elle rougissait violemment lorsqu'il entrait dans une pièce où elle ne l'attendait pas ou lorsqu'il lui remettait un livre de la bibliothèque de l'École du Dimanche ou encore qu'il tenait la porte ouverte pour lui céder le passage. Il était si courtois.

Elle encercla une date sur le calendrier dans sa boîte magique lorsqu'il l'appela la première fois « chérie ». Il lui avait offert ce calendrier en forme de rose avec des dorures sur les pétales qui représentaient chacun un mois. « Pour que tu y inscrives les jours heureux », lui avait-il dit. « Effroyablement sentimental », railla Winnie. Mais Judy était absolument enchantée du cadeau.

— J'l'aime plutôt bien ton prétendant sentimental, Patsy. Parce que la plupart, ils ont tellement l'air des durs à cuire, de nos jours.

Pat eut un de ses moments de bonheur quand il lui dit qu'il avait passé une bonne partie de la nuit à observer la lumière à sa fenêtre. (En réalité, il s'agissait de la lumière de la chambre de Judy, mais ni Harris ni Pat ne le surent jamais.) Ce fut excitant de découvrir qu'il aimait les chats et il ne fut pas embêté quand Intrépide se frotta contre ses plus beaux pantalons en y laissant beaucoup de poils. Il avait vraiment un tempérament angélique ! Pat n'aurait pas été surprise de découvrir des ailes sous son manteau bleu marine.

Et c'était le plus grand des plaisirs de pouvoir aller au cinéma à Silverbridge avec lui.

On avait aménagé une salle dans le vieil hôtel de ville de Silverbridge et on y projetait des films le mercredi et le samedi soir. Ils réussirent à persuader Judy de s'y rendre un soir, mais elle n'y retourna jamais. Elle déclara que c'était beaucoup trop contrariant. Pat était convaincue qu'elle n'oublierait jamais la première fois que Harris l'emmena au cinéma.

— Est-ce qu'on t'a déjà dit que tu es absolument ravissante ? lui chuchota-t-il en l'aidant à enfiler son manteau dans la cuisine de Silver Bush.

— Beaucoup de gens me l'ont dit, répondit Pat en s'esclaffant. Elle mentait effrontément et ses yeux lançaient des éclairs coquins.

— Oh, oh, ça c'est une façon de lui répondre, chuchota Judy dans le garde-manger. Tu trouveras pas que les filles de Silver Bush sont si faciles que ça, Monsieur Hynes.

Pat se sentait aussi scintillante que la nuit. Ils empruntèrent un raccourci pour se rendre à Silverbridge, montant au sommet de la colline, passant tout près de la Longue Maison et traversant les champs jusqu'à la rivière. La sorcellerie blanche de l'hiver les entourait et son bras était bien au chaud dans le creux du bras de Harris. Un peu en avant, se trouvaient Sid et Bets. Sid semblait vraiment très attiré par Bets, pour le plus grand bonheur de Pat.

— Je n'aurais pas pu rêver une soirée plus parfaite, dit-elle à Judy.

— Oh, oh, Bets aura une bonne douzaine d'autres prétendants avant de se décider... comme toi, rétorqua Judy. Ce qui eut le don de mettre Pat en colère. Les vieux ne comprendraient donc jamais.

— Je me demande bien qui a pensé la première fois que la nouvelle lune était magnifique, dit Pat d'un ton rêveur.

— Je n'ai pas d'yeux pour la lune, ce soir, dit Harris de façon significative.

Pat frissonna légèrement. La phrase de Harris se voulait un compliment, mais ce fin croissant blanc, suspendu au-dessus des épinettes enneigées qui les faisait ressembler à des palmiers argentés, était si délicat que Pat aurait aimé en partager avec Harris toute la splendeur. Hilary aurait compris. Elle fut horrifiée par cette pensée.

Elle oublia sa trahison momentanée au cinéma. C'était si merveilleux... Pat aurait passé son temps à tout qualifier de merveilleux cet hiver si elle n'avait pas occasionnellement donné congé à ce mot pour le remplacer par « formidable ». Ils étaient entourés par la foule mais néanmoins seuls dans la noirceur odorante. Au bout d'un moment, Harris lui prit la main. Lorsqu'elle essaya de la retirer... « dis s'il te plaît », lui chuchota Harris. Elle ne lui dit pas s'il te plaît.

La beauté des sirènes à l'écran fut la seule ombre au tableau de cette soirée. Comme elles reniflaient... avaient-elles la gorge irritée... ou avalé une miette de travers ? Comment les garçons pouvaient-ils rester assis toute une soirée et trouver quoi que ce soit à ces filles ordinaires et banales ? C'était presque pire que dimanche dernier quand Myra Lockley s'était retrouvée à l'église, invitée par Dell Robinson. Pat n'arrivait pas à détacher son regard du teint splendide de Myra... dont celle-ci était fière. Ça se voyait. Pat était certaine que Myra avait passé tout son temps à fixer le dos bleu marine de Harris Hynes qui, ce jour-là, avait décidé de s'asseoir sur le banc de la famille, à l'avant de l'église. Elle essaya de taquiner Harris au sujet de Myra, le lendemain soir quand ils allèrent patiner sur l'étang du clair de lune. Harris avait seulement ri et dit : « Il y eut une Myra. »

Au début, Patricia fut ravie. Puis elle se demanda si le jour viendrait où il pourrait dire : « Il y eut une Patricia. »

Sa première lettre d'amour fut un autre moment « merveilleux » dans sa vie. Harris était parti en ville chez un ami et Pat ne se serait jamais attendue à ce qu'il lui écrive. Mais il écrivit. Pat trouva la lettre derrière l'horloge de Judy en rentrant de l'école.

— Sûr et que je l'ai mise là, hors de la vue pour pas que mon espèce de Siddy la voie, chuchota Judy.

Pat eut de la difficulté à trouver un endroit paisible pour lire la missive sacrée. Toutes les pièces de la maison étaient occupées en ce moment, même la Chambre du Poète, parce que tante Helen séjournait à Silver Bush. Il était impensable de la lire dans la cuisine où Judy apprêtait deux poulets dodus.

Pat eu une inspiration. Elle sortit ses raquettes et se lança sur la neige, à travers Silver Bush, vers le champ vallonné et enfin dans les bois. Elle se retrouva bientôt dans le Champ secret, avec une énorme quantité de neige vierge d'un bleu fantomatique, où la Reine des Bois et la Princesse des Fougères n'étaient plus que de fines tiges élancées. L'endroit rêvé pour une lettre d'amour. Assise sur une « banquise » grise sous les érables, Pat lut sa lettre. *Petite Reine...* elle s'était toujours demandé, depuis que Bets et elle avaient lu les poèmes d'Ella Wheeler Wilcox, si quelqu'un l'appellerait un jour sa « petite reine ». *Je peux t'imaginer, en ce moment même, merveilleuse Patricia... j'aurais aimé pouvoir t'écrire avec une rose plutôt qu'une plume... et il était à toi pour toujours, Harris J. Hynes.*

Que voulait donc dire ce J. ? Il ne le disait jamais à personne. Mais il lui avait promis :

— Je te le dirai, à toi, un jour, comme si c'était un secret extraordinaire qui les affecterait toute leur vie.

— Oh, oh, et combien d'embrassades qu'il t'a données dans son billet doux ? demanda Judy, quand Pat rentra à la maison, les joues rougies par autre chose que sa promenade dans la nuit glaciale.

Il était inutile d'en vouloir à Judy.

— Il y a longtemps qu'on n'appelle plus ça des billets doux, Judy, dit-elle sur un ton grave. On les appelle des petits mots.

— Ah c'est ça ! Plus c'est laid plus c'est bon pour de nos jours. Y'a quelque chose de vraiment romantique dans la sonorité de billet doux. Maintenant, Patsy chérie, tu vas lui écrire en retour mais que t'oublie pas que les mots qui sont écrits y durent.

Pat avait égaré son stylo et la bouteille d'encre familiale était vide. Elle alla donc chercher son plus joli crayon pour lui répondre, celui que Sid lui avait offert le jour de son anniversaire, bleu et doré, avec un énorme gland de soie, couleur feu. Judy n'avait pas besoin de s'inquiéter de la réponse de Pat. Elle y mit beaucoup d'une tendre moquerie que fit le dévoué Harris plus « à elle pour toujours » que jamais.

Puis, ayant écrit cette lettre, elle enveloppa le crayon dans un papier de soie et le rangea dans sa boîte magique, jurant solennellement qu'elle ne s'en servirait plus jamais pour écrire autre chose... à moins qu'il ne s'agisse d'une autre lettre à Harry. Elle resta éveillée des heures sur son lit, la lettre de Harry sous son oreiller ; elle ne voulait pas gaspiller cette nuit de bonheur à dormir.

— Mais qu'est-ce que, demanda un jour sournoisement Judy, Jingle y pense de toute cette affaire ?

Pat grimaça. L'attitude de Hilary avait été la seule entrave à son bonheur cet hiver. Elle savait qu'il détestait Harris, tout simplement parce qu'il restait toujours obstinément silencieux quand Harris était dans les parages. Un soir au cours duquel Harris s'était particulièrement vanté

308

des faits et gestes des membres de sa famille (Judy aurait pu dire que tous les Hynes passaient leur temps à se vanter), Hilary avait demandé assez méchamment :

— Et toi, qu'est-ce que tu vas faire dans la vie ?

Harris avait été parfait. Il avait tout simplement relevé sa splendide crête et ri gentiment de Hilary. Il profita ensuite du fait que Hilary avait le dos tourné pour murmurer à l'oreille de Pat :

— Je vais gagner le cœur de la plus belle fille de l'Île-du-Prince-Édouard... c'est une chose qu'aucun Hynes n'a encore jamais réussie.

Mais Pat n'aimait pas la froideur qui s'était installée entre Hilary et elle. Ils ne se rendaient plus au Bonheur. Bien sûr, ils n'y étaient pratiquement jamais allés l'hiver et Hilary étudiait très fort. Il lui restait donc très peu de soirées libres à passer dans la cuisine de Judy. Harris, bien sûr, ne passait jamais ses soirées dans la cuisine. Il était reçu dans le petit salon, où il venait en principe donner un coup de main à Pat pour l'étude du latin et du français. Pat se disait parfois que cela aurait été autrement plus agréable dans la cuisine. Il lui arrivait aussi que, ayant épuisé le latin et le français, il ne lui reste plus grand-chose à dire. Mais c'était plutôt sans importance. Harris parlait pour deux.

Mais lorsque le magnifique hêtre pourpre sur le sommet de la colline s'écroula sous la force d'un terrible vent de mars, ce fut Hilary qui comprit sa peine et la réconforta. Harris ne pouvait absolument pas comprendre. Pourquoi tant de chichis autour d'un vieil arbre ? Il se moqua d'elle gentiment comme on se moque d'un enfant qui n'est pas raisonnable.

— Arrête un peu, Pat. Il reste des quantités d'arbres sur la terre !

— Il y a toujours des tas de gens qui restent sur la terre quand quelqu'un meurt, mais cela n'enlève rien à la peine qu'éprouvent ceux qui l'ont aimé, dit Hilary.

Harris éclata de rire. Il riait toujours quand Hilary disait quelque chose, quelle que soit cette chose. Il l'appelait le « bâtisseur de maisons lunatique »... mais jamais en présence de Pat. C'est à ce moment-là que Pat se surprit à trouver les yeux de Harris vraiment trop bruns et brillants. Surprenant qu'elle ne l'ait jamais remarqué avant. Mais Hilary comprenait. Cher Hilary. Une bouffée de tendresse l'envahit. Et lorsqu'elle reflua, on aurait dit qu'elle avait emporté quelque chose qui se trouvait en elle. Elle se rappela la soirée avec Harris mais tout lui avait semblé un peu... plat. Et Harris était décidément trop possessif. Il avait la voiture de son frère et il était absurdement soucieux de son apparence vestimentaire.

— Je ne suis pas encore tout à fait sénile, dit Pat.

Harris s'esclaffa.

— Alors ça griffe.

Pourquoi n'arrivait-il jamais à prendre les choses au sérieux ?

Lorsqu'il la déposa à la porte, Pat regarda Silver Bush. On aurait dit que la maison lui en voulait. Elle réalisa qu'elle avait passé plus de temps à penser à Harris Hynes cet hiver qu'à cette chère Silver Bush. Elle se sentit soudain coupable.

— Est-ce que tu vas m'embrasser un jour, Pat ? chuchota Harris.

— Peut-être... quand tu seras plus grand, dit Pat. Et elle aussi éclata de rire.

Harris était parti furieux, mais Pat dormit profondément, en dépit du fait que c'était leur première dispute. Harris ne se montra pas à Silver Bush avant une semaine et Sid et Winnie la taquinèrent sans répit à ce sujet. Pat n'était pas inquiète même si Judy trouvait qu'elle aurait dû l'être.

— Les garçons, y sont comme ça de temps à autres, Patsy. Y prennent des affaires mal. Y r'viendra, un jour ou l'autre, ma chérie.

— Je n'en ai pas le moindre doute, dit Pat en haussant les épaules. En attendant, je vais me mettre à l'étude.

Harris revint et tout fut comme avant. Ou l'était-ce vraiment ? Où donc était parti l'éclat ? Pat se sentait un peu dégoûtée par elle-même, par Harris et par la terre entière en général. Puis Harris commença à travailler chez M. Taylor à Silverbridge ! Il n'y avait aucune raison pour qu'un commis de mercerie ne soit pas aussi romantique que n'importe qui. Mais c'était une telle déchéance après toutes ses histoires de pilotes. Pat avait l'impression de se retrouver devant un étranger.

« Monsieur H. Jemuel Hynes est désormais à l'emploi de Monsieur Taylor de Silverbridge », put-on lire dans l'édition du lendemain de l'un des journaux locaux... sans doute à l'inspiration de quelqu'un qui n'était pas l'ami de Hynes.

— Jemuel ! Alors c'était pour ça le J. Pas étonnant qu'il ne me l'ait pas dit. Pat pouffa de rire quand Judy lui lut l'article.

Judy marmonna toute seule dans la cuisine silencieuse ce soir-là, en pétrissant son pain. Parce que tout le monde était sorti à l'exception de Pat qui étudiait dans le petit salon.

— Sûr et que la fin est toute proche quand c'est qu'a ri de lui comme ça. J'comprends bien pas pourquoi c'est qu'a devrait avoir honte d'un bon vieux nom d'la Bible. Eh bien, ç'a été un genre de p'tite expérience pour elle. A saura mieux comment s'occuper du prochain.

Il y eut une dernière flambée d'idylle le soir où Harris et elle revenaient ensemble d'une soirée chez Bets. Harris avait été très gentil ce soir-là, et il aurait vraiment été très séduisant si son nez n'avait pas eu cet effroyable défaut. Ses cheveux étaient merveilleux et c'était un merveilleux danseur. Et c'était une nuit merveilleuse. Après tout, il était inutile d'attendre quelque chose, comme Judy le disait, des garçons. Ils avaient tous leurs petites failles.

— Il fait froid... dépêche-toi, dit-elle avec impatience.

Si Judy avait entendu cela, elle aurait su que la fin était encore plus proche.

Ils traversèrent le Sentier qui Murmure et Harris s'arrêta près de la barrière du jardin et la serra contre lui. Pat regardait le jardin, tout de neige et d'étincelles dans le clair de lune. Comme il était beau, avec ses secrets cachés.

— Regarde, Harris, dit-elle... et sa voix glissa dans un poème qu'elle connaissait bien :

> *Si blanc dans le givre, repose mon jardin,*
> *Si immobile, si blanc ce jardin qui est le mien,*
> *Assurément les champs du Paradis*
> *N'ont pas plus de grâce que celui-ci.*
> *Ces rues de perles, ces portes d'or*
> *Sont-elles vraiment plus hantées par la paix,*
> *Que cette blancheur pure et froide qui dort*
> *Contre l'ambre du ciel, presque parfait ?*

— Ne parlons donc pas du temps qu'il fait, disait Harris. Je veux que tu penses seulement à moi.

La flamme s'éteignit sur le visage de Pat comme si quelqu'un l'avait soufflée.

— Hilary aurait adoré ça.

Elle n'avait pas voulu le dire tout haut, mais la phrase sembla se dire toute seule.

Harris éclata de rire. Harris avait certainement le don épouvantable de toujours rire au mauvais moment.

— Cette espèce d'efféminé ! Cela ne m'étonne pas qu'il rêvasse sur les arbres et les jardins.

Il se fit un déclic dans le cerveau de Pat.

— Il n'est pas efféminé, s'écria-t-elle. Rien que l'idée que *toi* tu le traites d'efféminé... *toi et tes cheveux bouclés et tes grands yeux doux de vache*, termina-t-elle, mais en pensée seulement.

Harris resserra ses bras sur elle.

— Je ne dois pas me fâcher, dit-il, se sentant condamné.

Pat recula d'un pas et se dégagea.

— Je ne veux plus te voir, Harris Jemuel Hynes, dit-elle clairement et distinctement.

— Tu es aussi volage et légère qu'une brise, furent les mots qu'il prononça en guise d'adieu.

Pat ne craignait pas pour sa légèreté mais elle s'inquiétait de ce que Harris avait toujours tenu un peu trop pour acquis depuis le début. Il était du genre « rapide en besogne », comme le disait méchamment cette affreuse May Binnie. Et elle, Pat Gardiner de Silver Bush, en était tombée amoureuse.

Judy avait une expression affreuse parfois pour décrire certaines filles « un peu trop faciles ».

— Ai-je été trop facile ? se demanda Pat très sérieusement.

Lorsqu'il fut évident que Pat et Harris n'étaient plus ensemble, elle se sentit très tourmentée. Bets était gentille, absolument adorable et réconfortante, mais Pat ne se remit vraiment de ses tourments qu'après en avoir discuté avec Judy.

— Oh, Judy, c'était vraiment très bien tant que cela a duré. Mais en fait, cela n'a pas duré.

— Oh, oh, ma chérie. J'ai jamais vraiment pensé qu'on en tirerait quelque chose. T'es trop jeune encore pour les affaires sérieuses. C'était seulement comme une p'tite excursion pour toi. J'l'aurais pas critiqué tant qu't'avais un p'tit peu d'amour pour lui, Pat, mais tu trouves pas qu'y était un peu trop sur la désinvolture ? Moi j'aime mieux les timides que ceux qui appellent les vaches par leur p'tit nom après la première visite. Et puis il se tenait avec les jambes trop écartées pour que ça soye d'la vraie élégance. Mais est-ce que t'as déjà r'marqué comment c'est que Jingle y se tient ? Comme un soldat. Y'a toute une allure différente depuis qu'y porte des vêtements bien taillés puis qu'y s'fait couper les cheveux à Silverbridge, tout ça sans parler de ses lunettes qui ont pas mal de style.

C'était étrange, mais plutôt agréable de se sentir de nouveau heureuse, sans frisson, sans peur et sans tremblement.

— Sid et Hilary sont mieux que tous les prétendants du monde, Judy. Je ne tomberai plus jamais amoureuse.

— En attendant la prochaine fois, de toute façon, Patsy.

— Il n'y aura pas de prochaine fois.

— Oh, oh, c'est bien plus confortable en c'moment de pas être amoureuse, j'suis bien d'accord. Et est-ce que tu vas garder c'te robe bleue qu'est la tienne bien longtemps, chérie ? Elle est toute effilochée en dessous des bras et c'est justement la teinte dont j'ai besoin pour la spirale bleue dans mon ouvrage.

— Oh, tu peux la prendre, dit Pat avec indifférence. Elle brûla les lettres avec la même indifférence. Cependant, quand des années plus tard elle retrouva un petit crayon à gland dans une vieille boîte dans le grenier, elle sourit en soupirant.

Hilary vint lui rendre visite, ses fines mains hâlées pleines de fleurs d'aubépine pour elle et ils partirent en promenade en direction du Bonheur.

— Sûr et que c'est un heureux garçon que ce Jingle dans c'te soirée bénie, gloussa Judy.

— L'amitié est beaucoup plus satisfaisante que l'amour, se dit Pat, avant de s'endormir.

29

La magie d'avril

PAR UNE SOMBRE NUIT pluvieuse, tôt au printemps, alors qu'un pauvre vieux monde tentait de laver les traces sales de l'hiver pour saluer le mois d'avril, une musique sauvage sembla s'orchestrer du côté des bouleaux et Pat l'écouta tout en bavardant avec Judy dans la cuisine. Maman était fatiguée et s'était mise au lit très tôt. D'une certaine façon, tout le monde, sans se le dire, commençait à faire très attention à maman.

Cuddles chantait toute seule dans le petit salon. Cuddles avait une si jolie voix, se disait Pat avec tendresse. Judy pétrissait son pain avec Gentleman Tom d'un côté et Intrépide de l'autre. Snicklefritz ronflait en boule tout près du poêle. Snicklefritz prenait de l'âge, comme personne n'osait le reconnaître.

Et puis il y eut un bruit de pas sur les pierres de l'allée. C'était père ou Sid qui revenait de la grange, pensa Pat. Mais Snicklefritz le savait mieux qu'elle. En un instant, il était sur ses pattes, à la porte, aboyant et grattant avec frénésie.

— Eh bien, qu'est ce qu'y s'passe avec ce chien ? demanda Judy. Sûr et qu'ça fait des lunes qu'y a pas grouillé sa vieille carcasse pour un étranger comme ça... et c'est bien le rêve étrange que j'ai fait c'te nuit dernière... et, bon Dieu de bon sang, est-ce que je rêve encore ?

Puis la porte s'ouvrit et un jeune homme bronzé se tenait dans l'encadrement... et Snicklefritz était fou de joie... et Pat se précipita dans ses bras, si trempé qu'il fût. Sid et père arrivèrent en courant de la grange. Et maman, qui avait désobéi et ne s'était finalement pas mise au lit, volait littéralement dans les escaliers. Et Intrépide crachait et se hérissait devant toute cette folie pour un étranger. Et tout le monde semblait un peu fou parce que Joe était rentré à la maison. Joe avait changé mais c'était le même Joe... serrant sa mère dans ses bras et les filles et Judy, et riant des manières d'Intrépide et faisant semblant d'être furieux parce que les petits chatons blancs de la photo de Judy n'avaient pas grandi.

Ils passèrent une agréable quinzaine à Silver Bush. Snicklefritz refusa carrément de s'éloigner, ne fût-ce qu'un instant, de Joe et insista pour dormir sur son lit pendant la nuit. Et toutes les nuits, Judy se glissait dans sa chambre pour voir si Joe avait froid et demander au Bon Homme d'en Haut de le bénir, comme elle l'avait toujours fait quand il était petit.

Il raconta l'histoire de ces contrées lointaines et de ces visages étranges et tout le monde était heureux. Pat était trop heureuse, pensait Judy en secouant souvent judicieusement la tête.

— Les anciens y nous donnent pas des cadeaux comme ça pour rien, comme a l'avait l'habitude de dire, ma grand-mère. Non, non, 'faut toujours qu'y ait un prix à payer.

Puis Joe partit de nouveau et cette fois, ceux qu'il laissait derrière lui savaient qu'il n'appartiendrait plus jamais à Silver Bush. Il viendrait à l'occasion faire son tour à la maison, avec des intervalles de plus en plus longs entre chaque visite, mais son chemin était sur la mer et sa route sur les grandes étendues de l'océan. Pat réalisa soudain avec amertume que Joe était un étranger. La vie de Silver

Bush se referma sur son départ avec à peine une ride sur la surface calme de sa vie.

— Judy, ça me semble un peu terrible. J'étais tellement malheureuse quand Joe est parti la première fois, j'étais certaine de ne pas pouvoir vivre sans lui. Et puis, je l'aime toujours autant, je me suis sentie bizarre et seule pendant quelques jours... mais maintenant, c'est comme s'il avait toujours été parti. Si... s'il avait voulu rester à la maison... on dirait qu'il n'avait pas vraiment sa place ici. Sa place à lui semble avoir été prise avec le temps. Et ça, ça me fait mal, Judy.

— Ah mais c'est bien ça la vie, Patsy chérie. Qu'y viennent et qu'y partent. Mais y'a un p'tit cœur qu'arrive pas à s'en consoler. T'as-tu regardé les yeux de c'te pauvre Snicklefritz. Y'est bien trop vieux pour qu'y puisse supporter une autre séparation comme ça.

Judy avait raison. Le lendemain matin, ils trouvèrent Snicklefritz sur le lit de Joe, sa tête sur l'oreiller de Joe. Et Snicklefritz ne se réveillerait plus pour gémir ou pleurer. Pat, Sid, Hilary, Bets et Cuddles l'enterrèrent dans un coin du vieux cimetière. Judy ne s'y opposa pas même si elle n'aurait jamais permis qu'on y enterre un chat.

— Je pensais que tu préférais les chats aux chiens, Judy, fit remarquer Cuddles.

— C'est bien vrai si tu veux savoir, mais un chat y'a pas le droit d'entrer au cimetière, fut la seule explication de Judy. Cuddles, dans ses prières cette nuit-là, demanda que Snicklefritz ne soit pas seul. Pat savait qu'il ne le serait jamais. Il dormait désormais avec les siens. Que pouvait-il demander de plus ? Et peut-être, les soirs où Dick le Sauvage chantait et où Willy le Pleureur pleurait, qu'un beau petit fantôme de chien sortait de sa tombe et se mettait à aboyer à son tour.

Pat et Bets flânaient près de la petite clôture verte au sommet du chemin de la colline, en faisant des projets. Elles avaient la tête pleine de projets ce printemps-là : des projets pour l'été, des projets pour l'université à l'automne, des projets d'avenir. Elles iraient en colonie de vacances une semaine cet été, elles partageraient une chambre à Queen's et, dans quelques années, elles feraient un voyage en Europe. Elles avaient planifié des journées imaginaires pendant toutes ces années d'amitié mais celles-ci allaient se réaliser... un jour.

– C'est tellement amusant de faire des projets, disait Pat gaiement.

Elles avaient passé l'après-midi à la Longue Maison. Pat aimait la Longue Maison presque autant que Silver Bush. C'était une maison accueillante... une maison, Pat pensait souvent, qui disait tout le temps : « Je suis si heureuse que tu sois venue. » Les portes grandes ouvertes, les géraniums dans les fenêtres, de larges escaliers bien dessinés qui vous conduisaient rapidement sous le porche. À l'intérieur, pour chasser l'humidité des premiers jours du printemps, des feux dansaient dans l'âtre. Elles avaient lu de la poésie, savouré la richesse et la beauté de ces mots réunis ; elles avaient discuté de leurs sujets de doléances. La mère de Bets ne voulait pas qu'elle porte des pyjamas mais des chemises de nuit. Et Bets aimait tellement les pyjamas jaunes comme ceux de Sara Robinson. C'était si à la mode. Elles rirent beaucoup, sautillant d'une blague à l'autre comme de jeunes chats espiègles. Et finalement, Bets raccompagna Pat jusqu'à la clôture verte et resta une bonne heure encore à bavarder. Elles n'arrivaient tout simplement pas à épuiser les sujets de conversation. Et, de toute façon, Pat partait le lendemain à Bay Shore pour quelques jours et il y avait tant de choses à se dire. C'était, comme elles en convinrent, tout simplement tragique d'être séparées si longtemps.

C'était la première soirée chaude de ce printemps froid. Au-delà de la plaine, la mer gris argenté s'étendait jusqu'à la ligne de l'horizon où s'épanouissait une longue bande brillante d'or. Loin, très loin, on entendait sonner une cloche... une cloche de l'Atlantide perdue, peut-être. Un crépuscule vert, mystérieux, cachait les champs dénudés et laids. Des grappes d'étoiles pâles et enchantées se révélaient au-dessus des épinettes, derrière elles. Plus bas, oncle Tom brûlait des broussailles. Y avait-il quelque chose de plus fascinant qu'un feu à ciel ouvert dans la nuit ? Et au-delà de ces ciels encore froids se trouvaient le printemps avec ses bourgeons et l'été avec ses roses. Elles contemplèrent le monde dans l'éblouissement de la colline qu'elles ne pouvaient pas connaître dans la vallée. Oh, comme la vie était belle !

— Est-ce qu'on ne pourrait pas planter notre tente dans le Champ secret une de ces nuits ? demanda Bets. Bets connaissait désormais l'existence du Champ secret. Sid lui en avait parlé et Pat était très contente. Elle n'aurait pas pu le lui dire elle-même, à cause de son pacte avec Sid, mais elle détestait garder Bets en dehors de ses secrets.

— Penses-y, soupira-t-elle. Dormir là-bas, avec tous ces bois qui nous entourent et tous les bouleaux argentés dans le clair de lune... on doit s'arranger pour avoir une lune, bien entendu. Bets, est-ce que tu peux l'imaginer ?

Bets le pouvait. Son visage vermeil, enveloppé dans une écharpe rouge, reflétait l'enthousiasme de Pat. L'écharpe devenait Bets, pensa Pat. Mais alors tout devenait Bets. Ses vêtements semblaient l'adorer. Elle pouvait porter la robe la plus simple et avoir l'air d'une reine. Elle était si jolie... et malgré cela, on voyait la douceur dans son visage avant la beauté.

— Sid a dit qu'on aurait affreusement peur, là-bas, dit-elle. Mais ce n'est pas vrai. Même si les petits bons hommes verts des collines, dont Judy nous a parlés, venaient faire un tour jusqu'à la porte de notre tente.

Soudain, la nuit allongea ses doigts sur leurs lèvres. Quelque chose d'étrange, quelque chose d'enchanté était en train de se produire. Les épinettes sur la colline qui se découpaient dans le pâle coucher du soleil se transformèrent soudain en un troupeau de vieilles biques. Elles semblaient être à l'écoute de quelque chose. Puis elles se secouèrent en lançant des rires lugubres. Tout près, les bosquets bruissèrent comme s'ils avaient été traversés par un fauve. Instinctivement, Pat et Bets se jetèrent dans les bras l'une de l'autre. À ce moment-là, elles avaient elles-mêmes des cœurs de lutins, semblables aux ombres et aux silences. Elles auraient pu s'agenouiller sur cette chère terre et embrasser ses mottes pour le seul bonheur de le faire.

Cet instant dura-t-il un siècle ? Elles ne sauraient jamais le dire. Une lumière brilla dans la cuisine à Silver Bush, qui ramena Pat à la réalité.

— Il faut que je parte. Sid doit m'emmener à Bay Shore dès qu'il aura terminé ses corvées.

— Tu lui diras bonjour de ma part, dit Bets doucement.

— J'aurais tellement aimé que tu viennes avec moi. Les choses n'ont pas le même goût sans toi, Bets. Pat se pencha sur la clôture et déposa un baiser sur la joue fraîche de Bets. La vie les avait touchées toutes les deux si délicatement que la séparation semblait être une « douce tristesse ».

Pat courut avec légèreté dans le sentier, tournant le dos, bien qu'elle ne le sût pas encore, à des années de bonheur sans ombre.

Une volée d'oies sauvages traversait ce ciel d'avril ; un chat gris bondissait dans les fougères du Sentier qui Murmure ; des lampes faisaient des ombres dansantes dans la cour de la grange... Pat était à moitié ivre du vin doux et capiteux de ce printemps.

— Oh, Judy, la vie est si merveilleuse... et le printemps si merveilleux. Judy comment fais-tu pour ne pas danser ?

— Danser que tu dis ? Judy s'assit en gromelant. Elle était fatiguée et elle n'aimait pas ça parce que ça voulait dire qu'elle prenait de l'âge. Judy n'avait qu'une inquiétude dans la vie... qu'elle soit trop âgée pour être utile à Silver Bush. Quand c'est que t'auras mon âge, Patsy chérie, danser ça s'ra pas si facile que ça. Mais danse pendant que tu le peux encore... oh, oh, danse pendant c'est que tu peux. Et apporte-moi donc un p'tit peu de bois.

30

L'une de nous devra partir

PAT DEVAIT RESTER deux semaines à la ferme de Bay Shore. Cela ne la dérangeait... pas trop. Elle avait appris à s'entendre avec ses tantes qui la trouvaient « beaucoup mieux qu'avant ». Après tout, elle avait bien du Selby en elle. L'« arrière-arrière » était morte l'année dernière mais rien d'autre n'avait changé à Bay Shore. Pat aimait cela comme ça... cela lui donnait l'agréable sensation d'avoir trompé le temps.

Mais après une semaine, Long Alec vint la chercher un soir. Et sur son visage...

– Père, quelque chose ne va pas ? Maman...

Non, ce n'était pas sa mère. Bets. Bets avait une pneumonie virale.

Pat sentit un doigt glacé lui toucher – seulement lui toucher – le cœur.

– Mais pourquoi ne m'a-t-on pas prévenue plus tôt ? demanda-t-elle très calmement.

– Ils ne pensaient pas qu'elle était en danger, avant ce soir. Elle a demandé à te voir. Je pense qu'on sera là à temps.

Bets « en danger »... « à temps »... les phrases tournoyaient dans la tête de Pat. Le retour fut un véritable

321

cauchemar. Tout semblait irréel. Ça ne pouvait pas être vrai. Les choses comme ça n'arrivaient tout simplement pas. Dieu ne le permettrait pas. Bien sûr qu'elle se réveillerait tôt ou tard. En attendant, il fallait rester très calme. Si on disait un mot de trop, on risquait bien d'être forcé de replonger dans le rêve. Elle éprouvait le sentiment étrange que son cœur était de pierre... qu'il s'enfonçait, s'enfonçait, s'enfonçait... depuis que ce doigt lui avait touché le cœur.

Il la conduisit à Silver Bush. Pat irait par le chemin de la colline. C'était plus rapide parce que le chemin de la Longue Maison menait à la route de Silverbridge. Judy serra Pat dans ses bras lorsqu'elle s'élança hors de la voiture.

— Judy... Bets... mais non, il fallait se taire. Il ne fallait pas poser de questions. Qui oserait les poser ?

— Je vais marcher avec toi jusqu'à la colline, Pat.

C'était Hilary... pâle, les lèvres serrées. Judy... cette chère Judy... lui chuchota :

— Non, laisse-la y aller seule, Jingle. Ce s'rait... bien mieux comme ça.

— Tu ne penses pas qu'il y a un petit espoir, Judy ? demanda Hilary d'une voix éteinte.

Judy secoua la tête.

— C'est que j'ai reçu le signe, Jingle. C'est bien un peu difficile à comprendre. Tout le monde l'aimait tellement. Sûr et c'est que le ciel y doit avoir besoin d'un peu de ses rires.

Pat ne savait pas si elle était seule ou pas. Elle courut à en perdre le souffle le long du Sentier qui Murmure et à travers les champs et sur la colline. Le Pin observateur l'observait... mais qu'observait-elle donc ? Un soleil rouge, sinistre avec la barre de nuages noirs qui le traversait, se couchait derrière la colline lorsqu'elle atteignit la barrière verte. Elle se retourna un moment... seulement un moment avant de... savoir. Tant qu'on ne savait pas, on pouvait vivre. La mer noire dans ce crépuscule froid et gris d'avril, s'étendait, plus loin, à ses pieds. Cette cloche au loin continuait à sonner. Il n'y avait pas une semaine qu'elle et Bets l'avaient écoutée, en bavardant de tous leurs projets pour l'été. Une chose pareille ne pouvait pas arriver en une semaine... il faudrait des années et des années. Comme elle avait été idiote d'avoir... peur. Il fallait qu'elle se réveille, tôt ou tard.

May Binnie était dans la cuisine de la Longue Maison quand Pat entra. Elle était toujours là où on l'attendait le moins, se dit Pat avec détachement. Puis elle fut dans la chambre où elle et Bets avaient dormi, chuchoté et ri... et Bets reposait sur ce lit, pâle et adorable... toujours adorable... respirant si vite. Il y avait d'autres gens dans la pièce : M. et Mme Wilcox, l'infirmière... Mais Pat ne vit que Bets.

— Chère Pat, je suis tellement heureuse que tu sois venue, chuchota Bets.

— Ma chérie... comment te sens-tu ?

— Mieux, Pat... beaucoup mieux... seulement un peu fatiguée.

Bien sûr qu'elle se sentait mieux. Tout le monde devait savoir qu'elle se sentait mieux.

Alors pourquoi, pourquoi ne se réveillaient-ils pas tous ?

Quelqu'un installa une chaise à côté du lit pour Pat et elle put s'asseoir. Bets tendit une main froide... comme elle avait maigri... et Pat la prit. L'infirmière s'approcha avec une seringue hypodermique. Bets ouvrit les yeux.

— Laissez Pat le faire pour moi, s'il vous plaît. Laissez Pat faire toutes ces choses pour moi.

L'infirmière hésita. Puis quelqu'un d'autre, le docteur Bentley, s'approcha du lit.

— Inutile de lui faire une autre piqûre, dit-il. Elle ne réagit plus aux médicaments. Laissez-la... se reposer.

Pat entendit Mme Wilcox éclater en sanglots et Monsieur Wilcox la conduisit en dehors de la pièce. Le docteur s'en alla, lui aussi. L'infirmière ajusta l'abat-jour de la lampe. Pat restait assise, immobile. Elle était incapable de parler... pas un mot ne devait déranger le repos de Bets. Bets irait beaucoup mieux après s'être reposée. De temps à autre, elle sentait une petite pression des doigts de Bets dans sa main. Pat, très doucement, serrait la main en retour. Dans quelques jours, elle et Bets riraient de tout cela... l'été prochain, elles dormiraient sous la tente dans le clair de lune du Champ secret et ce serait très amusant de se rappeler tout cela...

— Mon souffle... commence... à être court, dit Bets.

Elle ne dit plus un mot. Quand le soleil se leva, un petit changement était apparu sur son visage... mais un si terrible petit changement.

— Bets, cria Pat d'un ton suppliant. Maintenant, elle ne soulevait même plus les paupières lourdes et blanches de ses yeux magnifiques. Mais elle souriait.

— C'est... terminé, dit l'infirmière doucement.

Pat entendit quelqu'un... la mère de Bets... lancer un hurlement de détresse. Elle alla à la fenêtre et regarda à l'extérieur. Le ciel, à l'est, était splendide. Plus bas, dans la vallée, les bouleaux argentés semblaient flotter dans la brume du matin. Plus loin, derrière le port, le phare se dressait fièrement, blanc doré dans le lever du soleil. De la fumée sortait en volutes des toits de Swallowfield et Silver Bush.

Pat espérait maladivement pouvoir retourner une année en arrière. Il n'y avait pas de cauchemars là-bas.

La pièce était si affreusement silencieuse après son agonie. Pat aurait aimé que quelqu'un fasse du bruit. Pourquoi l'infirmière marchait-elle sur la pointe des pieds ? Rien ne pouvait plus déranger Bets maintenant... Bets qui reposait là avec l'aurore de quelque journée éternelle inscrite sur son visage.

Pat revint vers le lit et la regarda calmement. Bets avait l'air de quelqu'un qui possédait un doux secret. Bets avait toujours eu l'air de ça... mais c'était seulement maintenant qu'elle comprenait que Bets ne le lui révélerait jamais. Pat se rappela vaguement du texte qu'elle avait entendu, il y avait un siècle de cela... le dimanche précédant à l'église de Bay Shore. *Je suis arrivé dans ces eaux profondes, où les flots m'ont englouti.* Si seulement on pouvait s'éveiller !

— Je crois que si je pleurais, ma gorge ne me ferait pas aussi mal, pensa-t-elle avec lassitude.

La maison... la poignée de main silencieuse de maman qui comprenait sa douleur... les yeux bleus de Winnie, si bons... la demande anxieuse de Judy : « Patsy chérie, t'as pas pris ton p'tit déjeuner. Tu veux pas manger rien qu'un p'tit peu ? 'Faut que tu conserves tes forces. N'aie pas de chagrin, mon trésor. Sûr et a'c'qu'on m'a dit, a l'est morte avec le sourire... a l'est partie par une belle journée.

Pat n'avait pas de chagrin. La mort était encore inconcevable. La famille s'inquiéta de son calme.

— Y'a quequ'chose en elle-même qui le croit pas encore, dit Judy avec perspicacité.

Les journées passèrent comme dans un rêve. Il y eut les funérailles. Pat marcha calmement jusqu'à la Longue Maison par le sentier de la colline. Elle n'aurait pas été surprise de voir Bets surgir en dansant par la barrière, venant à sa rencontre. Elle jeta un coup d'œil à la fenêtre où elle avait l'habitude de voir le visage rieur de Bets... sûrement qu'elle était là.

La maison était pleine de monde. May Binnie était là... May Binnie pleurait... May Binnie qui avait toujours détesté Bets. Et sa mère qui essayait de la consoler ! Ça c'était drôle. Bets aussi aurait ri de cette scène.

Mais Bets reposait, souriante, avec cette douce paix blanche sur son visage de cire, avec des petites branches de saules en fleur dans les mains que Hilary avait cueillies pour elle au Bonheur. Il y avait des fleurs partout. L'École du Dimanche avait envoyé une croix fleurie avec un mot sur une bande de soie : « Rentrée à La Maison ». Pat aurait ri de cela, mais elle savait qu'elle ne pourrait plus jamais rire. La maison ! C'était ici, la maison de Bets ; la Longue Maison et le jardin qu'elle aimait tant et pour lequel elle avait tant travaillé. Bets n'était pas rentrée à la maison, elle était seulement partie pour une journée solitaire et elle serait bientôt de retour.

May Binnie faillit devenir hystérique lorsqu'ils refermèrent le cercueil. Plusieurs se dirent que Pat Gardiner était vraiment insensible. Seulement une poignée de gens plus perspicaces sentaient derrière ce jeune visage révolté et dur, plus de malheur encore que ce que des larmes auraient exprimé.

Si seulement elle pouvait se retrouver seule ! Là où personne ne la regardait. Mais, puisqu'elle persistait dans cet état second, il fallait qu'elle se rende au cimetière. Elle s'y rendit avec oncle Tom parce que Sid et Hilary, qui devaient porter le cercueil en terre, avaient pris la voiture. Le printemps refusait d'éclore et la journée était morne et ennuyeuse. Quelques flocons de neige tombaient sur les champs gris. La mer était noire et maussade, la route gelée, dure comme fer. Ils arrivèrent enfin au petit cimetière sur une des collines à l'ouest qui avait été témoin de centaines de couchers de soleil, et où l'on voyait une petite butte d'argile rouge et un grand trou vide. Les garçons avec lesquels Bets avait si souvent joué la portèrent sur le petit sentier couvert de feuilles humides, vestiges d'une année disparue ; et Pat, sans broncher, entendit le bruit le plus effroyable qui puisse exister... celui des mottes de terre qui tombaient sur le cercueil de son aimée.

— Elle est dans un meilleur endroit, ma chérie, disait derrière elle Mme Binnie pour réconforter May qui n'avait pas cessé de pleurer. Pat se retourna.

— Pensez-vous qu'il y ait vraiment un meilleur endroit au monde que Silver Bush et la ferme de la Longue Maison ? demanda-t-elle. Je ne pense pas... et je crois que Bets ne le penserait pas non plus.

— Cette horrible fille, dirait Mme Binnie, chaque fois qu'elle parlerait de cette scène. Elle parlait comme une vraie païenne.

Pat sortit de son rêve ce soir-là. Le soleil se coucha. Puis

vint la nuit... et les collines et les arbres se rapprochèrent...
pas de lumière à la fenêtre de Bets.

Pat n'avait jamais vraiment cru possible qu'une personne
qu'elle aimait puisse mourir. Maintenant, elle avait appris
l'amère leçon : ces choses-là peuvent arriver.

— Je voudrais être seule, ce soir, Winnie, dit-elle ; et
Winnie, compréhensive, s'en fut dormir dans la Chambre
du Poète.

Pat se déshabilla et se glissa sous les draps, frissonnante.
Le vent à la fenêtre n'était plus son ami, c'était un monstre
malveillant. Elle se sentait si seule. Si seulement elle pouvait dormir... dormir ! Mais alors le réveil et le souvenir
seraient si atroces.

Bets était... morte. Elle qui aimait tant la beauté, reposait maintenant dans cette tombe froide et humide sur la
colline, avec cette herbe folle et ces feuilles pourries qui
tourneraient tout autour de façon lugubre. Pat enfouit son
visage dans l'oreiller et ces larmes si longtemps retenues
coulèrent en un torrent.

— Ma chérie... ma chérie... 'faut pas pleurer comme ça.

Judy s'était glissée dans sa chambre sur la pointe des
pieds... cette chère, tendre, vieille Judy. Elle s'agenouillait
près du lit et entourait de ses bras cette pauvre enfant
torturée.

— Oh, Judy, je ne savais pas que la vie pouvait être aussi
cruelle. Je ne peux pas le supporter, Judy.

— Cher p'tit cœur, on devrait tous penser à ces choses-là
avant qu'elles arrivent.

— Je ne pourrai jamais le pardonner à Dieu de me l'avoir
enlevée, pleura-t-elle entre deux hocquets.

— Ma chère fille, qui c'est qui a parlé de pas pardonner
à Dieu, dit Judy horrifiée, ne sachant pas à qui elle avait
affaire. Mais Y t'en voudra pas pour ça.

— La vie est en mille miettes, Judy. Et malgré cela, il
faut que je continue à vivre. Comment veux-tu que je le
fasse ?

— Sûr et qu'y va seulement falloir vivre une journée

après l'autre, chérie. C'est bien possible qu'on ait juste une autre journée à vivre.

— Elle était tellement adorable, Judy, et on avait toutes sortes de projets. Je ne peux pas aller à Queen's sans elle. Oh, Judy, notre amitié était si belle. Pourquoi penses-tu que Dieu nous l'a enlevée ? Est-ce qu'il n'aime pas les belles choses ?

— Sûr et c'est qu'on peut pas dire ce qu'Il a dans la tête, mais on peut croire que c'est tout pour du bien. P't'ête bien qu'Y voulait que votre amitié, a reste belle, Patsy chérie.

31

Parfum perdu

BETS ÉTAIT MORTE depuis une semaine seulement et Pat avait l'impression que cela faisait des années, tant la douleur est longue. Les jours passaient tels des fantômes. Le soir, Pat faisait de longues promenades sur les collines et dans les champs, essayant d'affronter sa peine, témoin de la beauté du printemps qui se déployait autour d'elle. Elle en était seulement témoin... elle n'arrivait pas à la sentir. Où donc était Bets qui avait marché avec elle le printemps dernier ?

Tout était fini. Et il fallait tout recommencer de nouveau. C'était ça le pire. Comment pouvait-on recommencer quand toute vie nous avait abandonné ?

— Ça fait mal de se souvenir, cria-t-elle sauvagement un jour. Si au moins je pouvais boire une tasse d'oubli comme dans tes vieilles histoires, Judy...

— C'est vraiment ça que tu ferais si tu l'pouvais ? T'oublierais aussi tous les bonheurs avec ta peine... tous les plaisirs et toutes les joies que t'as eus avec ta p'tite amie. Est-ce que c'est vraiment ça que tu voudrais ?

Non, elle ne voulait pas ça. Elle ramena contre son cœur tous ses doux souvenirs. Mais comment faire pour continuer à vivre ?

— Tu te rappelles pas un jour quand c'est qu't'était rien qu'un p'tit chou de quatre ans, Patsy ? T'es allée à la porte et t'as vu le ciel qui était couvert de nuages bien épais et bien noirs. C'était très apeurant. Alors t'as couru jusqu'à ta mère en pleurant : « Oh, maman, où il est parti le ciel bleu... oh, maman ! » Et que tu voulais pas nous croire quand c'est qu'on t'a dit qu'il allait revenir. Mais le lendemain matin, y'était-t-y pas là à sourire de tout son bleu pour toi.

Pat n'arrivait toujours pas à croire que son ciel bleu reviendrait un jour. Elle n'arrivait pas à croire qu'un jour, elle serait heureuse de nouveau. Ce serait si atroce d'être heureuse sans Bets, même si c'était possible... de trahir Bets... de trahir son amour. Elle s'en voulut terriblement quand elle fut forcée d'admettre qu'elle se sentait encore en colère !

Silver Bush la réconfortait. Son amour pour ces lieux semblait être la seule chose solide sous ses pieds. Imperceptiblement, elle retrouva la paix et la force sur ces vieux hectares patients et familiers. Le printemps passa. Les jonquilles, les épervières, les trilles et les ancolies fleurirent. Bets adorait les ancolies, alors il fallait qu'elle soit là pour les voir. Les pensées qu'elles avaient semées, parce que, pour une raison mystérieuse, les pensées ne poussaient pas sur la colline, s'épanouirent à Silver Bush, mais jamais plus elle ne vit le beau visage d'une jeune fille qui descendait la colline pour les cueillir dans un jardin baigné par la lumière du coucher du soleil. Le gros pommier à la Longue Maison avait fleuri et il fleurissait depuis deux générations, mais Bets et elle ne s'assiéraient plus sur la grosse branche pour lire des poèmes. Pat ne supportait pas d'ouvrir les livres qu'elle avait lus avec Bets, de voir les lignes et les paragraphes qu'elles avaient soulignés. Bets mourait de nouveau chaque fois que Pat aurait voulu partager quelque chose avec elle et qu'elle se heurtait à son absence.

Puis vint l'été. Le chèvrefeuille poussait en quantité sur la palissade du cimetière. De penser que le parfum du chèvrefeuille ne signifiait plus rien pour Bets maintenant... ou les douces étoiles de la nuit... ou la lune sur les roses blanches. Le petit sentier, là-haut dans le champ sur la colline, se couvrit d'herbe. Plus personne ne venait y marcher. Les Wilcox avaient vendu la ferme de la Longue Maison et habitaient maintenant en ville. Des lumières étrangères éclairaient les pièces, mais la chambre de Bets demeurait invariablement sombre. Les dimanches étaient terribles. Elle et Bets passaient tous leurs dimanches après-midi et soirs ensemble. Sid ne parlait jamais de Bets... Sid, à la manière secrète d'un jeune garçon, avait été très durement frappé par sa mort... mais Hilary voulait bien en parler.

— Je n'aurais jamais pu survivre cet été sans Hilary, pensa Pat.

Malgré cela, la vie, indéniablement, reprenait son cours. L'immortel esprit de la beauté lui tendit de nouveau le flambeau. Pat se détestait d'apprécier quoi que ce soit sans qu'il y ait Bets quelque part sur cette terre.

— Judy, je me sens comme si je n'avais pas le droit d'être même un petit peu heureuse. Et malgré cela, aujourd'hui, quand je suis retournée dans le Champ secret, j'ai été heureuse. J'ai oublié Bets pendant un petit moment... et puis... oh, Judy... je me suis rappelé. Ça me semblait triste de penser que je pouvais l'oublier. Et le Champ secret n'était plus le même, d'une certaine façon. Il est plus beau que jamais, mais quand même... pas tout à fait le même, Judy.

Judy se rappela un poème qu'elle avait déjà appris, il y avait très longtemps de cela, à l'école... un poème écrit par un inconnu et qui, malgré cela, savait atteindre le cœur.

— *Tu as rencontré la mort depuis la dernière fois que tu m'as vu*, se chuchota-t-elle pour elle-même. Mais tout haut...

— T'as pas besoin de t'inquiéter pour ce qui c'est de ton bonheur, chérie. Bets serait heureuse que tu le sois.

— Tu sais, Judy, au début, ça me faisait mal de penser à Bets... je n'arrivais pas à le supporter. Mais maintenant, ça me soulage. Je peux penser à elle et à tous nos vieux souvenirs. Ce soir, quand la lune est apparue, j'ai pensé : « Elle est debout sous le Pin observateur, et elle m'attend. » Et c'était agréable... pendant un moment... de faire semblant que c'était vrai. Mais je n'aurai jamais une autre amie, Judy... même si c'était possible. Ça fait trop mal quand on la perd.

— T'es un peu jeune pour avoir appris tout ça, ma chérie, mais on doit tous l'apprendre, un jour ou l'autre. Et quant à une autre amie... oh, oh, ça c't'une autre histoire. J't'en ai bien parlé tout autant qu'aux autres, Patsy, à propos de se choisir des amis et c'est qu'on les choisit pas ses amis, après tout. Ils viennent à nous... ou y viennent pas. Rien que ça. On a les amis qu'on est fait pour avoir, qu'y en ait beaucoup ou pas beaucoup, et dans le temps que c'est prévu qu'y viennent.

L'été passa. Le souvenir du passé embellit encore. Les plantes de phlox blancs rustiques que Bets lui avait donnés un jour fleurirent pour la première fois. Les dahlias or et bronze s'enflammèrent contre la haie d'épinettes vertes. Le spectacle grandiose des feuilles d'automne commença dans la forêt. Bets était partie « couronnée de roses dans l'obscurité », Joe les avait abandonnés, mais la Colline de la Brume était toujours couleur améthyste et mystérieuse les matins de septembre ; le Champ secret revêtait toutes ses vieilles parures ; Silver Bush, la chère Silver Bush, était toujours ce lieu adoré, si enchanteur. Le rire de Pat résonna de nouveau dans la cuisine de Judy ; de nouveau, elle échangea des blagues avec oncle Tom ; de nouveau, elle passa de longues heures dans le Bonheur avec Hilary, discutant de leurs projets pour l'université. Le monde de nouveau, était bon à ses yeux.

> *En dépit de cela, dans l'ombre mauve*
> *Et sous la chaude pluie grise*
> *Que de traces des douleurs anciennes*
> *Et de ces souffrances oubliées !*

Non, pas « oubliées ». Elle se les rappellerait toujours. Elle avait connu Bets pendant neuf années merveilleuses et rien ne pouvait les lui enlever. Judy avait raison, comme c'était toujours le cas. On ne boirait pas à la tasse de l'oubli, même si on le pouvait.

32

L'exil

LORSQU'ON AFFICHA les listes de ceux qui avaient réussi les examens en août, Hilary était premier et Pat occupait un rang tout à fait honorable. Alors ils iraient tous deux à Queen's en septembre et Pat se dit qu'elle y serait peut-être heureuse, si elle survivait à l'éloignement de Silver Bush pendant les deux tiers de l'année. Elle avait toujours eu une sympathie secrète pour la femme de Lot. Fallait-il vraiment lui reprocher de s'être retournée pour voir sa maison ? Pat se consola en se disant que Hilary serait à Queen's aussi, et qu'ils rentreraient à la maison toutes les fins de semaine.

— On ne croirait pas qu'une maison comme Silver Bush peut être si agréable de manières si différentes, Judy. Et tous les meubles n'ont pas l'air de meubles. Ils sont comme des personnes, Judy. Ce vieux fauteuil qui appartenait à l'arrière grand-père Nehemiah... quand je m'assois dedans, il met tout simplement ses bras autour de ma taille, Judy. Je le sens. Et tous les fauteuils veulent qu'on s'assoie dedans.

— Sûr et c'est pareil pour tout c'qu'on a aimé dans la maison et dont on s'est occupé et servi, Patsy. C'est bien que trop vrai qu'y sont bien plus que des meubles.

334

– Je crois que je suis désespérément victorienne, Judy. Norma dit que je le suis. Je ne voudrais vraiment rien faire d'autre au monde que rester ici à Silver Bush, l'aimer, m'occuper de tout ce qu'il y a à l'intérieur et faire des projets pour cet endroit. Si je réussis les examens du certificat l'année prochaine et que je trouve une école, avec mon salaire, je ferai mettre des bardeaux. Tu sais, ces nouveaux bardeaux rouges et verts, Judy. Essaie d'imaginer comme ça serait joli l'hiver à côté des bouleaux argentés. Et il faut un nouveau tapis pour le petit salon. Et, oh, Judy, n'oublie pas de t'assurer qu'on divise les pieds-d'alouettes en octobre, tu veux bien ? Il faut le faire cette année… et j'ai peur qu'on l'oublie quand je ne serai pas là.

Elle ressentit quelque excitation à préparer ses affaires pour cette année… et une douleur secrète en se rappelant combien il aurait été agréable de pouvoir en parler à Bets. Pat ne pouvait pas avoir grand-chose, la récolte avait été maigre cette année. Mais on put rassembler le nécessaire et oncle Tom lui offrit un magnifique manteau avec un énorme col de fourrure et tante Barbara lui donna un joli petit chapeau de velours brun, qu'elle portait incliné sur la tête, et ses tantes de Bay Shore lui offrirent une robe de soirée. Judy lui tricota deux ravissants pull-overs et tante Edith lui aurait bien donné ses sous-vêtements en soie, n'eût été la question du pyjama. Silver Bush était sens dessus dessous à cause de ça. Tante Edith qui trouvait immorales même les nuisettes de soie de couleur, déclara que les pyjamas étaient indécents et se rembrunit. Pat choisit finalement les pyjamas. Même Judy trouvait cela préférable, tout simplement parce que tante Edith les détestait.

– Comment aimerais-tu, dit solennellement tante Edith, mourir dans ton sommeil et te présenter devant ton Créateur, vêtue d'un pyjama, Patricia ?

Maman eut le dernier mot – elle avait le don pour cela – et Pat put emporter ses pyjamas.

Le dernier jour, Pat alla dire au revoir au Champ secret

et à son retour, elle flâna longtemps au sommet de la colline. C'était l'automne, l'air était rempli de sa musique muette. La vieille ferme reposait devant ses yeux, baignée de la lumière dorée de cette douce soirée de septembre. Elle en connaissait tous les recoins et toutes les lignes. Chaque champ était un ami intime. L'étang miroita mystérieusement. La fenêtre ronde lui fit un clin d'œil. Les arbres avec lesquels elle avait grandi la saluèrent. Le jardin était envahi par des cosmos étoilés blancs et bien gardé par les plumets majestueux des phragmites. Chère Silver Bush ! Elle ne s'était jamais sentie aussi près de ces lieux... aussi unie à eux.

Étant donné la modestie du trésor de Silver Bush, Pat dut s'accommoder d'une pension plutôt modeste qui sentait toujours le rance. C'était une maison carrée, nue, dans une rue sans arbre, une rue qui ne retrouvait le silence que durant un court moment dans la nuit, une rue où le vent se faufilait timidement dans un étroit corridor comme une pauvre chose entravée, au lieu de souffler librement au-dessus des champs et des grandes étendues salées de la mer. Mais au moins, elle n'était pas comme les autres maisons de cette rue. Pat sentait qu'elle n'aurait jamais pu vivre dans une rue où toutes les maisons étaient exactement pareilles. Et il y avait un petit jardin public, à côté, où poussaient des arbres.

Lorsque Pat fut seule dans sa chambre ce soir-là, avec cette moquette couleur moutarde, ces affreux murs marron et l'arrogance de son réveil effronté, elle fut submergée d'une vague de solitude. Judy lui avait souhaité ce matin « beaucoup, beaucoup de chance », mais, en ce moment, Pat était certaine qu'il n'y avait pas une seule bonne chance dans ce monde pour elle, loin de Silver Bush.

Elle se précipita à la fenêtre. En bas de la rue, le train de l'Ouest crachait et soufflait. Si seulement elle pouvait le prendre et rentrer à la maison ! Loin, très loin, se trouvait un froid clair de lune sur des collines étrangères.

Elle ferma les yeux et s'imagina qu'elle pouvait voir

Silver Bush. La lune devait briller dans le Champ secret en ce moment. Les petits lièvres étaient assis dans les sentiers, non loin des bouleaux. Elle entendit les vents du golfe chanter dans les vieux sapins et les érables chuchoter dans les collines de Silver Bush. Elle voyait les feuilles argentées du peuplier disparaître dans le crépuscule bleu. Elle se rappela le bruit de ses pas sur la vieille pierre... sa chambre qui lui manquait tant. Elle vit Judy tricotant dans la cuisine avec Gentleman Tom à ses côtés et Intrépide sur ses genoux... Cuddles juchée quelque part dans ses rêves, comme d'habitude... comme elle, Pat, l'avait été, il y a si longtemps.

Elle était envahie par le mal du pays... submergée. Elle se recroquevilla sur son petit lit dur et pleura.

Pat survécut aux douleurs de la séparation. Elle découvrait qu'il était possible de survivre à bien des événements. Petit à petit, elle ne s'ennuya plus de la maison que les soirs de pluie, quand elle pouvait imaginer les gouttes d'eau martelant les pierres de l'allée et coulant sur les vitres des fenêtres de la cuisine remplie de chats détestant cette température.

Elle aimait assez bien Queen's. Elle aimait bien tous les professeurs à l'exception de celui qui avait toujours l'air de regarder tout le monde et tout ce qui l'entourait avec une bienveillance amusée. Elle l'imaginait avec le même regard pour Silver Bush. Quant à ses études, elle réussit à maintenir une bonne moyenne. Son seul véritable talent consistait en son grand amour pour tout, ce qui ne facilitait pas l'apprentissage du grec ou encore la mémorisation des dates. Mais cela servait ses relations en société. Pat était très populaire à Queen's, en dépit du fait que les autres étudiants la trouvaient un peu détachée et distante... à la fois présente mais étrangère. Elle fut rapidement élue membre des Satellites du Samedi et, avant le Nouvel An, elle était une étoile du Club dramatique. On décida qu'elle n'était « pas tout à fait jolie, mais charmante ». Un peu fière...

on pouvait la reconnaître de l'autre côté de la rue à son port de tête. Un peu réservée... on ne lui connaissait pas d'amies. Un peu étrange... elle aimait mieux rester assise le soir dans le petit parc miteux tout près de la pension que d'aller voir un film.

Pat aimait bien s'asseoir dans le crépuscule et regarder les lumières s'allumer dans les maisons de la rue, dans la vallée et là-bas, sur l'autre colline. C'étaient des maisons très ordinaires, pour la plupart, mais qui sait ce qui se passait à l'intérieur ? Hilary venait parfois s'asseoir avec elle. Hilary était le seul garçon sur cette terre avec qui elle pouvait se sentir à la fois taciturne et à l'aise. Ils savaient comment rester ensemble en silence.

Pat acceptait Hilary tel qu'il était, ne se souciant guère de son apparence, hormis le fait qu'elle ne voulait pas qu'il porte des cravates trop bizarres. Mais un assez grand nombre de jeunes filles à Queen's trouvaient Hilary tout à fait charmant, bien que tout le monde savait qu'il n'avait d'yeux que pour Pat Gardiner qui se fichait éperdument de lui. Hilary était d'abord et avant tout un étudiant et faisait peu de cas de sa vie sociale, bien qu'il ne fût plus aussi maladroit et timide. Les voyages de retour à la maison les fins de semaine avec Pat étaient les seuls divertissements qu'il attendait ou désirait.

Ces fins de semaine étaient toujours délicieuses. Ils prenaient le train jusqu'à Silverbridge, puis marchaient jusqu'à la maison. D'abord sur la route, puis jusqu'au sommet d'une colline couverte d'épinettes, ensuite dans une vallée verte, une autre colline, une autre vallée... des tours et des détours.

— Je déteste les routes plates et droites, dit Pat. Voilà le genre de route que j'aime : avec des courbes et des dénivellations. C'est ma route. J'aime tout sur cette route, même cette petite gorge sombre que Judy appelle la Cave aux Suicides. Quand j'étais petite, elle avait l'habitude de me raconter les histoires les plus adorables et les plus effrayantes sur cet endroit.

Puis ils quittaient la route et coupaient à travers la campagne pour arriver à la maison... au-delà des marécages brumeux et sinistres et à travers le Champ secret et les bois, par de petits sentiers qui n'avaient jamais été dessinés par l'homme mais qui avaient surgi là, mystérieusement. Il y aurait peut-être une aurore boréale et une nouvelle lune voilée ; ou peut-être une douce nuit bleutée. Des ruisseaux gelés... le son des harpes éoliennes dans les épinettes. Même les étoiles étaient proches.

Si seulement Bets avait pu être avec eux ! Pat n'empruntait jamais le chemin du retour sans penser à Bets... Bets, dont la tombe sur la colline était couverte d'un petit tas de feuilles d'automne.

Et Silver Bush enfin ! Elle apparaissait si soudainement dans toute sa splendeur au sommet du champ de la colline. Elle vous accueillait comme une amie avec toutes ses fenêtres allumées... Judy y veillait. Pourtant, une fois ils surprirent la maison au repos alors que Judy tardait à rentrer de la grange et que mère s'était couchée avec un mal de tête. Il n'y avait pas une lumière aux fenêtres de Silver Bush et Pat se disait qu'elle l'aimait presque davantage dans le noir... si chaleureuse et maternelle.

Le même vieux grincement à la barrière... et le chien le plus heureux du monde qui se jetait sur Hilary. McGinty faisait toujours le trajet jusqu'à Silver Bush pour retrouver Hilary. Il ne manquait jamais un vendredi soir. Puis la cuisine de Judy et l'accueil. Hilary restait toujours à dîner et Judy leur servait invariablement une soupe aux pois pour les réchauffer après cette longue marche dans le froid. Et un os juteux pour McGinty.

Le vent qui ronflait autour de la maison ; toutes les nouvelles à rattraper ; toutes les folies et les coup pendables d'Intrépide pendant la semaine ; les trois boules de poil à la tête hérissée qui caracolaient sur le plancher. Silver Bush était comme le disait tante Edith d'un air méprisant, toujours infestée de petits chats. Et quant à Intrépide, il avait cessé d'être un chat et commençait à devenir une habitude familiale.

Le lundi matin, Judy remettait toujours à Pat et Hilary une boîte remplie de vivres.

– Tant qu'on peut s'mettre queq'chose sous la dent, on peut survivre à toutes les épreuves, avait-elle coutume de dire.

Pat se demandait comment les étudiants de Queen's qui ne rentraient chez eux qu'à de rares occasions, faisaient pour survivre. Mais il est vrai qu'ils n'habitaient pas Silver Bush.

33

Folie de jeunesse

Pᴀᴛ ʟᴇ ʀᴇɴᴄᴏɴᴛʀᴀ la première fois à l'occasion de la seule soirée dansante organisée par le Club dramatique à l'auditorium de Queen's, en l'honneur du succès de leur pièce *Femmes en attente*. Pat était l'une de ces femmes et avait été jugée exceptionnelle, bien que, dans certaines scènes plus frappantes, elle n'eût jamais l'air assez « passionnée » pour vraiment satisfaire un metteur en scène exigeant.

— Comment peut-on avoir l'air passionnée quand on a un si joli nez ? avait-elle l'habitude de lui demander pathétiquement. Finalement, elle avait l'air espiègle et insaisissable à la fois, ce que l'auditoire sembla apprécier.

Il vint vers elle et lui dit qu'il allait danser avec elle. Il ne demandait jamais à une fille de danser avec lui ou de l'accompagner en voiture... il lui disait tout simplement qu'il allait le faire. C'était, selon les filles de Queen's, sa « manière ». Il semblait très populaire, mais les filles sur lesquelles il ne posait pas un regard parlaient avec mépris de ses manières d'homme des cavernes.

— Je me suis demandé pendant toute la soirée qui tu pouvais bien être, lui dit-il.

— Tu n'aurais pas pu le découvrir toi-même ? demanda Pat.

— Sans doute. Mais j'avais envie que ce soit toi qui me le dises. Allons sur la petite véranda pour voir si la lune se lève comme elle doit se lever et puis on pourra essayer de découvrir qui nous sommes.

Pat découvrit qu'il s'appelait Lester Conway et qu'il était en troisième année à Queen's, mais qu'une pneumonie l'avait retenu quelque temps à la maison. Elle découvrit aussi qu'il habitait à Summerside.

— Je sais ce que tu penses et c'est exactement ce à quoi je pense, dit-il d'un air grave. Que nous avons vécu toute notre vie à une quinzaine de kilomètres l'un de l'autre et qu'on ne s'est jamais rencontrés avant ce soir.

Cela voulait dire que leur vie avait été terriblement inutile. Mais alors, tout ce qu'il disait semblait avoir une signification particulière. Et il avait une façon de se pencher sur son interlocutrice qui faisait disparaître le reste de l'univers.

— Quelle chance ! Je m'ennuyais tellement ce soir que j'allais partir juste au moment où... tu es venue. Je t'ai vue descendre les escaliers et depuis cet instant, j'ai eu peur de te quitter des yeux de crainte que tu ne disparaisses.

— Est-ce que tu dis cela à toutes les filles une demi-heure après les avoir rencontrées ? demanda Pat en espérant que sa voix couvre les battements de son cœur.

— C'est la première fois que je dis cela à une fille et je pense que tu le sais. Et je pense que tu m'attendais, est-ce que je me trompe ?

Pat croyait bien avoir attendu cet homme mais elle possédait assez de flair pour se retenir de le lui dire. Une jolie couleur illuminait ses joues. Son sang français-anglais-écossais-irlandais-quaker circulait comme du vif-argent dans ses veines. Oui, ça c'était de l'amour. Plus d'histoires idiotes de jambes qui tremblent... pas d'émotions fortes. Seulement la conviction profonde et tranquille qu'elle avait rencontré son destin... quelqu'un qu'elle pourrait suivre jusqu'au bout du monde... « *au-delà de ses limites mauves* »... « *loin, dans l'agonie du jour* »...

Il lui dit qu'il allait la reconduire chez elle et il le fit, dans une nuit baignée par le clair de lune. Il lui dit qu'il la reverrait bientôt.

– Cette merveilleuse journée est venue, puis elle est partie, mais il y en aura une autre, demain, dit-il en baissant la voix pour que les derniers mots ne soient plus qu'un chuchotement, une confidence, un fait remarquable.

Pat pensa qu'elle devenait très raisonnable puisqu'elle dormit assez bien cette nuit-là... une fois qu'elle eut trouvé le sommeil.

Cela devint très rapidement un sujet de commérage à l'université : Lester Conway et Pat Gardiner éprouvaient un terrible « béguin » l'un pour l'autre. On spécula aussi sur la sorte de magie qu'elle avait utilisée, parce que Lester Conway n'avait jamais eu le béguin pour une fille bien qu'il en eût fréquenté plusieurs.

Il avait les cheveux foncés... Pat se dit qu'elle ne pourrait plus jamais aimer un homme aux cheveux clairs, se rappelant les boucles blondes de Harris Jemuel. Il n'était pas particulièrement beau mais Pat savait qu'elle avait largement dépassé la fascination pour les étoiles de cinéma. Il avait l'air distingué, avec un froncement de sourcils légèrement mystérieux. Lester pensait qu'il avait l'air plus mystérieux en fronçant les sourcils... comme *Lara* et ce genre d'individus. Il était très psychologue. Quand une femme le rencontrait, elle se demandait à quoi il pouvait bien ressembler quand il souriait... et faisait tout pour le découvrir.

Il était effroyablement intelligent. Il n'y avait rien qu'il ne pût pas faire. Il dansait, patinait, jouait au football, au hockey, au tennis. Il chantait, il jouait, il « ukulelait » et il dessinait. Il avait conçu la dernière page couverture de *La Lanterne*. Le dessin était très d'avant-garde. Et dans l'édition de février, il publia un poème, *À une petite fleur bleue sauvage*, contenant quelques lignes osées en dépit de son titre victorien. Il n'était pas signé et les spéculations allèrent bon train pour découvrir l'auteur et la fleur bleue.

Pat le savait. Qu'elle ne vît rien de comique dans l'expression « fleur bleue » en disait long sur l'état de son cœur et de son esprit. Si elle avait été lucide, elle aurait su que le souci des champs lui aurait mieux convenu. En dépit de son engouement, elle fut surprise de découvrir que Lester pouvait écrire de la poésie. Elle avait vaguement soupçonné qu'il ne connaissait pas la poésie. Mais *Une petite fleur bleue sauvage* était en vers « libres ». Tout le reste, lui dit Lester, était dépassé. C'en était définitivement fini de la tyrannie des rimes. Elle n'aurait jamais osé lui faire savoir, après cela, qu'elle s'était procuré un livre d'occasion intitulé *Poèmes de la passion* et qu'elle en avait souligné la moitié. *Je serai poussière quand mon cœur oubliera*, souligna-t-elle deux fois.

Elle avait terriblement peur de ne pas être assez intelligente pour lui. Elle fut époustouflée lorsqu'il fit allusion un soir à la théorie d'Einstein... en la regardant de côté pour voir s'il avait produit l'effet escompté. Pat ne connaissait absolument rien de la théorie de la relativité d'Einstein. Elle ne se doutait pas qu'il était aussi ignorant qu'elle et elle passa une bonne partie de la nuit à réfléchir à son ignorance. Que pensait-il d'elle ? Elle essaya de lire un livre là-dessus à la bibliothèque et s'en tira avec un mal de tête. Elle fut malheureuse jusqu'au lendemain soir quand Lester lui dit qu'elle était aussi merveilleuse que la nouvelle lune d'avril.

— Je voudrais savoir si tu dis ça parce que ça vient de te traverser l'esprit ou que tu y pensais depuis hier soir, dit Pat. Elle n'avait toujours pas sa langue dans sa poche, où que se trouvât son cœur. Mais elle était heureuse de nouveau, en dépit d'Einstein. Lester était plutôt avare de compliments, elle était donc touchée quand il lui en faisait. Pas comme Harris Hynes dont la « manière » consistait en une flatterie dès qu'il ouvrait la bouche. Judy avait toujours dit qu'il savait faire du boniment. Comme Harris lui semblait loin à côté des froncements de sourcils et des commandements de Lester. Et dire qu'elle avait déjà cru aimer cet homme ! À peine une toquade d'enfant... un amour d'écolière. Il savait si mal apprécier la beauté, le pauvre. Elle se rappela la fois où elle avait pointé du doigt la Colline de la Brume, un soir d'hiver sous la pleine lune et qu'il avait dit sur un ton plein d'admiration qu'elle ressemblait à un gâteau glacé. Pauvre Harris.

Et pauvre Hilary. Il devait se retirer dans son coin, une fois de plus. Il n'y aurait plus de soirées dans le parc, plus de randonnées. Même les promenades, les fins de semaine, ne nécessitaient plus sa participation. Les routes l'avaient remplacé et Lester ramenait Pat à la maison dans sa petite décapotable rouge. Il était le seul garçon à Queen's qui possédât sa propre voiture. Il n'y avait pas de soupe aux pois pour lui dans la cuisine de Judy. Et Pat priait pour qu'il ne remarque pas l'affreuse fissure au plafond de la salle à manger.

Pat s'inquiétait un peu parce que Judy ne semblait pas l'apprécier. Non pas qu'elle le lui disait. C'était surtout ce qu'elle ne disait pas. Et son ton lorsque Pat lui annonça qu'elle avait rencontré un des Conway de Summerside... Lester B. Conway.

— Oh, oh, c'est en effet tout un nom noble, ça. Et c'est-y un secret de quoi c'est que le B. veut dire ? Pas Bartholomew par hasard ?

— Le B. c'est pour Branchley, répondit Pat sèchement. Sa mère était une Branchley de Homeburn.

— Sûr que je les connais tous. Les Conway et les Branchley. Sa mère avait l'habitude de venir par ici avant que le vieux Conway l'enlève. C'était une vraie p'tite humilité c'te femme. C'est souventes fois arrivé que je lui ai essuyé le nez à ton Lester quand c'est qu'y était pas plus haut que trois pommes. Quoi qu'il en soit, conclut Judy avec condescendance, on dirait bien que j'suis pas assez bien pour eux. L'argent ça peut faire bien des choses et c'est toi qu'es la plus mignonne, j'pense bien.

Judy était vraiment impossible. Insinuer qu'elle, Patricia

Gardiner, avait choisi Lester Conway parce qu'il avait de l'argent.

– Elle devrait mieux me connaître, pensa Pat avec indignation.

Mais elle sentait les limites de Judy. Si au moins cette chère Bets avait vécu ! Elle aurait compris. Comme il aurait été réconfortant de pouvoir parler de ses problèmes à Bets. Parce qu'il y avait des problèmes. Par exemple, Lester lui avait dit qu'elle devait l'épouser dès la fin de son année à l'université. Il n'y avait pas de raison d'attendre. Il se lancerait immédiatement en affaires avec son père.

C'était tout simplement ridicule. Bien sûr, un jour... mais elle ne voulait même pas songer à se marier avant des années. Il fallait qu'elle enseigne dans une école pour donner un coup de main à la maison... poser des bardeaux sur le toit, repeindre Silver Bush ; installer un plancher de bois franc dans la salle à manger, un heurtoir de bronze sur la porte d'entrée ; payer les leçons de musique de Cuddles.

Lester avait ri de cela le soir de la danse des Satellites du Samedi.

– Tu es trop adorable, Pat, pour continuer à perdre ton temps dans une vieille ferme sombre et minable comme Silver Bush, dit-il.

Pat sentit la colère l'envahir. Elle était atteinte au plus profond de son âme.

– Ne m'adresse plus jamais la parole, Lester Conway, dit-elle, chaque mot tombant comme une goutte d'eau glacée sur une pierre froide.

– Pourquoi, qu'est-ce que j'ai fait ? dit Lester, véritablement surpris.

Cela ne fit qu'aggraver les choses, si toutefois elles pouvaient l'être. Il ne comprenait absolument pas ce qu'il venait de faire. Pat tourna les talons et s'enfuit par l'escalier. Elle rassembla ses affaires en une minute, redescendit par l'escalier de service et traversa un corridor, en une autre minute, se retrouva dehors... puis rentra avenue

Linden. Le froid mordant sembla augmenter son ressentiment. Patricia Gardiner de Silver Bush n'avait jamais été aussi furieuse.

Lester vint la retrouver le lendemain soir, ressemblant plus que jamais à Lara. Il ignora l'incident, pensant que c'était la meilleure stratégie à adopter, et il lui dit qu'elle allait sortir avec lui pour la Promotion de Pâques.

— Merci mais je ne viendrai pas, dit Pat, et, s'il te plaît, ne perds plus ton temps avec tes charmants froncements de sourcils. Quand je dis à quelqu'un que j'en ai assez, c'est que j'en ai assez.

Lorsque Pat disait les choses d'une certaine façon, on la croyait.

— Oh, toutes ces filles volages, dit Lester.

Exactement comme Harris l'avait dit. Les hommes étaient tous infatigablement pareils.

— Il paraît que je suis née au clair de lune, dit Pat froidement. Alors je suis naturellement changeante. Personne n'a le droit d'insulter Silver Bush devant moi. Et je suis fatiguée, très fatiguée de recevoir des ordres de toi.

Le tempérament Conway... Judy aurait pu lui en parler... la prévenir.

— Oh... eh bien... si tu veux rompre pour ça ! dit-il méchamment. De toute façon, j'ai commencé à sortir avec toi pour embêter Hilary Gordon.

Elle était heureuse d'entendre cela. Il venait de la libérer. Elle l'avait tellement détesté que cette haine l'avait emprisonnée autant que son amour. Maintenant, il avait tout simplement cessé d'exister.

— J'ai déjà entendu Judy employer une expression, se dit Pat après son départ, fronçant pour une fois sérieusement les sourcils, « victime de mes propres désirs ». Eh bien, j'ai été victime de mes propres désirs. Voilà.

Il s'écoula un certain temps avant qu'elle puisse parler de toute cette affaire à Judy. Maintenant Judy pouvait la comprendre et sympathiser.

– Oh, oh, Patsy chérie, j'ai jamais vraiment aimé que tu t'acoquines avec un Conway, même si ses poches étaient cousues d'or. Gentleman Tom ne l'aimait pas non plus... y'avait quequ'chose dedans les yeux de c'te chat chaque fois qu'il le voyait. Et y'était toujours un peu trop emberlificoté dans ses façons à mon goût, Patsy. Un homme, ça doit être du genre humble quand c'est qu'y fait la cour et s'il l'est pas, quand c'est, veux-tu me dire, qu'il le sera ?

– Je ne lui pardonnerai jamais de s'être moqué de Silver Bush, Judy.

– Y s'est moqué de Silver Bush, qu'tu dis ? Oh, oh, si t'avais vu la p'tite cabane dans quoi c'est que son père a été élevé, avec les tuyaux de poêle qui sortaient de par le toit. Sûr et que les Conway y grattaient le fond des casseroles dans c'temps-là. Et le tempérament du vieux. Un jour, y'aimait pas la couleur du nouveau jupon qu'sa femme a s'était acheté... y'était grenat quand c'est qu'il le voulait mauve. V'là-t-y pas qu'il l'apporte au grenier dans sa grande maison à Summerside et qu'il le jette par la fenêtre. Le jupon s'est accroché en haut d'un grand peuplier en arrière de la maison et pis y'est resté accroché là tout le reste de l'été. Quand c'est qu'le vent l'a emporté, y'avait déjà une bonne couche de neige. Nous autres on appelait ça le drapeau des Conway. Le vieux Conway y pouvait pas l'enlever de d'là à cause que le peuplier était en réalité sur le terrain de Ned Orley et que Ned et lui y'étaient pas très amis et Ned y laissait personne approcher d'son arbre. Y disait qu'y'était un meilleur Irlandais que le vieux Conway et qu'y'aimait bien un peu de grenat dans son paysage.

– Lester a toujours reconnu que son père était un autodidacte, Judy.

– Oh, oh, ça s'rait bien beau c't'histoire-là si c'était la vérité. Le vieux Conway, y pouvait rien faire de lui-même. C'est le Bon Homme d'en Haut qui s'en est occupé. Y'a fait son argent à travers une épicerie. Mais j'te dis qu'y'était pas du lait écrémé c'te gars-là... comme son frère Jim. C'est lui qu'a tout souffert. « Éteins la lumière », qu'y'a dit quand c'est qu'y allait mourir. « Une chandelle c'est bien assez pour mourir. » Oh, oh, y'a bien des gens bizarres sur la terre, concéda Judy. Pis quant à moi, ce pauv' Lester, on m'dit qu'y'est bien à terre depuis qu'il a rencontré quelqu'un qui l'a remis à sa place. J'ai bien peur que c'est de toi qu'y causent, Patsy, quand c'est qu'y disent ça. Y pensait que tu l'aimais vraiment...

— Je reconnais que j'ai été parfaitement idiote, Judy. Mais je suis guérie. Je ne serai plus jamais amoureuse... si je peux l'empêcher, ajouta-t-elle avec candeur.

— Oh, oh, et pourquoi pas mon bijou ? dit Judy en riant. Comme ta tante Hazel elle avait l'habitude de dire, c'est un peu de plaisir dans une vie ennuyeuse. Mais seulement, fais bien attention de pas aller trop loin et de briser des cœurs, même celui des Conway. Y'a vraiment une grande différence entre tomber amoureuse et aimer, Patsy.

— Comment se fait-il que tu saches tout ça, Judy ? As-tu déjà été amoureuse ? demanda Pat effrontément.

Judy gloussa.

— On peut apprendre bien des choses rien qu'en observant, fit-elle remarquer.

— Mais, Judy, comment faire la différence entre aimer et être amoureuse ?

— Il faut un p'tit peu d'expérience, reconnut Judy.

Pat brûla les *Poèmes de la passion*, mais lorsqu'elle tomba sur une ligne... « *l'eau qui s'échappe d'un tesson brisé* » dans un recueil de poèmes de Carman, elle le souligna. En réalité, c'était cela, l'amour.

Elle se rendit à la Promotion de Pâques avec Hilary.

— Pauvre Jingle, dit Judy à Gentleman Tom. C'est *doublement* que ça lui arrive. Si elle réussit à passer au travers du troisième...

34

« Faisons semblant »

— ALLONS VOIR ces maisons splendides où résident ces nobles fortunés, déclara Hilary. En d'autres mots, allons donc nous balader du côté de l'avenue Abegweit. Il y a une des nouvelles maisons là-bas que je voudrais te montrer. Je ne te dirai pas laquelle... je veux que tu essaies de deviner. Et si tu es la jeune fille que je pense, Pat, tu vas la repérer au premier coup d'œil.

C'était un samedi après-midi de printemps avec ses bourrasques d'avril. « L'univers semble si chaleureux aujourd'hui », pensa Pat. Elle portait son tricot et son bonnet cramoisis et savait qu'ils lui seyaient bien et cette espèce de Lester Conway, fronçant ses sourcils dans sa décapotable, le savait aussi. Mais que Lester fronce les sourcils ! Le sourire moqueur de Hilary était beaucoup plus plaisant et Hilary avait l'air sain et hâlé sous ce soleil printanier. Complètement différent du jeune enfant en haillons qu'elle avait rencontré sur une route sombre et solitaire, longtemps auparavant. Mais toujours le même dans son cœur. Ce cher vieil Hilary ! On pouvait faire confiance à cet ami fidèle. Cela valait mille « prétendants » de Judy.

Ils n'étaient pas rentrés à la maison cette fin de semaine, puisque les Satellites organisaient de grandes réjouissances de fin d'année ce soir-là. Pat avait beaucoup de difficulté à supporter de rester en fin de semaine en ville. Elle avait toujours l'impression qu'il lui manquait quelque chose. Aujourd'hui, par exemple, les violettes sauvages tapisseraient le Bonheur... les violettes blanches... et ils ne seraient pas là pour les découvrir.

L'avenue Abegweit était l'une des plus jolies rues résidentielles de la ville et elle s'échappait dans la campagne, à l'une de ses extrémités, dans un paysage de collines émeraude. Il était toujours difficile pour Pat d'admettre qu'il pouvait y avoir quelques jolies maisons dans le monde, autres que Silver Bush. Il y avait toutes sortes de maisons dans cette rue, des monstruosités victoriennes flanquées de tours et de coupoles, aux bungalows les plus modernes. Pat et Hilary aimaient bien se promener dans cette rue, bavardant quand ils en avaient envie, se taisant quand il n'avaient pas envie de parler, discutant et critiquant l'architecture des maisons, les transformant presque toutes, ajoutant ici une fenêtre, en condamnant une autre là, soulevant ou abaissant les toits... « un toit bas donne un air plus chaleureux à une maison », disait Hilary.

Certaines des maisons les emballaient, d'autres les charmaient, et d'autres encore les dérangeaient. Certaines étaient coquettes, d'autres repoussantes... « J'aurais envie de casser quelques fenêtres », fut la réaction de Pat à l'une d'entre elles. Même les portes pouvaient être fascinantes. Que se passait-il derrière ces portes ? Vous laissaient-elles sortir... ou entrer ?

Puis il fallait déterminer laquelle de ces maisons ils accepteraient comme cadeau, en imaginant qu'on les invitait tout simplement à en choisir une.

— Je pense que je prendrais la jolie, juste au coin de la rue, dit Pat. Elle a un grenier... elle doit avoir un grenier. Et on dirait qu'elle a été aimée pendant des années. J'ai su cela la première fois que je l'ai vue. Elle m'aimerait bien aussi. Et cette drôle de petite fenêtre toute seule dans son

351

coin, on dirait qu'elle a envie de me raconter une bonne blague.

— Cette fois je choisis une des maisons modernes, dit Hilary. Tout compte fait, je préfère une nouvelle maison à une ancienne. J'aurais vraiment l'impression d'en être le propriétaire. Une vieille maison me posséderait.

Pat avait gardé l'œil ouvert pour la maison de Hilary. Elle pensait bien que c'était une des maisons modernes. Mais quand elle la vit, elle sut tout de suite que c'était celle-là. Une petite maison nichée dans une dénivellation, à flanc de colline. Même ses cheminées respiraient le romantisme. Un énorme érable lui tendait son feuillage. L'arbre était si énorme et la maison si petite. Elle ressemblait à une maison de poupée avec laquelle l'arbre gigantesque aurait choisi de jouer et qui en serait tombé amoureux. Il y avait un petit jardin sur le côté, avec des violettes dans un coin et, au centre, un bassin entouré de pierres plates et bordé de jonquilles.

— Oh ! Pat prit une longue respiration. Je suis tellement heureuse de l'avoir trouvée. Oui, s'ils te donnent cette maison, prends-la, Hilary. Elle est tellement... tellement ce qu'il te faut, tu ne trouves pas ?

— Mais il faudrait couper cet arbre en avant, dit Hilary, pensif. Ça gâche le dessin de la maison et ça cache le paysage.

— Mais non... il ne fait que la garder, comme un trésor. Tu ne couperais pas ce magnifique bouleau, Hilary.

— Je couperais n'importe quel arbre qui ne se trouve pas à sa place, insista Hilary obstinément.

— Un arbre est toujours à sa place, répondit Pat tout aussi obstinément.

— De toute façon, je ne suis pas près de le couper, concéda Hilary. Mais je vais te dire ce que je veux faire, un soir où il fera très sombre, Pat. Je vais me glisser jusqu'ici et je vais enlever cette espèce de chevreuil en fer forgé, à côté, et je le jetterai au fond de la baie.

— Penses-tu que ça vaille la peine ? Elle est tellement

affreuse cette maison. Tu ne pourrais jamais emporter cet énorme portique. La maison a l'air d'un sanatorium. Avais-tu jamais imaginé qu'un endroit puisse être si horrible ?

– La maison d'à côté n'est pas affreuse... pas exactement. Mais elle a un air cruel, secret. Je n'aime pas ça. Une maison ne devrait pas être si sournoise et réservée. Et voici une maison que j'aurais envie d'acheter et de retaper. Elle est tellement délabrée. Les bardeaux sont en train de lever et le toit de la véranda s'effondre.

– Mais au moins, elle ne se prend pas pour une autre. L'autre à côté est... carrément suffisante. Et celle-là... il paraît qu'elle a coûté une fortune et elle est aussi sinistre qu'une tombe.

– Des volets à ces fenêtres austères feraient toute la différence, dit Hilary d'un ton pensif. C'est vraiment merveilleux, Pat, de voir comme des petites choses peuvent améliorer ou gâcher une maison. Mais je ne pense pas qu'il y ait de la place pour le rêve dans cette maison... ou pour les fantômes. Il faut qu'il y ait de la place pour le rêve et les fantômes dans toutes les maisons que je vais dessiner.

– Voilà la maison qui n'est pas terminée, Hilary... cela me fait toujours mal au cœur de la voir. Pourquoi ne la termine-t-on pas ?

– J'ai découvert pourquoi. Un homme a commencé à construire cette maison pour sa femme et elle est morte avant qu'il en ait fait la moitié. Il n'a jamais eu le courage de la terminer. Cette maison blanche, c'est la maison pour la fée des neiges. Elle est absolument éblouissante.

– Et qu'est-ce qu'elle a cette maison au milieu de la rue, Hilary ? Elle est très belle mais...

– Elle n'a pas assez de retenue. Elle est ballonnée comme... comme...

– Comme une femme sans corsage, dit Pat en éclatant de rire. Comme Mary Ann McClenahan. Cette pauvre Mary Ann est morte la semaine dernière. Tu te rappelles quand on pensait que c'était une sorcière, Hilary ?

Une des maisons n'était encore qu'un trou dans le sol, avec des hommes qui installaient les tuyaux et les fils. Qui attendait cette maison ? Peut-être une future mariée. Ou un vieillard fatigué qui n'avait jamais possédé la maison de ses rêves et qui voulait absolument vivre dedans avant de mourir. Il y en avait une autre qui voulait qu'on la réveille. Puis il y avait une maison d'où sortait le Dr Ames. Il avait l'air sérieux. Peut-être quelqu'un allait-il mourir dans cette maison. Il n'aurait pas eu cet air s'il venait de mettre au monde un enfant.

— Je voudrais voir toutes les maisons sur la terre... ou en tout cas, toutes les plus belles, dit Hilary. Et j'ai une nouvelle idée aujourd'hui pour ta maison.

Il avait toujours de nouvelles idées pour sa maison mais, ces temps-ci, il ne lui en parlait pas. Il fallait que ce soit une surprise.

Ils rentrèrent à pied en silence. Hilary rêvait. Tous les hommes rêvent. Dans son rêve, il construisait de magnifiques maisons qui laisseraient l'amour s'épanouir... des maisons qui protégeraient leurs habitants de la morsure du froid et de la chaleur du soleil et de la solitude des nuits sombres. Cela devait être fascinant de bâtir une maison... de créer la beauté qui durerait des générations et qui serait un abri, une protection et une bienveillance, tout autant qu'une beauté. Et un jour, il construirait une maison pour Pat... et il fallait qu'elle y vive.

Pat se redisait à quel point il était agréable de marcher avec Hilary. Avec Harris et Lester, elle se sentait toujours obligée de briller, de pétiller et de faire de l'esprit si elle ne voulait pas qu'ils la croient « stupide ». Hilary était reposant. Il ne disait jamais rien d'embarrassant. Et parfois son regard en disait beaucoup plus long que sa langue. Et qui pouvait se quereller avec un tel regard ?

35

L'ombre et la lumière

LE SOUCI se lisait sur le visage de Pat.

— Je n'arrive pas à voir au-delà du cauchemar de la semaine prochaine, Judy. Elle est complètement obscurcie par ces examens du certificat. Judy, que se passera-t-il si je ne réussis pas ?

— Oh, oh, mais tu réussiras, ma chérie. Est-ce que t'as pas étudié pendant tout le trimestre comme une Troyenne ? Excepté peut-être les quelques semaines pendant lesquelles le pauv' Lester te donnait des ordres. Alors t'inquiète pas la tête avec ça. Va donc faire une p'tite promenade dans les bouleaux et puis sois contente que le printemps y'oublie jamais de revenir. Et puis p'tête que tu pourrais nous préparer les crêpes préférées de Siddy pour dîner. Parce que moi-même, j'arrive pas à les retourner au bon moment comme toi t'es capable.

— Judy, espèce de vieille flatteuse ! Tu sais bien que personne ne fait les crêpes aussi bien que toi.

— Oh, oh, mais la pâtisserie, Patsy, je n'ai jamais vraiment eu le tour alors que toi-même, tu l'as. Sûr que la tarte que t'as faite la fin de semaine dernière... on aurait bien dit qu'a sortait tout droit d'une des pages du magazine de Winnie.

« Sûr et ça lui changera les idées un p'tit peu », pensait Judy. Mais il n'en fut rien.

— Je ne peux pas m'empêcher de me faire du souci, Judy. Ce serait affreux si je ne réussissais pas ces examens... maman serait tellement malheureuse. Et il ne faut pas qu'elle soit malheureuse.

Parce que tout le monde à Silver Bush faisait extrêmement attention à sa mère, sans qu'on en parle vraiment. Personne ne l'entendait jamais se plaindre mais, pendant tout l'hiver, elle avait pris des petits comprimés amers de strychnine pour son cœur et fait la sieste les après-midi. L'ombre s'était glissée sur Silver Bush de manière si furtive que, en dépit de tout cela, ils en sentaient à peine la présence menaçante. Père avait l'air gris et inquiet. Les enfants l'ignoraient, mais le médecin recommandait une opération et Judy et tante Edith étaient, pour la première, la dernière et la seule fois dans leur vie, du même avis.

— Ils vont la couper à titre expérimental seulement, disait tante Edith avec courroux. Je les connais.

— En effet et je ne leur laisserais pas ça entre les mains, approuvait Judy avec amertume.

Maman elle-même ne voulait rien savoir d'une opération. Elle croyait qu'ils ne pouvaient pas se le permettre : mais cela, elle ne le dit pas à Long Alec. C'est à peine si elle lui dit qu'elle avait peur. Long Alec s'en émerveillait. Il n'avait jamais pensé que sa femme pouvait avoir peur. Et il n'avait jamais vraiment observé cette étrange langueur et ce besoin de s'allonger loin du bruit et de laisser les autres s'occuper des tâches domestiques. Maman ne s'était jamais pressée dans la vie ; elle avait toujours marché d'un pas mesuré... Judy avait l'habitude de dire qu'elle ne connaissait personne qui pouvait se déplacer comme elle dans une maison, sans faire le moindre bruit... mais elle abattait une somme impressionnante de travail.

Pat traversa sa période d'examens et osa même croire qu'elle les avait plutôt bien réussis. Elle quitta Queen's avec regrets mais elle laissa résolument l'avenue Linden sans émotion. De retour enfin à Silver Bush, pour ne plus jamais la quitter... puisqu'on lui promettait l'école du rang et que Pat avait déjà dépensé en imagination une année de salaire pour Silver Bush. En fait, depuis plusieurs années... il y avait tant de choses qu'elle voulait faire. Comme elle aimait cet endroit ! La maison et tout ce qui l'entourait étaient inextricablement liés à sa vie et à ses pensées. Il y avait un verset de la Bible qu'elle n'arriverait jamais à comprendre. *Oublie aussi les tiens et la maison du père.* Cela la faisait toujours frissonner. Comment quelqu'un pouvait-il faire cela ?

Elle fut de nouveau amoureuse de la vie durant ces soirées printanières lorsqu'elle marchait sur la colline ou le long du Jordan ou dans les sentiers secrets de ses forêts enchantées. Les vents, les aurores délicates, les nuits étoilées, les champs sur le littoral envahis par un brouillard argenté, la verdeur fraîche et humide des pluies printanières, tous avaient un message pour elle et lui rappelaient Bets... encore maintenant, la voix de Pat tremblait lorsqu'elle prononçait son nom.

Où était Bets ?
Dans quelle danse éthérée,
Sur quels flots éternels
ses pas l'avaient-elle conduite ?

— Je me demande si Bets a la nostalgie de cela, au ciel ? dit Pat en pointant du doigt le lilas blanc au-dessus de la clôture du jardin. Comme les couchers de soleil doivent lui manquer. C'est exactement le genre de soirée qu'elle adorait, Judy. Oh, Judy, le printemps dernier, elle était ici. Pendant tout l'hiver, à Queen's, où elle n'est jamais allée, ce n'était pas si difficile. Mais ici... tout me ramène à elle. Ce soir, quand j'ai senti ce lilas blanc, il me semblait qu'elle devait être tout près. On dirait qu'elle n'est plus morte. On dirait qu'elle pourrait surgir à un tournant, quelque part, aussi aimante et attachante. Mais, oh, j'aimerais tant qu'elle soit là !

357

— Pat, appela la voix de Cuddles, claire et insistante à côté d'elle, penses-tu que j'ai le tour ?

— On en aura plein sur les bras, avec c'te p'tite Cuddles, avait confié Judy à Pat ce jour-là. Dans quelques années j'veux bien croire, quand c'est qu'a grandira dedans ses yeux. Ton oncle Tom le voit bien. C'était t'y pas hier seulement qu'y m'a dit, « Vous allez en voir de toutes les couleurs », qu'y dit. Oh, oh, a va danser à travers la vie, celle-là.

Pat ne réalisait pas que Cuddles était sur le point de devenir une grande fille. C'était hier encore qu'elle était un adorable bébé, avec des bras potelés et des fossettes sur les joues, dont chaque regard disait : « Venez et aimez-moi ». Et maintenant elle avait onze ans... et une boucle rebelle, taquine qui lui descendait au milieu du front et un nez qui, même à onze ans, faisait pâlir d'envie tous les autres nez. Et ses yeux ! Pas étonnant que Cuddles soit si gâtée. Lorsqu'elle levait ses yeux désolés et effrayés, elle n'était jamais punie sévèrement. On ne pouvait pas punir une jeune sainte égarée. Les yeux de Cuddles demandaient toujours quelque chose et l'obtenaient toujours. Contrairement à Pat, Cuddles était entourée d'amies et Silver Bush en était littéralement envahie... « Ça jacasse comme des pies », disait Judy avec indulgence. Judy était fière de la popularité de Cuddles. Quant au sexe opposé... eh bien, si les bonbons collants, les pommes mouillées, et des petits baisers encore plus collants et mouillés veulent dire quelque chose, Cuddles avait certainement « le tour ».

— Quand moi j'avais onze ans, dit Pat sur le ton de quelqu'un qui en avait quatre-vingts, je ne pensais pas à des choses pareilles, Mlle Rachel.

— Oh, mais je suis une fille moderne, répondit Cuddles avec sérénité. Et Trix Binnie dit qu'il faut avoir le tour sinon les garçons ne vont même pas nous regarder.

Judy secoua sa tête grise solennellement, comme pour dire.

— S'ils disent des choses pareilles quand l'arbre est encore vert, qu'est-ce qu'y vont bien pouvoir dire quand l'arbre sera sec ?

Mais Cuddles insistait.

— Tu pourrais me dire ce que c'est, Pat, et si tu penses que j'ai le tour. Après tout (Cuddles était très sérieuse) je préférerais que ce soit ma propre famille qui me donne l'information, et pas les Binnie.

— Elle a la tête sur les épaules, la p'tite ! dit Judy.

Pat emmena Cuddles au cimetière et, s'asseyant sur la tombe de Dick le Sauvage, elle essaya de lui donner des « informations ». Elle sentait qu'elle devait remplir un rôle de mère auprès de Cuddles, maintenant. Il ne fallait pas déranger maman.

Et puis l'ombre qui s'était rapprochée doucement, très doucement, bondit un jour.

Maman était malade... maman était très, très malade.

Maman était mourante.

Personne ne le disait, mais tout le monde le savait. À l'exception de Judy qui refusait obstinément d'y croire. Judy refusait d'abandonner ses espoirs. Elle n'avait pas reçu « le signe ».

Pat refusait d'y croire aussi.

— Maman ne peut pas mourir, disait-elle désespérément, pas notre mère.

Ils avaient toujours considéré leur mère comme faisant partie du décor. Elle avait toujours été là... elle serait toujours là. Comment était-il possible d'imaginer autre chose ?

Hilary n'était même pas là pour aider Pat à traverser ces semaines difficiles. Hilary était dans l'Ouest, aidant un autre oncle à bâtir sa maison. La tâche enthousiasmait Hilary. C'était idéal pour lui. De plus, avant de pouvoir dessiner une maison, il voulait savoir comment la construire, de la cave au toit.

— Bets l'année dernière... et maintenant, maman, pensa Pat.

Puis il y eut un espoir déchirant. Le spécialiste appelé en consultation recommanda l'opération. Avec cette opération, il y avait une chance. Sans l'opération, il n'y en avait aucune.

Judy, lorsqu'elle apprit qu'il y aurait une opération, abandonna tout espoir, signe ou pas signe.

— Oh, oh, c'est moi qui devrais être en train de mourir à sa place, murmura-t-elle. Je ne sais bien pas ce que le Bon Homme d'en Haut y veut dire par ça, j'le sais pas.

Gentleman Tom cligna de l'œil d'un air impénétrable.

— Tu peux rien faire, mon cher minou. Tu laissais pas ce qui était après Patsy te la prendre, l'aut' fois. Mais tu pourras pas garder Mme Long Alec... pas s'ils l'emmènent à l'hôpital pour se faire couper. Et elle en plus de ça, une Selby de Bay Shore !

Pat était dans la chambre de sa mère. Une nouvelle Pat... plus mûre... plus grave. Mais plus remplie d'espoir. Pourvu qu'on ait un tout petit peu d'espoir.

Maman avait demandé qu'on la relève dans son lit pour voir les champs verts qu'elle aimait tant. Ses mains reposaient sur la courtepointe. C'était étrange de voir les mains de maman, si blanches et si inertes.

On l'emmena à l'hôpital le lendemain. Elle fut parfaite, simple et très brave. Mais lui était-il déjà arrivé d'être autrement ? Maman n'avait jamais été excitée comme les Gardiner. Son esprit était toujours au repos, alors quiconque se trouvait en sa présence ressentait un très grand calme. Ses yeux étaient encore les yeux implorants d'une petite fille et malgré cela, il y avait quelque chose de maternel dans sa poitrine qui donnait envie d'y poser sa tête lorsqu'on était fatigué ou troublé.

— Les pommiers ont fleuri. Je suis contente de les avoir vus une fois encore. J'ai déjà été une jeune fille sous ces pommiers, Pat, comme toi... et ton père...

La voix de maman s'échappa sur quelque chemin intérieur des beaux souvenirs.

– Tu verras les pommiers fleurir encore bien des printemps, maman chérie. Tu reviendras de l'hôpital guérie et mieux portante... et j'ai commandé une très belle journée pour toi.

Sa mère sourit.

– Je l'espère. Je n'ai pas encore abandonné, Pat. Mais j'aimerais te parler un peu de certaines choses... au cas où je ne reviendrais pas. Il faut regarder la réalité en face, ma chérie. Winnie va épouser Frank... et il faudra que tu prennes ma place, tu le sais.

– Je... je le sais, dit Pat d'une voix étranglée. Et je ne me marierai jamais, jamais, je te le promets. Je resterai ici et je m'occuperai de la maison pour papa, Sid et Cuddles. Sid ne voudra jamais se marier si je suis là.

De nouveau, sa mère sourit.

– Je ne te demande pas de me promettre cela, ma chérie. J'aimerais bien penser que tu vas te marier un jour. Je voudrais que tu sois une femme comblée et l'heureuse mère de tes enfants. Comme je l'ai été. J'ai été si heureuse, ici, Patsy. J'avais seulement vingt ans quand je suis arrivée. Une enfant gâtée, aussi... et pour ce qui est des tâches ménagères, je ne connaissais pas la différence entre l'ébullition et le frémissement. C'est Judy qui m'a tout montré... cette bonne vieille Judy. Sois bonne avec elle, Pat... si je ne reviens pas. Mais je n'avais pas besoin de te dire cela. Judy a été si bonne pour moi. Elle se mettait en colère quand je travaillais... elle ne voulait pas que mes mains s'abîment. J'avais de jolies mains, Pat. Mais cela ne me dérangeait pas de les abîmer pour Silver Bush. J'aimais cela autant que toi. Chaque pièce dans cette maison a toujours été une amie pour moi... avait sa propre vie. J'étais tellement heureuse de me lever la nuit et de sentir que mon mari et mes enfants étaient bien au chaud et en sécurité, dormant paisiblement. La vie n'a rien de plus beau à offrir à une femme, Patsy.

Sa mère ne put lui dire tout cela d'un seul trait. Il y

avait de longues pauses durant lesquelles elle restait immobile... cherchant son souffle. De terribles pointes de peur perçaient parfois la nouvelle armure d'espoir de Pat. Lorsque son père vint la relayer auprès de sa mère, Pat descendit dans l'obscurité du jardin. Tous les autres dormaient, même Judy. Elle ne pouvait pas se mettre au lit... elle n'arriverait pas à dormir. L'air de la nuit était doux et généreux. Il l'enveloppait comme l'auraient fait les bras d'une mère. Les iris blancs semblaient luire d'espoir dans la noirceur. Intrépide vint la retrouver sur les marches et se roula en boules sur ses genoux. Il y avait des moments où Intrépide se comportait comme un chrétien. Il savait que Pat avait besoin de réconfort et il faisait de son mieux pour lui en donner.

Pat resta assise sur le banc du jardin jusqu'à l'apparition de l'aube sur la Colline de la Brume. Intrépide s'enfuit à la glorieuse poursuite des souris dans le cimetière. Le jour avait commencé par un pâle matin sans vent... le jour où sa mère devait partir. Reviendrait-elle ?

Ce vieux cantique qu'elle avait tant détesté... « *tout ce que je vois n'est que ruine et changement* ».

Elle qui avait toujours craint et détesté le changement. « *Oh, Toi qui ne changes jamais pour moi.* »

Après tout, ce n'était pas un cantique si détestable... c'était un cantique qu'il fallait aimer. Quelle merveille de sentir qu'il y avait quelque chose qui ne changeait jamais... une Puissance sous, au-dessus et autour de soi sur laquelle on pouvait compter. La paix sembla l'envahir.

— Ma p'tite fille, qu'est ce qui t'a fait lever de si bonne heure ?

— Je n'ai pas dormi. Je suis restée dans le jardin, Judy... je priais seulement.

— Oh, oh, c'est tout c'qu'on peut faire en c'moment, dit Judy d'un ton désespéré.

On avait décidé de ne pas laisser savoir le pire à Cuddles, mais elle l'apprit à l'école et Pat eut beaucoup à faire pour la réconforter ce soir-là.

— Et qu'est-ce que tu penses que Trix Binnie a dit ? sanglota-t-elle. Elle a dit qu'elle m'enviait... que c'était tellement excitant d'avoir un décès dans une maison.

— Calme-toi ma p'tite fille et remercie de Bon Homme d'en Haut qu'y t'a pas fait comme une Binnie, dit Judy sur un ton grave.

Même cette journée, ils réussirent à la traverser. Le soir, papa avait téléphoné pour dire que l'opération avait réussi et que maman se remettait bien de l'anesthésie. Les habitants de Silver Bush dormirent cette nuit-là ; mais il y avait encore une longue semaine d'attente avant de vraiment pouvoir espérer. Puis père revint à la maison, avec une lueur dans le regard qu'ils ne lui avaient pas connue depuis plusieurs jours. Mère vivrait : elle ne serait jamais très forte sans doute... jamais tout à fait la femme qu'elle avait été. Mais elle vivrait.

— Oh, oh, n'est-ce pas que je vous l'ai toujours dit ? dit Judy triomphalement, oubliant toutes ses sinistres peurs du bistouri. Y'a jamais eu le signe. Gentleman Tom, il le savait bien. Ce chat-là, y s'est jamais vraiment inquiété.

La convalescence de maman dura six semaines et Pat et Judy s'occupèrent des tâches domestiques à Silver Bush, parce que les deux tantes de Bay Shore étaient malades et que Winnie devait en prendre soin. Pat était au septième ciel. Elle aimait absolument tout de cette maison, encore plus que jamais. Les jolies serviettes de table ourlées, les tapis crochetés de Judy, les draps avec leur monogramme, le coffre en cèdre rempli de couvertures, les centres de table brodés, les napperons de dentelle, les chers vieux plateaux de porcelaine bleue, le service à thé de la grand-mère Selby, les vieux miroirs qui avaient volé un peu de charme à tous les visages qui s'y étaient reflétés. Tout cela avait une nouvelle signification pour elle. Elle aimait chaque fenêtre en raison de la beauté du paysage qu'on pouvait y voir. Elle l'aimait parce qu'elle pouvait voir la

Colline de la Brume ; elle aimait la fenêtre de la Chambre du Poète parce qu'on voyait la baie au loin ; elle aimait la fenêtre ronde parce qu'elle donnait précisément sur le bosquet argenté ; elle aimait la fenêtre du hall d'entrée parce qu'on y voyait carrément le jardin. Et quant aux fenêtres du grenier, on y voyait tout ce qu'il valait la peine de voir au monde et parfois, Pat se rendait au grenier sans raison, pour pouvoir regarder à travers ces fenêtres.

Elle et Judy ne se transformèrent pas en esclaves. Régulièrement, Pat disait :

— Bon, eh bien, arrêtons de penser aux tâches domestiques, Judy, et pensons aux fraises sauvages... ou aux fougères... ou au muguet, si tel était le cas, et elles partaient en expédition. Et, dans la fragilité du jour qui tombe, elles s'asseyaient à l'extérieur sur les marches de la porte de la cuisine comme dans le temps et Judy racontait des histoires drôles qui faisaient rire Pat aux larmes.

— Oh, oh, tu sais comment faire pour bien travailler, Patsy chérie... t'arrêter un p'tit peu pour rire de temps en temps. Y'a pas beaucoup de monde qui l'connaît le secret. Tes tantes de bay Shore elles s'arrêtaient jamais pour rire et c'est bien pour ça qu'elles attrapent le mauvais sort aussi souvent.

— Oncle Brian et tante Jessie seront à la maison cette fin de semaine, Judy. Il faut que je coupe des iris pour la Chambre du Poète. J'adore préparer cette pièce pour des invités. Et il faut faire une tarte aux pommes avec de la crème fouettée. C'est le dessert favori d'oncle Brian.

Pat se rappelait toujours des goûts de ses invités. C'était, aux dires de Judy, « une divine cuisinière ». Elle adorait cuisiner, avec l'exquise impression de ne pas être différente de toutes les femmes de tous les pays et de tous les temps. Presque toutes ses lettres à sa mère, à Hilary et à ses correspondants à l'université commençaient par « je viens de mettre quelque chose au four ». On trouvait toujours dans le garde-manger des pains d'épices et la perfection aérienne de ses gâteaux laissait Judy sans voix. Quant au gâteau aux fruits qu'elle concocta un jour de sa propre initiative, croyez-en Judy, il n'y eut jamais meilleur gâteau aux fruits à Silver Bush.

— Je n'ai jamais été bien bonne pour les gâteaux aux fruits, ma chérie, dit-elle avec tristesse. Ta tante Edith a dit qu'il faut une femme bien née pour réussir les vrais gâteaux aux fruits et p'tête qu'al'a raison. Mais j'aurais p'têt' pris le tour si j'avais pas été un peu découragée après que je soye arrivée à Silver Bush. Un jour je m'suis dit que j'ferais un gâteau aux fruits et v'là t'y pas que j'm'y mets avec plus de zèle que de jugeotte. Ton oncle Horace était à la maison à ce moment-là... et quel p'tit diablotin qu'y était... qui tournait autour pour voir c'qu'y pouvait voir et lécher c'qu'y pouvait lécher. « Qu'est c'est que tu mets dans ton gâteau aux fruits, Judy Plum » qu'y me d'mande, curieux comme y'était. « Un peu de tout », que j'y dis. Et quand c'est que j'me suis retournée pour sortir les moules, qu'est-ce qu'y'a trouvé à faire le p'tit diable, à part de verser toute la bouteille d'encre qu'y était sur l'étagère dedans mon gâteau... et moi qui l'ai jamais su. Sûr, ta tante Edith a bien dit qu'un bon gâteau aux fruits ça doit être noir. Le mien y'était assez noir à son goût, Patsy chérie.

Pat se réjouissait de découvrir de nouvelles recettes et de les essayer avant tout le monde à l'occasion des réunions du Club des Femmes à Silver Bush. Elle se jetait sur les annonces publicitaires dans les magazines... les ravissants petits biscuits, les fruits et les légumes, ces chers petits radis rouges et blancs, les betteraves cramoisies, les asperges dorées avec une pointe de vert... Elle adorait faire des courses en ville. Il y avait des choses dans les magasins, là-bas, qui lui appartenaient, bien qu'elle ne se les soit pas procurées encore. Elle aimait bien intimider le boucher et taquiner doucement l'épicier... pour résister à la tentation ou céder... pour économiser et dépenser. Elle aurait bien aimé accueillir de pauvres hères fatigués et souffrant de solitude à Silver Bush, et leur offrir le gîte, le couvert et l'amour dont ils avaient besoin.

Elle était très heureuse et très satisfaite de faire les choses pour lesquelles elle était faite. Elle goûtait pleinement son bonheur dans ces magnifiques silences qui envahissaient parfois Silver Bush quand tout le monde était tranquillement occupé et que les chats dormaient sur les rebords des fenêtres.

Et puis se préparer pour le retour de maman !

36

La paix dans la maison

— PAPA MARCHE plus lentement que d'habitude, dit Winnie en soupirant, pendant qu'elle et Pat écossaient des petits pois sur le perron de la cuisine dans cet étouffant après-midi d'août, Intrépide confortablement installé entre elles. À l'occasion, une brise venait souffler sur les feuilles du jeune tremble, près de la porte, qui se mettaient à s'agiter sauvagement. Pat aimait beaucoup ce tremble. Il avait poussé en quelques étés, sans qu'on s'en rende compte, Judy menaçant sans arrêt de le couper. Puis, du jour au lendemain, d'arbrisseau il était devenu arbre. Et puis papa avait déclaré qu'il fallait le couper mais Pat était toujours intervenue à temps.

— Dans un an ou deux, il fera une si jolie ombre sur les marches. Pense au clair de lune à travers les feuilles les soirs d'été, papa.

Son père haussait les épaules et lui donnait le dernier mot. Tout le monde savait que Pat n'aurait pas supporté de voir couper un arbre. Inutile de faire pleurer les yeux mordorés de cette enfant.

Là-bas, dans le Champ de l'Étang, Sid rassemblait des meules d'avoine. On disait que Sid pouvait monter les plus belles meules d'avoine de l'Île-du-Prince-Édouard.

Pat observa son père avec tristesse pendant qu'il traversait la cour et se dirigeait vers le Champ de l'Étang. Il marchait en effet plus lentement ; il était plus voûté. Et elle détestait l'admettre.

— Est-ce surprenant ? Après toutes ces semaines affreuses, alors qu'on ne savait pas si maman allait vivre ou mourir. Et je pense qu'il ne se remettra jamais vraiment du départ de Joe.

Winnie soupira de nouveau. Pat la regardait ardemment. Winnie était très distante et rêveuse depuis quelques jours. Pat se rappela soudain qu'elle n'avait pas entendu le rire de Winnie... depuis quand ? Depuis la dernière visite de Frank Russell. Et il n'était pas revenu depuis plus d'une semaine.

Tout le monde croyait cette année que Winnie et Frank se marieraient à l'automne. Pendant tout l'hiver, Judy avait crocheté du tapis « comme une folle ». Pat ne se réjouissait pas à cette idée, mais il fallait y faire face et l'accepter.

— Winnie, que se passe-t-il, ma chérie ?

— Il n'y a pas de problème, répondit Winnie avec impatience. Ne sois pas ridicule, Pat.

— Je ne suis pas ridicule. Tu es bien... étrange... depuis une semaine. Est-ce que tu es fâchée avec Frank ?

— Non, dit Winnie lentement. Puis son visage pâlit et ses yeux se remplirent de larmes. Il fallait qu'elle en parle à quelqu'un et elle ne pouvait pas déranger sa mère avec ça en ce moment. Pat n'était pas assez vieille pour comprendre, bien sûr... Winnie continuait à voir en Pat une simple enfant... mais c'était encore mieux que de ne pas parler à personne.

— C'est seulement... il s'est un peu fâché quand je lui ai dit qu'on ne pouvait finalement pas se marier cet automne... en tout cas pas avant quelques années.

— Mais... Winnie... pourquoi ? Je pensais que tout avait été arrangé.

— Oui. Avant que maman soit malade. Mais tu sais très bien, Pat, que tout a changé maintenant. Il faut regarder les choses en face. Maman nous est peut-être revenue pour quelques années encore mais elle sera toujours invalide. Toi tu vas commencer à enseigner et Judy n'est plus aussi jeune qu'elle l'était. Elle ne peut pas faire tout le travail qu'il y a à faire ici, même si tu l'aides après l'école. Et ça lui briserait le cœur qu'on engage quelqu'un qui puisse l'aider, même si papa pouvait se le permettre, ce qui n'est pas le cas. Alors il faut que je renonce à tous mes projets de mariage en ce moment. Bien sûr, Frank n'était pas content, mais il faudra qu'il l'accepte. Et s'il ne le peut pas... eh bien, il y a des tas de filles qui seraient prêtes à tenir maison pour lui.

Malgré elle, la voix de Winnie vacilla. Elle pensait à toutes ces filles disponibles avec beaucoup d'amertume. Et Frank avait été très... dur. Les Russell n'aimaient pas qu'on les fasse attendre. Elle savait qu'il n'attendrait pas pendant des années. Et s'il le faisait... ils seraient vieux et fatigués et toutes les jeunes fleurs de la vie seraient flétries et sans odeur. Comme pour cette pauvre Sophie Wright. Elle et Gordon Dodds avaient attendu quinze ans avant la mort de son père paralytique ; et Sophie n'avait jamais eu l'air d'une jeune mariée. Seulement d'une petite femme effacée que ça ne dérangeait pas vraiment d'être mariée ou pas. Et jusqu'à présent, Winnie n'était jamais revenue sur ses décisions. C'était de la bonne étoffe dans le clan des filles de Silver Bush. Elle plaçait le devoir avant toute chose, même dans un monde qui affirmait haut et fort que les temps avaient changé et qu'il fallait profiter de tout ce qui passait quand cela passait et laisser tout le reste en suspens.

Pendant un moment, Pat fut envahie d'un étrange sentiment de joie. Finalement, Winnie n'épouserait pas Frank. Il n'y aurait plus de changements à Silver Bush. Elle, Winnie et Sid continueraient à y vivre, prenant soin de leur père et de leur mère, aimant Silver Bush et s'aimant les uns les autres, ignorant tout des changements dans le monde qui les entourait. Ce serait le paradis.

Mais les yeux de Winnie ! On aurait dit des violettes

bleues que quelqu'un aurait piétinées et horriblement meurtries.

Pat n'avait jamais vraiment compris comment Winnie réussissait à aimer Frank comme elle l'aimait. Frank... si vous ne le détestiez pas parce qu'il vous enlevait votre sœur... était plutôt gentil, avec un bon visage rose et de beaux yeux gris-bleu. Mais il n'avait rien de vraiment romantique ; pas de compliments flatteurs, pas de mélancolie à la Lara, rien qui pouvait susciter toute une armée de sentiments comme ceux que Winnie semblait à l'évidence éprouver dès qu'elle entendait le bruit de ses pas à la porte.

Mais qu'est-ce que Winnie lui trouvait ? Pat renonça à répondre à cette question.

Toute sa joie s'évanouit lorsqu'elle vit les yeux de Winnie. C'était tout simplement ridicule de penser que les yeux de Winnie avaient l'air si... c'était ridicule, c'est tout. Et tout cela était inutile. Parce que, elle, Pat, avait déjà tout planifié.

— Winnie, sais-tu que ce que tu dis est complètement fou ? Évidemment que tu vas épouser Frank. Je ne vais pas prendre ce travail à l'école. J'ai pris cette décision quand maman est rentrée à la maison. Je serai là pour aider Judy.

— Pat, tu ne peux pas faire ça. Ce ne serait pas juste de te demander de renoncer à ton école après avoir étudié si fort à Queen's pour obtenir ton certificat. Il faut que tu aies ta chance...

Pat éclata de rire.

— Ma chance ! C'est justement cela. Je l'ai ma chance... la chance pour laquelle j'ai tant souffert. La chance de rester à Silver Bush et de m'en occuper. J'ai toujours détesté l'idée d'enseigner. Et qui te dit que je m'en sortirais bien dans une école de rang ? Il faudrait peut-être que je parte une autre année... et ça... mais je ne veux pas m'attarder là-dessus. Bien sûr que je préférerais plus que tout que maman soit forte et bien portante, même s'il fallait que j'aille jusqu'au bout du monde pour cela. Mais puisque c'est impossible... eh bien, j'ai au moins la consolation de savoir que je peux rester à la maison de toute façon.

— Et que va dire papa ?

— Papa le sait. Et, Win, il était soulagé. Il n'a jamais cru que tu ne te marierais pas et il ne savait pas comment il arriverait à se débrouiller dans tout cela. Parce qu'il ne voulait pas que je sois malheureuse non plus de renoncer à mon école. Malheureuse ! Pat éclata de rire de nouveau. Win, les parents ne sont pas ces monstres d'égoïsme qu'on trouve dans certaines histoires affreuses. Ils ne veulent pas que leurs enfants se sacrifient et renoncent à leurs projets pour eux. Ils veulent seulement leur bonheur.

— Tous sauf les fous, dit Judy, qui avait sorti son rouet et se sentait assez libre de se mêler à leur conversation. Y'a toujours que'q fous parmi les parents. Oh, oh, mais pas chez les Gardiner.

— Je pense, dit Winnie d'un ton plutôt mal assuré, si ça ne te dérange pas de terminer les pois, Pat... que je vais monter pour un petit moment.

Pat sourit. Winnie monterait dans sa chambre pour écrire à Frank.

— J'ai bien l'impression que Winnie va épouser Frank cet automne, Judy, dit Pat avec un serrement de gorge. Cela semblait rendre la chose si irrévocable, de la dire.

— Oh, oh, et pourquoi pas, la pauv' chérie ? Elle sait faire à manger et elle sait coudre. Elle peut se débrouiller avec pas grand-chose. Elle sait quand c'est qu'y faut rire et quand c'est qu'y faut pas. Oh, oh, elle est bonne à marier. Ça f'ra bien onze ans depuis not' dernier mariage à Silver Bush. Sûr, et ça commence trop à ressembler au paradis qui marie jamais personne et qui donne jamais personne en mariage.

— George Nicholson va se marier avec Mary Baker, annonça Cuddles, qui s'était baladée tenant dans ses bras un des chats de la grange tout tacheté qu'elle affectionnait particulièrement. J'aurais souhaité qu'il attende que je sois plus grande. Je crois qu'il m'aurait préférée à Mary parce qu'elle n'est pas drôle. Moi je suis drôle quand je ne suis pas tourmentée par ma conscience. Oh..., regardez Intrépide.

Intrépide avait rencontré un adversaire de taille depuis que Cuddles ramenait à la maison ce chat de grange. Le chat était affreux et décharné mais il ne s'en laissait imposer par personne. Intrépide était ridiculement effrayé par ce chat. C'était très amusant de voir un chat puant attaquer et mettre hors de combat un autre chat qui aurait dû pouvoir le démolir d'un simple coup de patte. Intrépide fila à travers la cour, vers le cimetière puis le Champ de la Tarte anglaise en hurlant de terreur.

— Regardez-moi ce Gentleman Tom qui s'amuse, dit Judy en riant.

— On a des chats adorables à Silver Bush, dit Cuddles avec suffisance. Des chats intéressants. Et ils ont un air. Ils marchent avec tant de fierté et ils tiennent leur queue bien dressée. Les autres chats ne tiennent pas le coup. Trix Binnie a ri quand je lui ai dit ça et elle m'a dit : « Tu deviens aussi folle que ta sœur Pat, là-bas, dans ton vieux Silver Bush, en pensant qu'il n'y a rien d'autre sur terre ». Eh bien c'est vrai qu'il n'y a rien d'autre sur terre et je le lui ai dit. Et j'ai raison, hein, Pat ?

— Tu as raison, dit Pat avec ferveur. Mais voilà ton chat de grange qui revient et tu devrais le ramener à la grange avant que papa le voie. Tu sais qu'il ne veut pas qu'on les fasse entrer dans la maison. Il dit qu'il s'accommode bien de Gentleman Tom et d'Intrépide parce qu'ils sont comme une vieille tradition.

— Il a quel âge, Gentleman Tom, Judy ?

— Oh, oh, son âge ? Le Bon Homme d'en Haut devrait bien le savoir, Lui. Tout ce que je sais, moi, c'est qu'il est venu ici il y a douze ans, ayant l'air aussi vieux qu'y a l'air en ce moment même. P'tête bien qu'y a pas d'âge pour lui, conclut Judy mystérieusement. J'pourrais jamais imaginer qu'y a déjà été un p'tit chaton, qu'est-ce que t'en penses ?

— Je suis sûre qu'il pourrait nous raconter des tas d'histoires étranges, Judy. C'est dommage que les chats ne sachent pas parler.

– Parler que tu dis ? Qui c'est qui t'a dit qu'y pouvaient pas parler, Cuddles chérie ? Mon grand-père à moi, y'a entendu deux chats se parler entre eux un jour mais y'a jamais voulu dire c'qu'y s'étaient dit... Non, non, y voulait pas se trouver du mauvais côté de la tribu. Et comme je l'disais à Siddy l'aut' dimanche quand y'était en train de devenir fou à cause qu'Intrépide y s'était couché sur son beau pantalon qu'il lui avait mis des poils de chat partout : « Pense c'que tu veux des chats, Siddy, chéri » que j'lui ai dit « mais ne dis rien. Au cas où le roi des chats t'entendrait en ce moment ! »

– Et que se serait-il passé si le roi des chats l'avait entendu, Judy ?

– Oh, oh, on va laisser c't'histoire pour un soir de grosse tempête en hiver, Cuddles, quand c'est que tu dormiras avec la vieille Judy bien au chaud. Puis, j'te raconterai c'qu'y est déjà arrivé à un homme dans mon vieux pays d'Irlande qui avait dit des choses à propos de chats, un peu trop fort et sans faire attention. C'est pas une histoire pour un après-midi d'été avec un mariage dans l'air.

Winnie se marierait fin septembre et Silver Bush se lança dans des préparatifs qui devaient durer six semaines. Judy fit installer dans le garde-manger une nouvelle étagère qu'elle remplissait de rangées et de rangées de pots de confitures rubis pour Winnie. Les boiseries dans la Chambre du Poète seraient repeintes en bleu pastel et ce fut un plaisir de choisir le papier peint qui s'harmoniserait avec cette couleur. Et ce, en dépit du fait que Pat détestait arracher le vieux papier peint. Il était là depuis si longtemps. Et elle regrettait qu'on recouvre les fauteuils du grand salon. Il y avait une espèce d'harmonie dans cette vieille pièce, telle qu'elle était en ce moment. Les nouveaux objets juraient. Mais Silver Bush devait être en grande forme parce que Winnie aurait un grand mariage.

— Le clan aime bien en mettre un peu tout plein la vue, dit Judy avec délectation.

— Ça veut dire beaucoup de travail, dit tante Edith qui semblait désapprouver toute cette entreprise.

— Du travail ? Tu parles, qu'on a du travail. On est aussi occupé qu'une poule avec tous les petits poussins que chacun est. Faut que j'me maintienne rien qu'un p'tit peu d'avance. Mais j'aime pas ça les p'tits mariages à la sauvette comme si qu'on en avait honte. On va en avoir un gros, avec toute la parenté des deux côtés et beaucoup de cadeaux et deux demoiselles d'honneur et une bouquetière... Oh, oh, et le trousseau de Winnie ! Du genre qu'on n'a jamais vu à Silver Bush. Tous ses petits sous-vêtements faits à la main. « Un centimètre ouvragé vaut un kilomètre à la machine », que j'ai dit à Mme Binnie quand c'est qu'a m'a dit que la cousine de sa fille en avait deux douzaines de chaque. Et ce sera un réconfort pour moi quand c'est que je monterai à ma chambre à soir, pis que j'tomberai dans le sommeil comme si on m'avait fait passer par le trou d'la serrure.

— Oh, Judy, toi et moi on devient de vraies petites vieilles, soupira tante Barbara.

Judy la regarda d'un air scandalisé.

— Oui, oui, mais chhht... faut pas parler de ces choses-là, ma chère amie, chuchota-t-elle avec appréhension.

Winnie avait une robe de mariée de rêve... le genre de robe que toutes les filles aimeraient avoir. Tout le monde l'adora sauf tante Edith, qui était scandalisée qu'elle soit si courte. Les robes n'avaient jamais été aussi courtes qu'à l'époque du mariage de Winnie. Tante Edith avait prié pendant des années pour que les robes des femmes allongent mais, vraisemblablement, en vain.

— C'est une réalité qui ne peut en rien être affectée par tes prières, lui avait dit oncle Tom d'un ton grave.

Winnie naviguait à travers toute l'agitation des préparatifs avec un éclat dans les yeux, souriant d'un air rêveur à des pensées qui n'appartenaient qu'à elle. Frank hantait

Silver Bush au point où Judy se trouva quelque peu irritée par sa présence.

– Je comprends bien qu'il se sente à sa place ici, mais j'aime pas ça le voir mettre son nez dans tout c'qu'on fait, grommela-t-elle.

– Frank se consacre entièrement à Winnie, dit Pat d'un ton plutôt distant. Je pense que c'est très beau.

Elle avait finalement accepté Frank comme faisant partie de la famille ce qui l'autorisait à prendre sa défense, même devant Judy.

– Je me demande comment Frank a fait sa demande à Winnie, s'interrogea Cuddles, alors qu'elle donnait un coup de main à Pat qui décorait un gâteau avec de pâles pétales d'angélique vert argenté et des cerises cramoisies. J'imagine qu'il était très romantique. Penses-tu qu'il s'est mis à genoux ?

Sid, qui passait prendre un verre d'eau, éclata de rire.

– On ne fait plus ça de nos jours, Cuds. Frank a tout simplement dit à Winnie : « Et qu'est-ce que tu penserais de ça, ma fille ? » C'est ce que j'ai entendu. Sid soulagea sa conscience en lançant un clin d'œil à Judy pendant que Cuddles avait le dos tourné.

– Quand moi je serai grande et que quelqu'un voudra demander ma main, il faudra que ce soit pas mal plus éloquent et fleuri que ça. Je te le jure, sinon je n'écouterai même pas ce qu'il aura à dire, dit-elle.

– La grenouille s'en alla faire la cour, fit remarquer Judy de façon énigmatique.

37

Le mariage de Winnie

LES FIANÇAILLES furent annoncées dans les journaux...
une nouvelle mode que Judy désapprouvait.

– Oh, oh, et puis s'il y avait un problème entre la tasse
et les lèvres ? grommela-t-elle. Sûr et que nous serions dans
un paquet de problèmes si n'importe quoi sauf de bon arrivait à Frank d'ici les trois prochaines semaines. Y'avait
Maggie Nicholson, que j'me souviens... son prétendant
qu'y est devenu complètement malade d'la tête une semaine avant le jour lui-même et c'est à l'asile qu'il est
depuis ce temps-là. Vous pensez pas que les Binnie y rie-
raient de nous autres si y'avait pas de mariage du tout après
tout.

Seulement trois semaines avant le jour du mariage... le
mariage de Winnie, le jour où elle quitterait Silver Bush
définitivement. Il y avait des moments où Pat sentait
qu'elle ne pouvait pas supporter cette idée. Quand Vernon
Gardiner avait dit à la blague à Winnie :

– La prochaine fois que je te verrai, il faudra que je
t'appelle Madame Russell, Pat était montée dans sa chambre pour pleurer. De penser que Winnie serait Mme Russell. Cela sonnait si terriblement différent et lointain. Sa
Winnie !

Les larmes n'empêchèrent pas les journées de filer. Le mariage devait avoir lieu à l'église. Pat voulait que Winnie se marie à la maison sous le hêtre pourpre dans le jardin. Maman ne pouvait pas se rendre à l'église. Mais Frank voulait l'église. Les Russell étaient anglicans et s'étaient toujours mariés à l'église. Frank réussit à obtenir ce qu'il voulait... « évidemment », comme Pat le fit remarquer avec mépris à qui voulait l'entendre.

Pat et Judy cuisinaient sans relâche, constamment à la chasse aux recettes préférées de tout le monde... des plats qui n'avaient pas été servis depuis des années parce qu'ils demandaient trop d'œufs. À lui seul, le traditionnel gâteau de la mariée de Silver Bush en exigeait trois douzaines.

Les tantes de Bay Shore et celles de Swallowfield envoyèrent des paniers remplis de douceurs. Le panier de tante Barbara était rempli de toutes sortes de biscuits... des biscuits à l'orange, des biscuits aux dattes, des bouchées à la vanille et des carrés aux noix et Dieu sait quelle quantité d'autres petits miracles sucrés.

– Oh, oh, ça s'ra pas tellement comme la table du mariage de la Lorna Binnie, exultait Judy. Sûr et la pauvre Mme Binnie pensait que si a découpait ses biscuits d'une douzaine de façons différentes que ça leur donnerait une douzaine de saveurs différentes. Maintenant, Patsy chérie, tu veux bien surveiller mes poulets pendant que je m'en vas laver mes poteaux de jardin.

Dès l'aube, Intrépide alerta tout Silver Bush qu'il avait trouvé une souris et le pas de Judy résonna dans l'escalier de la cuisine. Le silence du matin était déjà brisé par le va-et-vient des préparatifs de dernière minute. Il avait plu toute la nuit mais il faisait maintenant très beau et un ciel nouveau brillait dans ce monde heureux, avec son visage lavé et ses yeux clignotant au soleil.

– Sûr et que le jour a été commandé, dit Judy en passant le râteau sur la pelouse où des rouges-gorges tiraient de longs vers gras.

Pat fut incapable d'avaler une bouchée au petit déjeuner.

377

Elle était étonnée de voir que Winnie mangeait avec autant d'appétit. Pat était certaine que si *elle* se mariait, elle serait incapable de manger une semaine avant le grand jour. Bien sûr, elle ne voudrait pas que Winnie fasse comme la pauvre Lena Taylor, qui, d'après ce qu'on disait, avait pleuré pendant un mois avant de se marier. Mais si on partait de Silver Bush ce jour-là, comment pouvait-on avoir de l'appétit ?

L'avant-midi passa en coup de vent. Il fallait dresser la table... *oh, pourquoi les familles se brisaient-elles comme ça ?* Pat se déplaçait entre les salades, les gelées et les gâteaux, comme une châtelaine. *Cette fois, demain, Winnie appartiendra à une autre famille.* Chaque invité avait sa place désignée : Pat avait le don de mettre les bonnes personnes aux bonnes places... *il ne resterait plus qu'elle, Siddy et Cuddles à Silver Bush.* Les pièces s'épanouissaient sous ses mains. La petite alcôve qu'oncle Tom appelait le coin de Cuddles était couvert de coussins ronds et dorés comme des petits soleils... *C'était affreux de trouver du plaisir à toutes ces choses alors que Winnie était sur le point de partir.*

Il fallait couper des fleurs. En général, Pat n'aimait pas couper les fleurs. Elle éprouvait tant de plaisir devant leur splendide épanouissement... un sentiment qui lui faisait croire qu'elle aurait mal de les voir couper. Mais aujourd'hui, elle les coupa sauvagement.

La table était magnifique. Ce serait si dommage de tout gâcher... de la retrouver en désordre après le repas. Mais, comme le disait Judy, c'était ça, la vie.

— De toute façon, Silver Bush a l'air parfaitement merveilleuse, pensa Pat dans un moment de ravissement.

En un certain sens, c'était comme l'écho du mariage de tante Hazel, il y a très longtemps. La même confusion pendant que tout le monde s'habillait. Gentleman Tom était le seul qui restait calme dans la maison. Judy était perturbée parce qu'on avait vu Intrépide galoper dans le hall avec une énorme souris morte et Dieu seul sait ce qu'il avait pu en faire. Cette Cuddles, si vaniteuse, s'était plantée devant tous les miroirs de la maison pour voir lequel lui renvoyait la plus belle image ; elle avait des problèmes avec sa robe de mousseline fleurie. Il avait été difficile, pour Cuddles, d'accepter qu'elle était trop vieille pour être la bouquetière de Winnie. Emmy, la fille de tante Hazel qui avait six ans, fut choisie et Cuddles était secrètement déterminée à être plus jolie qu'elle.

— Il a l'air de quoi, mon nez, Pat ? Penses-tu qu'il est trop gros ?

Le nez de Cuddles l'avait toujours inquiétée. Comment serait-il plus tard ?

— Si c'est le cas, je ne vois vraiment pas ce que tu peux faire, avait dit Pat en riant. Laisse tomber ton nez, Cuddles chérie. Tu as l'air adorable.

— Je ne pourrais pas mettre un peu de poudre dessus, Pat ? S'il te plaît. J'ai onze ans.

— Cela ne ferait qu'attirer l'attention sur ton nez, prévint Pat.

Cuddles acquiesça. Elle lança un regard rempli de satisfaction à son reflet dans la glace.

— J'ai décidé, annonça-t-elle sur un ton très péremptoire, que je me marierais à l'âge de vingt ans et que j'aurais trois enfants. Pat, est-ce qu'il faut que j'embrasse Frank ?

— Moi, je ne le ferai pas, dit Pat brutalement.

Judy, qui se préparait à « témoigner les mariés », comme elle disait, avait une fois de plus mis de côté sa robe de tous les jours et son accent irlandais. Elle sortit sa robe des grands jours et son plus bel accent anglais. Mais la première était un peu serrée. Pat eut beaucoup de difficulté à refermer les boutons sur Judy.

— Sûr et que j'avais une taille quand c'est qu'elle a été faite, se plaignit Judy. Tu ne penses pas qu'elle est un peu trop vieux jeu cette robe, Pat ?

Pat trouva un peu de dentelle et fit des merveilles. Judy avait vraiment l'air « chic ».

Maman était prête, très digne dans le grand salon avec ses cheveux gris et ses beaux yeux bleus. Pat réalisa avec un léger pincement au cœur que sa mère avait beaucoup grisonné cette année-là. Mais elle avait l'air d'une image dans sa jolie robe gris argenté et rose, avec le collier que papa lui avait offert à sa sortie de l'hôpital... un rang de petites gouttelettes d'ambre comme de la rosée d'or. Papa n'irait finalement pas à l'église. Au dernier moment, il avait décidé qu'il ne pouvait tout simplement pas laisser maman seule à la maison. C'est oncle Tom qui tiendrait le bras de la mariée. Winnie n'était pas très contente. Son énorme barbe féroce était tellement démodée. Mais finalement Winnie était trop heureuse pour s'en faire avec ces choses. Elle était exquise dans sa robe de mariée, cette chatoyante jeune femme dont le visage et les yeux étaient l'incarnation de l'amour et de l'extase. Pat sentit sa gorge se nouer en la regardant. Et Frank Russell fut soudain l'homme qui arrivait à combler Winnie de bonheur. Elle lui pardonna l'offense de devenir son beau-frère.

Sur l'horloge de la cuisine, il était moins dix. Dans le salon, et cinq. L'horloge de la salle à manger indiquait l'heure. Ce qui voulait dire qu'il était et quart et temps de partir.

Assise dans l'église bondée, décorée de lis tigrés fauve et de glaïeuls jaune citron (les filles de la CGIT l'avaient décorée pour Winnie) Pat faisait beaucoup d'efforts pour ne pas pleurer. Winnie l'avait sérieusement prévenue : « Pat, que je ne te voie surtout pas pleurer le jour de mon mariage. » Elle avait été si près de pleurer au mariage de tante Hazel, il y a longtemps de cela, mais aujourd'hui c'était dix fois pire.

C'était étrange de voir le marié si pâle... lui qui était toujours si rose et si joufflu. Mais il avait belle allure. Elle était contente que ce soit un beau garçon. Si Silver Bush devait se retrouver avec des beaux-parents, il valait mieux qu'ils soient beaux. L'impressionnante barbe d'oncle Tom avait l'air mauve dans la lumière filtrée par le vitrail... comme un vieux roi d'Assyrie. Winnie avait dit « Je le veux ». Comme c'était solennel ! Il suffisait de dire ou de ne pas dire un seul mot et toute une vie pouvait changer... peut-être même le cours de l'histoire. Si la mère de Napoléon avait dit « non », au lieu de « oui » ? Eh bien, c'était fini, fini... Winnie était Mme Frank Russell. Les jeunes mariés se dirigeaient vers la sacristie... Norma, la fille d'oncle Brian chantait l'Hymne à la joie... Pat se rappelait cette journée mémorable où elle avait giflé Norma.

Qu'est-ce que cet affreux cousin Sam Gardiner lui chuchotait au-dessus du banc ? « Je me demande combien de maris et de femmes dans cette église auraient envie d'un petit changement ? » Combien, en effet ? Peut-être le vieux Malcom Madison qui, disait-on, n'avait ri que trois fois dans sa vie. Peut-être Gerald Black, dont la femme aimait passionnément écraser les mouches au point où elle s'était penchée un jour dans l'église pour en écraser une sur la tête chauve de Jackson Russell. Ou Mme Henry Greene, dont le mari, de l'avis de Pat, ressemblait à sa propre pierre tombale. Elle se demanda si l'histoire que Judy lui avait racontée était vraie... qu'il avait été fouetté un jour en classe parce que l'instituteur l'avait surpris écrivant une lettre d'amour sur son ardoise à Lara Perry qui était à moitié gitane. C'était impossible, pas avec cette bouche de vieux presbytérien écossais. Le vieil oncle John Gardiner surmontait l'attente en piquant un somme. Est-ce qu'on ne racontait pas que sa jambe de bois avait pris feu un jour qu'il sommeillait près du foyer ? Il y avait aussi Mme James Morgan qui n'avait jamais pardonné à sa fille d'épouser Carl Poter et qui n'avait jamais mis les pieds dans sa maison. Comment une famille pouvait-elle se comporter de la sorte ?

Mme Albert Cody... née Sarah Malone. Judy en connaissait une bonne à son sujet. « Oh, oh, elle avait un de ces hommes pas compliqués... qui lui a tourné autour pendant des années et des années pis que ça 'avait jamais rien donné. Sarah s'en est allée en visite chez sa tante à Halifax et qui lui a écrit toutes sortes de choses sur ses prétendants et qu'a s'amusait bien. Ça lui a fait bien peur et il lui a écrit de s'en revenenir puis qu'il allait la marier. Sûr et qu'y avait pas un mot de vrai dans c'qu'a racontait la Sarah. Sa tante, 'a l'était malade et c'est bien sûr qu'a sortait jamais d'la maison.

Sarah Cody enseignait à l'École du Dimanche et avait l'air très douce et dévouée à côté de son pas compliqué d'Abner. Vraisemblablement, Judy avait tout inventé.

(Qu'est-ce que cette affreuse Mme Stephen Russell chuchotait ? « Elle a commis l'erreur de choisir une plus jolie demoiselle d'honneur qu'elle ». Ce n'était pas vrai, certainement pas, Allie Russell n'était même pas aussi jolie que Winnie.) Le vieux Grant Madison, qui avait raconté un jour à papa qu'il avait lu trop de choses effroyables au sujet de l'histoire ancienne pour croire en Dieu. Comment faisait-il pour vivre ? Mme Scott Gardiner avait réussi à repasser ses rides : « des trucs de beauté », disait Judy avec dédain. Et pourquoi diable Winnie ne revenait-elle pas ? Mais il n'y a plus de Winnie désormais ; seulement une mystérieuse étrangère mieux connue sous le nom de Mme Frank Russell. À quoi pouvait bien penser cette chère Cuddles qui fixait de ses yeux rêveurs les vitres teintées, perdues dans des nuages bleus et jaunes. Elle était vraiment tout à fait ravissante. Pat se rappela avec fascination qu'elle n'avait pas voulu que Cuddles vienne au monde.

Puis de nouveau à la maison. On s'était serré les mains, félicité et embrassé. Pat avait même embrassé Frank. Mais elle avait serré Winnie très fort dans ses bras.

— Et pour toi, beaucoup, beaucoup de bonheur, ma très chère adorée, lui avait-elle chuchoté.

Puis elle s'était précipitée sur son tablier d'organdi. Il fallait sortir les rafraîchissements de la chambre froide, mettre le poulet à la crème dans les moules, disposer les cadeaux de mariage avec juste ce qu'il faut d'emphase. Les enfants couraient sur la pelouse comme de jeunes roses. La maison était remplie de monde. Tous les Gardiner et demi-Gardiner, tous les Selby, tous les Russell étaient présents. « On dirait le jour du jugement dernier », dit le vieux cousin Ralph Russell. Il attrapa Pat par le bras et fit quelques pas avec elle.

— La fille d'oncle Alec. J'ai entendu dire que tu étais devenue une beauté. Laisse-moi te regarder un peu. Non, non pas une beauté... et tu n'es pas une lumière à ce qu'on m'a dit... mais tu as un genre bien à toi. Tu te trouveras un homme.

Les gens étaient tellement obsédés par cette histoire de mariage ! C'était dégoûtant. Même le vieux Ellery Madison, qui se vantait sans arrêt d'avoir su éviter tous les pièges, appelait Pat « mon petit canard » et lui dit qu'il l'épouserait bien si elle le voulait.

— Si tu attends un peu qu'on soit tous les deux assez grands, j'y réfléchirai peut-être, rétorqua Pat.

— Oh, oh, mais c'est bien comme ça qu'y faut leur parler, lui dit Judy alors qu'elles allumaient les chandelles. Moi-même j'lui ai cloué le bec aussi sec quand c'est qu'y m'a dit : « Y'est temps que tu te maries, Judy. Les hommes y aiment pas les femmes qui osent vivre sans eux », qu'y dit. Sûr et que j'l'ai snobé c'te créature depuis c'temps-là. Y'ont rien d'autre à faire que d'encombrer ma cuisine et user les tapis. Le vieux Jerry Russell, y'm'dit, qu'y dit : « Mam'zelle Plum, pensez-vous que Dieu il est Dieu ou seulement une grande cause ? » Et Mark Russell y dit, avec sa face aussi sévère qu'un juge : « Pensez-vous que le gouvernement va déclencher des élections cet automne, Mlle Plum ? » Sûr et si j'savais pas qu'y essayait de m'faire marcher ? J'lui ai dit, que j'dis : « Si vous le savez pas, un mariage c'est pas un endroit pour parler de Dieu et de politique. Et j'vous r'mercierais bien d'arrêter de me Mam'zelle Plumer », que j'dis et ça lui a cloué le bec. Sûr et qu'tu penses pas qu'la cérémonie a'l'était grandiose, Patsy chérie ? Jake Russell y m'a dit : « C'est la plus jolie mariée que vous avez jamais eue à Silver Bush », et que j'lui réponds, que j'dis : « Pour une fois dans vot' vie, vous v'nez de dire une bêtise à pleine bouche. » Mais c'te bague en platine, tu penses-tu que c'est très légal ? J'pens'rais bien que Winnie a' se sentirait plus en sécurité avec une bonne vieille bague en or.

— Judy, comment vais-je supporter que Winnie quitte la maison ?

— 'Faut qu'ta laisses partir avec le sourire, Patsy chérie. Quel que soit c'qui arrive après, laisse-la partir avec le sourire.

38

Des rires et des larmes

TOUT ÉTAIT FINI. Winnie était partie. « Pat chérie, avait-elle chuchoté avec ses yeux doucement remplis d'adieux, tout était merveilleux. J'ai vraiment beaucoup aimé mon mariage. Judy et toi avez été extraordinaires. »

Pat réussit à sourire, comme Judy l'en avait exortée, mais lorsque Judy la découvrit en contemplation devant les tables désertées, elle lui dit :

– Judy, tu ne trouves pas que c'est bien de pouvoir... d'être capable de... s'arrêter de sourire ? Je... j'espère qu'il n'y aura pas d'autres mariages à Silver Bush avant cent ans.

– Voyez-vous ça ! Moi j'aimerais qu'il y ait un mariage tous les jours, dit Cuddles. J'imagine que le prochain ce sera le tien. Et puis ensuite, ce sera mon tour. Tout ça, bien sûr, ajouta-t-elle d'un air pensif, si je peux trouver quelqu'un qui s'intéresse à moi. Je n'ai pas envie d'être une vieille fille.

– Sûr et viens pas me faire de la peine, dit Judy. Moi, j'suis une vieille fille.

– Je l'oublie toujours, dit Cuddles, désolée. Mais tu n'es pas du tout comme une vieille fille, Judy. Tu es... tu es seulement Judy.

— M. Ronald Russell de Saint-John a dit que maman était la plus belle femme qu'il avait jamais rencontrée, dit Pat.

— Et qu'tu vas aimer M. Ronald Russell toute ta vie, pour avoir dit ça. Mais j'ai bien l'impression qu'y a raison. Tu l'as-tu entendu dire à Winnie : « Allez-vous en faire un presbytérien ? »...parlant de Frank. Et Winnie qu'a répondu : « On devient pas presbytérien, on naît presbytérien », qu'a dit. Oh, oh, comme que sa réponse a l'était intelligente, mon bonhomme ? J'ai bien l'impression que Saint-John pourra jamais battre Silver Bush. Y'avait pas laissé son appétit au vestiaire, celui-là. Mais moi j'aime bien les hommes qui savent apprécier la bonne cuisine.

— Il est membre du Parlement, dit Pat, et on dit qu'il sera Premier ministre un jour.

— Et c'est bien le fils de ce vieux méchant Russell-le-Bref ! Un gros gaillard ! dit Judy d'un ton méprisant.

— J'espère que les photos seront jolies, dit Cuddles. Je suis sur toutes les photos.

— De toute façon, Winnie a'l'a pas été photographiée avec son bras autour du marié comme c'est arrivé avec Jean Madison. Indécenterie, que j'appelle ça. Et maintenant, Patsy chérie, tu veux-tu commencer à nettoyer ou bien qu'on attend à demain matin.

— Comme tu as envie, Judy.

— Oh, oh, c'est toi la maîtresse maintenant, avec Winnie qu'y est partie et ta mère qu'y faut pas déranger. C'est à toi de donner les ordres et c'est à moi d'y obéir.

— C'est ridicule, Judy. Tu m'imagines te donnant des ordres ?

— J'aimerais mieux ça comme ça, Patsy chérie, dit Judy fermement.

Pat hésita. Puis elle accepta tranquillement la souveraineté de Silver Bush.

— Très bien, Judy. On va tout laisser là pour ce soir. Nous sommes tous très fatigués. Tu te rappelles la nuit après le mariage de tante Hazel, quand on a nettoyé la salle à manger ?

— Et le p'tit trésor que t'as été, travaillante comme une esclave pour t'empêcher de pleurer.

— Et tu m'as raconté des histoires drôles. Judy, pourquoi est-ce qu'on n'allume pas un feu... il y a un peu de fraîche cette nuit et le premier feu est toujours si merveilleux. On s'assoira un peu et tu me raconteras des histoires.

— T'as bien dû entendre mes histoires un million de fois, Patsy. Bien qu'en y pensant bien, quand c'est que j'ai vu Joe Keller aujourd'hui, qu'y s'était marié avec sa femme parc'qu'y avait une fille avec qui qu'y sortait qui l'a laissé tomber et que sa femme a l'a marié parc'que Sam Miller de Bay Shore y l'a laissée tomber, elle. Alors, tu t'attendrais à quoi, toi ?

— Qu'ils ne soient pas très heureux, Judy.

— Oh, oh, et c'est bien là que tu te trompes, mon trésor. C'te mariage-là, ça été un grand succès. J'te dis que c'est la vie, ce genre de choses-là, tu sais.

— La vie est étrange, Judy. Winnie et son Frank en ce moment... elle n'a pas l'air de douter de grand-chose. Moi, j'aurais peur... je ne serais jamais certaine de pouvoir aimer quelqu'un assez fort pour l'épouser. Et puis aujourd'hui... au plus profond de mon cœur, j'étais malade de voir partir Winnie... et pourtant, en surface, je m'amusais beaucoup de tout ce qui se passait autour de moi.

— Y'aura toujours queq'chose qui dérange sur les bords, dit Judy avec perspicacité. Et c'est bien pour ça qu'les choses sont jamais aussi dures qu'elles en ont l'air.

Hilary vint les rejoindre après avoir ramené quelques-uns des invités à la gare. Intrépide, qui boudait depuis le matin parce que personne ne s'était pâmé d'admiration devant lui, s'allongea sur le tapis, les pattes recroquevillées sur son museau et la queue encerclant son corps, et il pardonna ses fautes à l'univers. La vieille tante Louisa, qui avait vu tant de choses venir et partir, les regardait depuis son mur. Les petits chatons blancs gambadaient toujours dans leur éternelle jeunesse. Le roi William chevauchait toujours aussi fièrement à travers la Boyne. C'était... plutôt agréable de retrouver cette sensation de calme et de tranquillité. Et pourtant, après toute cette agitation, Pat craignait qu'un épouvantable silence et une affreuse immobilité ne s'abattent sur elle lorsqu'elle se mettrait au lit. Elle retint Hilary aussi longtemps qu'elle le pouvait et fut si gentille avec lui que, en lui disant bonsoir sous le peuplier, il eut assez de courage pour lui demander de l'embrasser.

— Bien sûr que je vais t'embrasser, dit Pat avec grâce. J'ai embrassé tant de monde aujourd'hui, qu'un de plus ou un de moins ne fera pas de différence.

— Je ne veux pas que tu m'embrasses comme tout le monde, dit Hilary... qui la laissa sur cette note.

— Oh, oh, et que t'aurais p'tête dû l'embrasser, dit Judy, qui se mêlait toujours de ce qui ne la regardait pas. 'Y s'en va bientôt bien assez loin, le pauv' garçon.

— Je... je... j'étais tout à fait d'accord pour l'embrasser, s'écria Pat en s'étouffant. Et ne... ne... me parle pas de son départ. Je ne peux pas le supporter, ce soir.

Pat se sentit très seule en se mettant au lit. La maison semblait si vide maintenant que les rires de Winnie ne résonneraient plus. Le miroir qui avait si souvent reflété son visage se trouvait juste là. La petite chaise vide où elle s'était souvent assise semblait très éloquente. Ses petits chaussons oubliés qui auraient pu danser seuls durant toute la nuit, tant ils avaient dansé avec les pieds de Winnie, se consolaient l'un l'autre sous le lit. On aurait dit que ses pieds venaient de les quitter. Son parfum flottait encore dans la chambre. Tout cela était si terrible.

Pat se pencha à la fenêtre pour boire l'air frais et exquis. Le vent soufflait de façon sinistre dans les bosquets. Un chien aboyait, là-bas, à Swallowfield. Pat se serait plutôt attendue, en retrouvant la solitude de sa chambre, à éprouver un terrible sentiment d'angoisse. Mais il y avait encore le clair de lune... et les chouettes dans le bosquet de bouleaux. Les anciens fidèles de la maison étaient toujours présents... ce ne serait pas si mal d'avoir une chambre bien à elle.

Une maison a toujours l'air pathétique et antipathique au lendemain d'une fête. Pat trouva du bonheur et du réconfort à la nettoyer du grenier à la cave. Les cadeaux furent placés dans des boîtes et expédiés à Bay Shore. Ce fut amusant de lire le compte rendu du mariage dans les journaux.

« *Avant la cérémonie, la mariée était Winifred Alma, fille de M. et Mme Alec Gardiner.* » Pat fut blessée par cette phrase. Winnie n'était-elle pas toujours leur fille ? *Les demoiselles d'honneur portaient des robes de crêpe georgette rose, des chapeaux de mohair rose et des bouquets de pois de senteur. La jeune Emmy Madison était une charmante bouquetière dans une robe de voile rose.* La chère petite Emmy qui avait son nom et la description de sa robe dans les journaux ! *Mademoiselle Patricia Gardiner, la sœur de la mariée, était charmante dans une robe de voile couleur souci. Et, oh, oh... Mlle Judy Plum portait une jupe de soie bleue avec un corsage de roses.* Cela devait être la faute de cette espèce de Jen Russell. Judy était extrêmement flattée. Son nom qui se trouvait là avec tous les détails, entre guillemets avec le nom de la tante du marié, l'arrogante Mme Ronald Russell dans son satin noir et ses orchidées mauves ! Quoique Judy fût un peu perplexe quant à l'emploi du terme « corsage ». Cela semblait... eh bien... un p'tit peu bizarre.

Puis il y eut les visites à Bay Shore pour donner un coup de main à Winnie qui s'installait dans sa grande maison blanche avec la grande étendue d'eau couleur saphir à l'horizon, au milieu d'un jardin coloré, envahi par le parfum des sapins et rempli de la musique du vent et du chant des abeilles ; le jardin bercé par la complainte des « dangereux oubliés de la mer » se prolongeait en terrasses jusqu'au port. Pat aurait été assez heureuse si elle avait pu oublier que Hilary était sur le point de partir.

39

La châtelaine de Silver Bush

PAT SE SENTAIT plus vieille que si elle avait eu cinquante ans. La vie était tout à coup dépouillée et froide. Hilary partait vivre à Toronto pour suivre un cours de cinq années en architecture.

Sa mère s'en était occupée, raconta-t-il à Pat brièvement. Depuis cette journée affreuse, quand Doreen Garrison avait finalement tourné le dos à son bébé-Jingle, Hilary n'avait jamais plus parlé de sa mère. Pat savait qu'il ne recevait jamais de ses nouvelles hormis quelques mots très brefs accompagnant un chèque pour ses dépenses à l'université.

Pat était heureuse pour Hilary. Il était sur le point de réaliser tous ses rêves et toutes ses ambitions. Mais elle souffrait. Plus personne avec qui flâner... plus personne à qui elle pourrait se confier... c'était toujours si simple de parler à Hilary. Plus personne avec qui blaguer.

— On a toujours ri des mêmes choses, Judy.

— Oh, oh, et c'est bien pour ça que vous étiez de si bons amis, Patsy. C'est la vraie preuve. J'trouve ça bien dommage, moi, que Jingle y s'en aille. Ce s'ra un fin jeune homme plus tard, un beau grand gars honnête. Et tu m'dis qu'y va être architecte. Oh, oh, j'espère bien qu'y s'ra pas comme celui dont j'ai entendu parler en Irlande. Lui, y'achetait ses plans de belles maisons du Diable en personne. Et le prix qu'y fallait qu'y paye c'était l'âme de sa bien-aimée. Y'avait une bien grande maison, c'est moi qui te l'dis, mais y'a jamais personne qu'a voulu vivre dedans.

— Je ne pense pas que Hilary achète ses plans du diable en payant avec l'âme des autres, dit Pat avec un sourire éteint. Il saura très bien les dessiner sans l'aide de personne. Mais, Judy, il me semble que je n'arrive vraiment pas à supporter son départ. Bets est morte... Winnie est partie... et maintenant, Hilary.

— C'est moi-même que je me suis rendu compte que les choses elles viennent toujours par trois comme ça, Patsy. Y semble bien que maintenant, y'a rien que du bon qui pourra arriver pendant un bon p'tit bout de temps.

— Mais la vie sera tellement... tellement vide, Judy.

— Y r'viendra un de ces jours.

Pat secoua la tête. Parler du retour de Hilary était insensé. Elle savait qu'il ne reviendrait jamais, sauf un mois ou deux, pendant les vacances. Leurs années de joyeuse camaraderie étaient passées... toutes ces heures dans le Bonheur... leurs promenades à travers les prairies et sur les rivages. L'enfance était partie. Les « premiers vrais enchantements » de la jeunesse étaient partis.

— Et qu'est-c'est qui va se passer avec McGinty ? Oh, oh, y'en a un qui va avoir le cœur brisé et c'est c'te pauv' p'tit chien.

— Hilary me confie McGinty. Je sais que nous aurons tous les deux le cœur brisé. Mais si l'amour peut le soulager...

Pat s'étrangla. Elle pouvait imaginer les yeux de McGinty quand les lendemains ne ramèneraient pas Hilary.

— Oh, oh, mais que je suis contente d'entendre ça. J'aime pas les maisons sans chien. Les chats, c'est des créatures intéressantes, comme le dit si bien Cuddles, mais c'est

391

autre chose d'avoir un chien. Sûr et que ce sera amusant de garder les os pour lui.

Pat savait que Hilary l'attendait dans le Bonheur. Ils s'étaient entendus pour se faire leurs adieux là-bas, avant que Hilary ne parte pour prendre le train de nuit. Elle marcha lentement. Le paysage était coloré ; il y avait à peine une pointe de gel dans la douceur environnante ; le soleil de ce début de soirée était extraordinairement doux sur les vieilles granges grises ; en traversant le Jordan, elle remarqua deux sapins solitaires qui pointaient leurs aiguilles sombres à côté des érables dorés, dans un coin de la prairie. Hilary adorait ces sapins. Il disait que c'étaient les deux flèches jumelles de quelque cathédrale mystérieuse dans le coucher de soleil.

Hilary l'attendait dans le Bonheur, assis sur une vieille pierre couverte de mousse, tout près du ruisseau que les années n'avaient pas modifié. À côté de lui, il y avait un petit chien joyeux avec un soupçon de mélancolie derrière cette apparente gaieté. McGinty sentait qu'il arrivait quelque chose... quelque chose d'indéfinissable et de glacial. Mais tant qu'il était avec son cher maître, que pouvait-il bien lui arriver ?

Hilary inspira profondément : il releva lentement les yeux, comme il en avait l'habitude. Il la voyait traverser le champ... une fille splendide dans un chandail orange et doré, le soleil d'automne brûlant ses cheveux brun foncé et allumant ses yeux d'ambre ; son visage rayonnant de teintes chaudes et mûres, *qu'il aurait pu embrasser*, son corps comme un jeune roseau qui ne casserait jamais, même s'il pliait.

> *Confiante, transparente, vivante et vraie,*
> *Avec des yeux d'or humides de cet attrait*

Pourquoi n'aurait-il pas pu dire cela au lieu de Stevenson ? C'était plus vrai de Pat que cela ne le serait jamais de personne d'autre. Pourquoi ne pouvait-il pas lui dire toutes ces paroles brûlantes et éloquentes auxquelles il pensait, la nuit, et qu'il n'arrivait jamais à prononcer le jour ?

Pat s'assit sur la pierre, à côté de Hilary. Ils parlèrent très peu et plutôt en phrases saccadées.

— Je ne reviendrai plus jamais au Bonheur, dit Pat.

— Pourquoi pas ? J'aimerais bien pouvoir t'imaginer assise ici, une fois de temps en temps, avec McGinty.

— Pauvre petit chien chéri ! Pat caressa distraitement la tête généreuse de McGinty, avec une de ses fines mains brunes... ses chères mains, pensa Hilary. Non, je ne supporterais pas de venir ici sans toi, Hilary. Nous sommes venus si souvent... nous sommes amis depuis si longtemps.

— Est-ce qu'on ne pourrait pas... on ne pourrait pas... parfois... être plus que des amis ? bredouilla Hilary désespérément.

Pat se fit instantanément plus distante, bien que son visage ait brusquement tourné au rose. Hilary était un ami si extraordinaire... un frère... un copain... mais ne serait jamais un amoureux. Pat en était certaine.

— Nous avons toujours été des amis merveilleux, Hilary. Ne viens pas tout gâcher. Nous sommes amis depuis le fameux soir où tu m'as sauvée de dieu sait quoi sur la route. Dix ans.

— Ce furent de bonnes années. Hilary semblait avoir accepté sa réserve avec plus de sagesse qu'elle ne l'avait d'abord craint. Et comment seront les années à venir, je me le demande ?

— Ce seront des années merveilleuses pour toi, Hilary. Tu vas réussir... tu seras le premier. Et puis tous tes vieux amis ici... et particulièrement cette vieille fille de Pat à Silver Bush, seront fiers de t'avoir connu un jour.

— Je vais réussir. Hilary resserra la mâchoire. Avec ton... amitié... je pourrais réussir n'importe quoi. Je veux te dire... si tu le permets... ce que ton amitié et la vie que j'ai partagée avec toi à Silver Bush ont représenté pour moi. Cela m'a permis de ne pas devenir cynique et haineux. Vous

393

étiez tous si sûrs que la vie valait la peine d'être vécue, que je n'arrivais pas à croire autre chose... et il en sera toujours ainsi. Tu m'écriras souvent, n'est-ce pas, Pat ? Je serai si... seul... au début. Je ne connais personne à Toronto.

— Bien sûr que je t'écrirai. Et n'oublie pas, Hilary... Pat rit d'un ton moqueur... tu dois me construire une maison un de ces jours. Je vivrai dedans quand Sid se mariera et qu'il me chassera de Silver Bush. Et tu viendras me voir dans cette maison... Je serai une bonne vieille fille aux cheveux d'argent... et je te servirai une tasse de thé que j'aurai préparé dans la théière de la grand-mère Selby... et on se parlera de nos vies... et... on fera semblant que tout ça c'est un rêve... et qu'on est une fois de plus Pat et Jingle, comme avant.

— Où que tu sois, Pat, je m'y sentirai toujours chez moi.

Le voilà qui recommençait. N'eût été l'obligation de se dire au revoir pour très longtemps, Pat aurait été en colère contre Hilary. Mais elle ne pouvait pas se fâcher ce soir. Il oublierait bientôt toutes ces sottises. Il y avait des centaines de jolies filles très intelligentes à Toronto. Mais ils seraient toujours de bons amis... le meilleur de l'amitié... elle ne pouvait pas imaginer ne pas être l'amie de Hilary.

Ils s'en retournèrent, suivant les méandres du Jordan, se rappelant de vieux souvenirs. C'était merveilleux de pouvoir se rappeler les jours anciens ensemble. Il y avait des asters le long du chemin. Hilary voulut en cueillir un bouquet bleu nuit pour elle, mais elle ne le laissa pas faire.

— Non. Ne les cueille pas parce qu'elles se faneraient et que c'est la dernière image que j'aurais d'elles. Laisse-les là, tout simplement, et on se rappellera toujours que nous les avons vues ensemble... magnifiques et frémissantes sur leurs tiges.

Ça c'était Pat tout craché. Hilary se souvint qu'elle n'avait jamais vraiment aimé cueillir des fleurs. Il n'oublierait jamais la façon dont elle parlait de ces fleurs, d'elle-même, de lui, aussi belle et mystérieuse que le crépuscule, un soir d'automne. Chère... si désirable !

Le ruisseau gazouillait et chantonnait. Des sapins très hauts, qui n'étaient que de petits arbres, les premières fois qu'ils l'avaient exploré, allongeaient leurs bras protecteurs au-dessus de son lit ; les mousses verdissaient sur ses bords. Les voix de leur enfance résonnaient dans ses murmures et ses clapotis... ces bruits qu'ils n'avaient pas entendus depuis si longtemps étaient là et se mêlaient aux tristesses indissociables du passé. Hilary à vingt ans et Pat à dix-huit, se sentaient comme de vieux voyageurs se remémorant avec nostalgie leur jeunesse.

Ils s'arrêtèrent sur le pont de pierre qui traversait le Jordan. Pat tendit la main. Elle avait envie de pleurer sur son épaule mais elle savait qu'elle ne devait pas. Si elle le faisait... il la prendrait dans ses bras. Ce serait agréable... mais...

Elle voulait lui dire qu'elle l'aimait tendrement. Elle l'aimait tellement... plus que Joe en ce moment... presque plus que Sidney. Elle avait envie de l'embrasser... mais Hilary ne voulait pas d'un baiser amical. Néanmoins, ils ne pouvaient pas se laisser comme ça.

— Je ne te dirai pas au revoir une demi-douzaine de fois avant de vraiment m'en aller... comme la vieille tante Sarah Gordon, dit Hilary, qui s'efforçait de rire. Au revoir, Pat.

Mais il semblait avoir oublié de laisser aller ses mains. Cela ne pouvait pas durer plus longtemps.

— Au revoir, Jingle.

L'ancien sobriquet était sorti spontanément. Elle retira ses mains de sa poigne chaude et agréable et s'élança dans le sentier sous la lune.

Hilary resta planté un moment et la regarda s'éloigner. McGinty tremblait et s'était blotti contre lui. McGinty savait que tout cela n'allait pas.

Hilary songeait à la maison qu'il construirait pour Pat. Il pouvait la voir... il pouvait presque voir ses lumières briller à travers l'obscurité d'une terre « au-delà des collines dans le lointain ». Plus belle encore que Silver Bush. Pendant un instant, il faillit détester Silver Bush. C'était le seul rival qu'il craignait. Puis il serra les mâchoires.

– Je te retrouverai, Pat.

Pat grimpa dans le sentier à toute allure, traversant le champ sans rien voir et se retrouvant contre la clôture du jardin. Puis les larmes qu'elle avait retenues se mirent à couler. Elle ne pouvait absolument pas supporter le départ de Hilary. Tout s'en allait ! Qui aurait pu supporter une chose pareille ?

Les rayons de la lune vinrent délicatement toucher de leurs doigts argentés la Colline de la Brume. La nuit était un océan bleu perle. Le grondement sourd et continu des marées dans le port emplissait l'air. La paix rêveuse des vergers semblait lui faire signe. Les vieilles granges, qui devaient certainement être hantées par les fantômes de tous ces petits chats qui y étaient nés, étaient chaleureusement rassemblées. Silver Bush était tapissée de lumières accueillantes. Pat essuya ses larmes et regarda sa maison.

Une vieille maison, si fidèle... si dévouée à ceux qui l'aimaient. On sentait qu'elle était une amie dès qu'on y mettait le pied. Elle était remplie de souvenirs d'hier et des années passées. Elle avait reçu le charme et la beauté... ce qui n'est pas tout à fait la même chose... pendant des générations. Il s'était passé tant de choses dans cette maison et elle n'en avait pas oublié une. De l'amour et de la tristesse... des tragédies... des comédies. Des enfants y étaient nés... de jeunes mariées y avaient rêvé... toutes sortes de modes étaient passées devant ces vieux miroirs. Même ses murs semblaient retenir leurs rires.

La maison lui rappelait toute sa vie. Elle avait toujours été la même... elle n'avait jamais changé... pas vraiment. Seulement des changements superficiels. Comme Pat l'aimait ! Elle l'aimait dans le rose du matin et l'ambre du coucher de soleil, et plus que tout, dans la pénombre de la nuit, quand elle apparaissait, très pâle, dans l'obscurité, toute à elle-même. Cette beauté, c'était la sienne... la sienne. La vie ne pourrait jamais être vide à Silver Bush. Quelqu'un avait dit un jour... « si loin du monde ». Pat éclata de rire. Loin du monde ? Non, elle était au centre du monde, ici... son monde. *Je suis parmi les miens.* Cher Sulamite !

Une étrange satisfaction l'envahit. Elle était chez elle ici.

Achevé d'imprimer en juillet 1993
sur presse CAMERON
dans les ateliers de la S.E.P.C.
à Saint-Amand-Montrond (Cher)
pour le compte de France Loisirs
123, boulevard de Grenelle, Paris

Imprimé en France

Dépôt légal : juillet 1993
N° d'édition : 26112. N° d'impression : 1816